La bibliothèque Gallimard

Source des illustrations
Couverture : d'après photo © Martin Barraud/Getty Images.
AKG-Images : p. 10, Bridgeman-Giraudon : p. 37, 64, 302, 303, Kharbine-Tapabor : p. 43,
Leemage-Selva : p. 123, Roger-Viollet : p. 322.

Prosper Mérimée

Carmen

et

Théophile Gautier

Militona

Lecture accompagnée par
Christine Marcandier
ancienne élève de l'École normale supérieure,
agrégée de Lettres Modernes, Maître de conférences
à l'université Aix-Marseille I

La bibliothèque Gallimard

Florilège

«Pourtant est-ce un préjugé que cet instinct de conscience qui résiste à tous les raisonnements?» (*Carmen*)

«J'étais si faible devant cette créature, que j'obéissais à tous ses caprices.» (*Carmen*)

«Quand on est en vue d'une femme, il n'y a pas de mérite à se moquer de la mort.» (*Carmen*)

«– Tu es le diable, lui disais-je. – Oui, me répondait-elle.» (*Carmen*)

«Monsieur, on devient coquin sans y penser. Une jolie fille vous fait perdre la tête, on se bat pour elle, un malheur arrive, il faut vivre à la montagne, et de contrebandier on devient voleur avant d'avoir réfléchi.» (*Carmen*)

«Carmen sera toujours libre. *Calli* elle est née, *calli* elle mourra.» (*Carmen*)

«Une pareille beauté eût eu quelque chose d'alarmant dans un salon de Paris ou de Londres; mais elle était parfaitement à sa place à la course de taureaux, sous le soleil ardent de l'Espagne.» (*Militona*)

«Militona se renversa sur sa chaise, pâle comme une morte. Pendant cette minute suprême, elle avait aimé Juancho.» (*Militona*)

Ouvertures

Pourquoi ce diptyque ?

Il peut paraître étrange de publier en diptyque* deux textes a priori aussi disparates que *Carmen* et *Militona* : la nouvelle de Prosper Mérimée (1803-1870) est extrêmement connue – en partie grâce à l'opéra du même nom composé par Georges Bizet (1838-1875) – tandis que le court roman de Théophile Gautier (1811-1872) figure parmi les œuvres les moins lues de cet auteur.

Pourtant ces deux courts récits, à mi-chemin du roman et de la nouvelle, ont été publiés à peu près en même temps : *Carmen* paraît en trois parties, le 1er octobre 1845, dans *La Revue des Deux Mondes*, puis en volume, en 1847, chez l'éditeur Michel Lévy, cette fois en quatre parties, presque en même temps que *Militona*, dont la publication, sous forme de feuilletons dans *La Presse*, s'étage du 1er au 16 janvier 1847.

Mérimée et Gautier sont deux auteurs de la même génération. Ils ont en partage une passion des voyages et de l'Espagne – cadre de leurs récits –, un amour de l'art (peinture, architecture) et une même opposition à la société conservatrice, « fade » et bourgeoise de la monarchie de Juillet. Ce contexte culturel et politique commun se retrouve dans leurs œuvres, par ailleurs comparables dans leurs thèmes majeurs : la passion amoureuse, la jalousie, la corrida, l'Espagne. Enfin, *Carmen* comme *Militona* sont des textes certes romantiques par leurs motifs (en particulier celui de la violence sanguinaire), mais témoignant d'un véritable recul, d'une distance à l'égard de certains *topoï**,

* Les mots signalés par un astérisque sont définis dans le Glossaire, p. 330.

Mérimée et Gautier ayant en commun une pratique de l'écriture ironique.

Une période historique troublée

Carmen comme *Militona* sont des œuvres profondément ancrées dans un double contexte historique précis, à la fois français et espagnol.

La monarchie de Juillet

Carmen et *Militona* sont publiés dans les dernières années de ce régime politique, né des journées révolutionnaires de juillet 1830. L'espoir immense soulevé par cette mobilisation populaire est rapidement retombé, puisque la bourgeoisie d'affaires détourne à son profit le changement de régime. La monarchie de Juillet demeure cependant une période de troubles, les insurrections se multiplient, à Paris comme en province, et Louis-Philippe, le roi « bourgeois », voit sa vie menacée par de nombreux attentats. En réaction, le gouvernement mène une politique répressive, limitant la liberté de la presse et des théâtres. Face à ce régime de l'argent, la jeunesse semble perdre tout espoir : elle est en proie au mal du siècle, au désenchantement, et cherche une évasion dans les arts comme dans le voyage.

Mérimée et Gautier éprouvent un véritable mépris pour ce régime, et, comme nombre d'écrivains de leur génération, expriment leur opposition et leurs refus par des textes provocateurs, en énonçant ouvertement leur attrait pour les êtres de la marge (bandits, hors-la-loi) ou en jouant de thèmes scandaleux (violence, érotisme…). Mérimée et Gautier pourraient sembler se détourner de ce contexte, en plaçant leurs récits en Espagne, dans les années 1830-1840. Cependant, des allusions à la France apparaissent çà et là, par exemple lorsque Gautier, décrivant Féliciana, raille son goût pour les « vaudevilles* traduits de Scribe », auteur dont il ne cessa par ailleurs de critiquer l'insignifiance et la fadeur. De même, la caricature de bourgeois que mène Gautier à travers Sir Edwards, qualifié par antiphrase* d'« expression suprême de la civilisation », excède largement la nationalité anglaise du personnage et vise l'idéologie de la monarchie de Juillet. Dans la préface de *Mademoiselle de Maupin* (1834), Gautier est tout aussi moqueur envers la prétention de vertu, d'utilité et de confort « de la glorieuse époque où nous avons le bonheur de vivre ».

La France est tout simplement absente de *Carmen*, évoquée furtivement à travers la nationalité du narrateur, lors de sa rencontre avec la jeune Gitane. Mais silence comme allusions peuvent être lus comme signes d'un même refus, d'une même opposition. L'Espagne est à la fois miroir et contre-épreuve de la France des années 1830-1840.

La monarchie espagnole

L'intrigue de *Carmen* se situe « au commencement de l'automne 1830 », celle de *Militona*, « un lundi du mois de juin de 184. ». Les *incipit** des deux textes, en précisant ces données spatio-temporelles, donnent aux récits la valeur de chroniques. Dans les premières années du XIXe siècle, l'Espagne est envahie par les armées de Napoléon, qui installe son frère Joseph sur le trône. De 1808 à 1813, les Espagnols mènent une guerre d'indépendance contre l'occupation française. Le pays est libéré grâce à l'alliance anglo-espagnole et aux victoires de Wellington. Ferdinand VII revient au pouvoir en 1814, mais le pays reste déchiré par une guerre civile (1834-1839) : les « carlistes » soutiennent don Carlos de Bourbon, prétendant au trône sous le nom de Charles V, après la mort en 1833 de son frère, Ferdinand VII, qui abrogea la loi salique (loi qui exclut les femmes du droit de succession à la couronne) au profit de sa fille Isabelle. Les « libéraux » sont eux les partisans de la reine Isabelle II. Cette guerre civile est évoquée par deux fois dans *Militona* : la jeune femme, racontant brièvement sa vie à son ami Andrès, célèbre la mémoire de son père (p. 252) :

> [...] obscur soldat [...] tué pendant la guerre civile en combattant comme un héros pour la cause qu'il croyait la meilleure. Ses hauts faits seraient chantés par les poètes si, au lieu d'avoir eu pour théâtre quelque gorge étroite de montagne dans une sierra de l'Aragon, ils avaient été accomplis sur quelque champ de bataille illustre.

Contrepoint quelque peu comique de cette évocation héroïque, deux agents, Argamasilla et Covachuelo, cherchant à retrouver Andrès, l'imaginent parti « pour aller rejoindre, dans l'Aragon ou la Catalogne, quelque noyau carliste, quelque reste de guérilla cherchant à se réorganiser. L'Espagne dansait sur un volcan ; mais, si l'on voulait bien leur accorder une gratification, ils se chargeaient, à eux deux, Argamasilla et Covachuelo, d'éteindre ce volcan, d'empêcher les coupables de rejoindre leurs complices, et promettaient, sous huit jours, de livrer la liste des conjurés et les plans du complot » (p. 234). De fait, les carlistes, vaincus (leur chef s'est exilé en France), mènent des conspirations diverses. La mère d'Isabelle, Marie-Christine de Bourbon-Sicile, assure la régence jusqu'en 1840. Elle est alors remplacée par le général Espartero, chassé du pouvoir en 1843. L'Espagne vit donc une période de troubles et de luttes, le brigandage sévit, toile de fond de *Carmen*.

Romantique Espagne

L'Espagne, terre d'élection du romantisme
Au pays des passions – Espace de la violence, de l'érotisme, des corridas, l'Espagne mythique, imaginée et construite par les écrivains, est particulièrement riche : se mêlent les influences arabes, juives, andalouses, à l'image du paradis dans lequel vivent Andrès et Militona à la fin du roman de Gautier. Ce pays présente des caractéristiques fascinantes, suscitant récits et études, comme en témoigne la structure de *Carmen*, avec son essai sur les Bohémiens qui clôt la fiction. Les Espagnols, au contraire des Français ou des Anglais pétrifiés dans les convenances et le conformisme, suivent leurs instincts et laissent libre cours à leurs passions, trouvant délectation, plaisir et même volupté dans la violence (qu'il s'agisse du meurtre ou des corridas), vivant leur sensualité dans le sang. Cet ailleurs suscite les fantasmes, mis en abyme* par le narrateur de *Carmen* face à la jeune Gitane ou, sur un mode plus ironique, par l'anglais Sir Edwards dans *Militona*, qui rêve d'épouser « une Espagnole à l'âme passionnée, au cœur de flamme » mais « qui fasse le thé » !

Voyages et fiction – Mérimée et Gautier ont en partage cette fascination pour l'Espagne où ils situent l'un comme l'autre nombre de leurs œuvres. Mérimée publie *Le Théâtre de Clara Gazul* (1825) – prétendument écrit par une actrice andalouse et bohémienne, comme Carmen – et *La Perle de Tolède* (1829), avant même son premier voyage là-bas (1830) qui lui inspirera ses quatre *Lettres d'Espagne*, dans *La Revue de Paris* (1831-1833). *Carmen* naîtra d'un nouveau voyage en Espagne, en 1840. Gautier, quant à lui, a fait de ce pays le cadre privilégié d'un recueil poétique (*España*, 1847), d'un vaudeville* (*Voyage en Espagne*, 1843), comme d'un récit de voyage (un autre *Voyage en Espagne*, 1845). À leur image, la plupart des écrivains romantiques voyagent en Espagne, destination à la mode, qu'il s'agisse de François-René de Chateaubriand, Charles Nodier, George Sand, Alexandre Dumas ou Victor Hugo. D'autres auteurs y situent leurs œuvres sans jamais l'avoir visitée, comme Alfred de Musset (*Contes d'Espagne et d'Italie*) ou Honoré de Balzac (*El Verdugo*).

Études de détail – Mérimée et Gautier ont, eux, pour volonté affichée de rompre avec un certain nombre de clichés, comme lorsque, dans *Militona*, l'auteur s'amuse, par une série de comparaisons appuyées dans son portrait du torero Juancho, du lieu commun qui veut que tout Espagnol joue de la guitare. Les deux auteurs citent leurs sources, accompagnent leurs récits d'un réseau de notes et de traductions entre parenthèses. L'Espagne n'est en aucun cas pour eux un simple objet exotique ou un cadre à la mode, ce que montre leur attention à la langue : leurs récits abondent en termes espagnols (« *dia de toros*, comme on dit en Espagne », souligne Gautier dès l'*incipit** de *Militona*), certains déjà passés dans la langue française (*toreador, brasero*…), d'autres proprement inconnus (*cachucha, función*…). De même Mérimée et Gautier ont, dans leurs textes, le souci du détail réaliste, qu'il s'agisse de la topographie des villes, des itinéraires suivis par leurs personnages, des costumes ou même des plats. Ce qui ne les met pas à l'abri de certaines généralisations (« il y a partout des mandolines en Espagne », *Carmen*, chapitre 1), voire de certaines erreurs, comme lorsque Mérimée explique que le *gaspacho* est « une espèce de salade de piments », alors qu'il s'agit d'une soupe froide.

Jacques Bouhy dans le rôle d'Escamillo (don José), lors d'une représentation de *Carmen* de Georges Bizet, le 3 mars 1875. Le torero est l'une des figures les plus flamboyantes de l'Espagne de Mérimée et de Gautier.

Poésie et vérité – De fait, même chez les écrivains qui, comme Mérimée et Gautier, ont visité le pays, se sont documentés et se targuent d'études érudites (historiques ou archéologiques dans *Carmen*, tauromachiques et picturales dans *Militona*), l'image de l'Espagne mêle fiction et réalité, vraisemblance et imaginaire : elle demeure subjective, fortement poétisée. Ainsi les caractères des personnages sont fortement influencés par un imaginaire des « races » propre au romantisme. Il est, pour les deux écrivains, un déterminisme du sang national : lorsque Andrès est séduit par Militona, « malgré lui, le vieux sang espagnol s'insurgeait dans ses veines » (p. 190), « l'ancien esprit d'aventure espagnol se réveillait en lui » (p. 203). Don José, sous la plume de Mérimée, explique lui aussi sa passion du jeu de paume par ses origines basques (*Carmen*, chapitre 3). Malgré leur volonté de rupture avec les « espagnolades », les romanciers ne peuvent se départir de leur rêve ibérique. Gautier s'en amuse au chapitre 2 de son *Voyage en Espagne*, alors qu'il s'apprête à passer la frontière :

《 Encore quelques tours de roue, je vais peut-être perdre une de mes illusions, et voir s'envoler l'Espagne de mes rêves, l'Espagne du *Romancero*, des ballades de Victor Hugo, des nouvelles de Mérimée et des contes d'Alfred de Musset. En franchissant la ligne de démarcation je me souviens de ce que ce bon et spirituel Henri Heine me disait au concert de Liszt, avec son accent allemand plein d'*humour* et de malice : « Comment ferez-vous pour parler de l'Espagne quand vous y serez allé ? » **》**

Une Espagne palimpseste

Nourrie de voyages, la représentation de l'Espagne passe également par un imaginaire né de souvenirs littéraires et picturaux : c'est un pays palimpseste*. *Militona* en est le meilleur exemple puisque la composition du roman de Gautier a sans doute été en partie influencée par *Carmen*. Mais les deux récits abondent également en références et citations. Certaines sont « scientifiques » et sont présentes à titre de documents : ainsi Mérimée, au cours de son étude des Bohémiens (*Carmen*, chapitre 4), cite Borrow, un missionnaire ayant déjà écrit sur le sujet. D'autres sont purement littéraires ou picturales : Francisco de Goya (*Caprices, Tauromachie*), Cervantès (*Don Quichotte, Nouvelles exemplaires*), Pouchkine (*Les Bohémiens*, traduit par Mérimée), Victor Hugo. Elles montrent que l'Espagne, au-delà d'un pays, est un espace privilégié pour l'imaginaire et l'écriture.

« Avez-vous vu, dans Barcelone, / Une Andalouse au sein bruni ? »

Ce vers de Musset, extrait des *Contes d'Espagne et d'Italie* (1830), sert la représentation des deux héroïnes que vous allez découvrir. La femme cristallise une grande partie de l'imaginaire espagnol, comme le soulignent à eux seuls les titres des nouvelles : Carmen et Militona, héroïnes éponymes*, seuls réels personnages féminins même, puisque les autres femmes ne sont que silhouettes (Dorothée, la femme de la *venta* dans *Carmen*, la *tía* de *Militona*) ou faire-valoir (Doña Feliciana Vasquez de los Rios qui n'a d'espagnol que les origines et le nom de famille à tiroirs). Balzac ironise, dans *La Muse du département* (1843), sur « le poncif du portrait de la jeune Espagnole » en littérature, à propos des six cents vers espagnols composés par son héroïne qui sont un florilège de clichés romantiques (« trois toréadors se firent tuer » pour la belle *Paquita la Sévillane*). Au-delà de certains traits physiques récurrents, que l'on trouvera chez Carmen comme chez Militona (la peau cuivrée, l'œil noir, le pied cambré), les écrivains romantiques célèbrent la sensualité de leurs héroïnes espagnoles, leur science innée pour faire naître désirs et passions, par leurs vêtements, leur démarche, leurs attitudes, leurs chants ou leurs danses. L'étrangeté attire en elles, qu'il s'agisse d'une beauté hors des canons classiques, d'une forme d'exotisme ou de la séduction du mal, comme chez Carmen. Son charme – rappelons qu'il s'agit d'un des sens du prénom Carmen – est tel qu'il provoque tensions et meurtres, et chacune des deux héroïnes est au centre d'un désir « triangulaire » : Juancho comme don José voient la femme qu'ils aiment passionnément convoitée par un tiers, aimé, parfois épousé, simplement séduit, qu'il s'agisse de Garcia, Lucas, Dominguez ou Andrès. Enfin, la fascination qu'exercent les femmes espagnoles est liée à leur rapport à la cruauté, au sens le plus étymologique du terme, c'est-à-dire au sang qui coule. Carmen provoque volontairement des meurtres, sa séduction est une arme, comme le montre la fleur de cassie qu'elle jette comme une « balle » « entre les deux yeux » de don José; Militona, à son corps défendant, voit également ses soupirants tués par Juancho. La cruauté des femmes espagnoles s'exprime enfin dans leur passion pour la corrida, analysée par Gautier dans *Le Voyage en Espagne* (chapitre 12) :

« Les femmes étaient en assez grand nombre et j'en remarquais beaucoup de jolies. [...] Dans nos idées, il semble étrange que des femmes puissent assister à un spectacle où la vie de l'homme est en péril à chaque instant, où le sang coule en larges mares, où des malheureux chevaux effondrés se prennent les pieds dans leurs entrailles; on se les figurerait volontiers comme des mégères au regard hardi, au geste forcené, et l'on se tromperait fort. [...] Les chances diverses de l'agonie du taureau sont suivies attentivement par de pâles et charmantes créatures [...]. Le mérite des coups est discuté par des bouches si jolies, qu'on voudrait ne les entendre parler que d'amour. **»**

La quête d'un ailleurs

Bandits et crimes

Carmen et *Militona* se situent en Espagne, terre de passions et de cruauté pour les romantiques. La violence est constante dans les textes, qu'elle soit verbale ou physique, privée ou publique. Les deux récits offrent une véritable collection d'armes (espingoles, couteaux, *navajas*, *maquilas*...), une anthologie de blessures et de scènes de meurtres divers, décrits parfois avec sobriété et concision, parfois avec un luxe de détails atroces. Divers types de criminels sont représentés, bandits d'honneur, contrebandiers, meurtriers par passion. Mais ce qui frappe, dans ce tableau du crime, c'est le regard porté par les écrivains sur ces scènes et ces personnages : Gautier et Mérimée éprouvent une véritable fascination pour ces figures marginales; en témoignent les regrets exprimés par le narrateur, au chapitre 1 de *Carmen*, « d'en entendre parler et de n'en rencontrer jamais ». La citation grecque en épigraphe de la nouvelle (p. 20) pourrait laisser croire au lecteur que l'auteur s'érige en juge et en moraliste. En fait, les vers ironiques de Palladas font signe vers un narrateur au statut bien plus complexe, se laissant séduire par Carmen, éprouvant de l'indulgence et même une véritable compassion pour don José. Mérimée et Gautier refusent tout manichéisme, tout jugement moral étroit, célèbrent la grandeur paradoxale de certains criminels et les réhabilitent en tant que personnages fascinants, de même qu'ils contribuent à faire entrer leur langue, l'argot, dans le champ littéraire (voir Arrêt sur lecture 4).

Le sublime

Les personnages de criminels sont le signe textuel d'un rejet des normes et convenances aussi bien sociales, politiques que littéraires. Le meurtrier, mais aussi ces femmes à la beauté « étrange » – l'adjectif se trouve sous la plume de Mérimée comme de Gautier –, incarnent une esthétique du sublime, définie par les philosophes du XVIIIe siècle comme une attirance et une fascination éprouvées pour ce qui d'abord nous effraie, ou pour un spectacle atroce ou violent vu à distance. Mérimée décrivant don José séduit par Carmen (« d'abord elle ne me plut pas », déclare-t-il, avant d'être subjugué) ou Gautier évoquant la corrida, « cette comédie de l'effroi, toujours si amusante pour les spectateurs à l'abri de tout danger » (*Militona*, chapitre 2), se réfèrent tous deux à cette esthétique du sublime. La fascination que les femmes éprouvent pour les bandits ou les toréadors est une mise en abyme* de celle que ces textes doivent provoquer chez leurs lecteurs. L'énergie des criminels, les tensions de leur passion et de leur violence trouvent un écho narratif dans ces textes courts, concis, fonctionnant par additions de scènes violentes, selon une écriture du choc et de la surprise. Aussi le sublime permet-il une redéfinition des normes esthétiques et littéraires, un renouvellement du rapport de l'auteur à son lecteur : il lui faut le fasciner en l'agressant, l'attirer par la peinture de personnages et d'actes exceptionnels. Le lecteur se doit d'être à la fois passif (entraîné par la tension du récit) et actif (observateur avisé, scrutateur de signes et d'indices).

Ironie et mise à distance

De l'humour à la critique – Ultime forme de refus et de retrait, l'ironie est une constante des deux textes. Elle revêt des formes et des tons divers, de l'humour et de l'autodérision à la critique la plus sévère. Les procédés comiques sont aisément identifiables dans *Militona* : ils sont présents dans les caricatures de certains personnages, comme la *tía* Aldonza ou Sir Edwards, dans la manière dont Gautier souligne des raccourcis narratifs (« il ne sera peut-être pas hors de propos de jeter un coup d'œil sur l'endroit où la scène se passe »), dans la manière de tourner en dérision certains codes littéraires, comme ceux du roman criminel. En ce sens, *Militona* se démarque fortement de *Carmen*, la dimension comique et satirique du texte de Gautier est essentielle, alors que Mérimée use davantage de la dérision, en particulier lorsque le narrateur évoque ses travaux et recherches, aux chapitres 1 et 4 de la nouvelle.

Réécriture malicieuse – En revanche, les deux récits ont en commun d'autres procédés ironiques, concernant cette fois un jeu avec les codes littéraires : Gautier comme Mérimée pratiquent, au sein de leurs récits, des sous-genres romanesques pour mieux les détourner, roman d'aventures, roman sentimental, récit initiatique. De même, ils s'amusent de clichés romantiques, à travers certaines métaphores ou comparaisons ou des récits de rêves (ceux de don José s'imaginant parcourir l'Andalousie, « sur un bon cheval, l'espingole au poing », Carmen « en croupe » par exemple). Enfin, l'ironie comme principe intertextuel se retrouve dans nombre de références directes ou plus implicites à d'autres auteurs romantiques : Hugo est présent par deux fois dans *Militona*, à travers la description de la duègne « aimable compagnonne », hémistiche emprunté à *Ruy Blas* (1838) ou celle d'une pendule qui représente « la Esméralda faisant écrire à sa chèvre le nom de Phébus », allusion à *Notre-Dame de Paris*. Mérimée pratique lui aussi les réécritures : Brantôme, lors du portrait de Carmen, *Don Quichotte*, lorsqu'il décrit le lieu de rencontre du narrateur et de don José, etc. Il met même en abyme* ses propres textes dans *Carmen*, de *La Guzla* (« on sait que dans le Levant, deux personnes qui ont mangé du pain et du sel ensemble, deviennent amies par ce fait seul ») aux *Lettres d'Espagne* (portrait de José-Maria).

Histoire et culture au temps de Mérimée et

	Histoire	Vie et œuvre de Mérimée	Vie et œuvre de Gautier
1803		Naissance à Paris.	
1804	Fin du Consulat. Premier Empire.		
1811			Naissance à Tarbes.
1814-1815	Première Restauration (Louis XVIII). Retour de Napoléon (Cent-Jours). Défaite de Waterloo. Seconde Restauration (Louis XVIII).		
1820-1822		Études de droit. Rencontre Stendhal.	
1822	1821 : mort de Napoléon.		
1824	Mort de Louis XVIII. Couronnement de Charles X.	Fréquentation des salons romantiques.	Gautier peint et compose des poèmes.
1825		*Le Théâtre de Clara Gazul, comédienne espagnole.* Voyages en Angleterre.	
1827		*La Guzla.*	
1829		*Chronique du règne de Charles IX. Mateo Falcone.*	Rencontre Victor Hugo.
1830	Révolution de Juillet (Louis-Philippe).	Juin à décembre : voyage en Espagne.	Soutient Hugo lors de la bataille d'*Hernani.* *Poésies.*
1831	Insurrection des canuts de Lyon.	→ 1833 : publication des *Lettres d'Espagne.* Fonctions officielles dans divers ministères.	*La Cafetière.*
1832			*Albertus.*
1833			*Les Jeunes-France, romans goguenards.*
1834	Insurrections à Paris et en province.	Nommé inspecteur des monuments historiques.	
1835	Attentat de Fieschi. Lois contre la presse et sur la liberté des théâtres.		Premier volume de *Mademoiselle de Maupin.*
1836			Second volume de *Mademoiselle de Maupin.* Voyage en Belgique.
1837		Secrétaire de la Commission des monuments historiques. *La Vénus d'Ille.*	

Année	Œuvres	Vie	Histoire
1838	*La Comédie de la mort – Fortunio.*		
1839		Voyage en Corse et en Italie.	Tentative d'insurrection de Barbès et Blanqui.
1840	Voyage en Espagne.	Voyage en Espagne. *Colomba.*	
1841	Voyage en Orient.		
1843	*Un voyage en Espagne* (vaudeville*).		
1844	*Les Grotesques.*	Élection à l'Académie française.	
1845	*Poésies complètes.* *Voyage en Espagne.* *Voyage en Algérie.*	**Carmen.**	
1846	*Le Club des Hachichins.* Voyages à Londres et en Espagne.	Voyages en Rhénanie, en Belgique, en Espagne.	
1847	**Militona**		
1848			Révolution de Février. Proclamation de la IIe République (Louis-Napoléon Bonaparte).
1851			Coup d'État du 2 décembre.
1852	Voyage en Italie. Première édition d'*Émaux et Camées.* Voyages à Constantinople et Athènes. *Arria Marcella.*	Promu officier de la Légion d'honneur. 15 jours de prison + amende pour un article sur *Le Procès de M. Libri.*	Napoléon III, empereur héréditaire des Français. Second Empire.
1853		Nommé sénateur.	
1855	*Poésies complètes.*		
1857	*Le Roman de la momie.*	1854 → 1868 : nombreux voyages à l'étranger.	
1858	Voyage en Russie.		
1861	Voyage en Russie. *Le Capitaine Fracasse* (→ 1863).	Élu secrétaire du Sénat.	
1862	Voyages à Londres et en Algérie.		
1869	Voyage en Égypte.	*Lokis.* 23/09 : mort à Cannes.	
1870			Guerre franco-prussienne. Désastre de Sedan. Proclamation de la IIIe République.
1871			Répression de la Commune.
1872	23/10 : mort à Neuilly.		

De fait, les deux récits multiplient retraits et mises à distance, qu'ils soient géographiques, esthétiques, moraux ou littéraires : *Carmen* comme *Militona* pourraient être placés sous l'égide de cette inscription, gravée sur une bague que portait Mérimée : «souviens-toi de te méfier».

Carmen

de Prosper Mérimée

Πᾶσα γυνὴ χόλος ἐστίν· ἔχει δ'ἀγαθάς δύο ὧρας
Τήν μίαν ἐν θαλάμῳ τήν μίαν ἐν θανατῳ[1].

PALLADAS

---

1. «Toute femme est comme le fiel; mais elle a deux bonnes heures, une au lit, l'autre à sa mort.» Cette épigramme de Palladas, philosophe grec du Vᵉ siècle apr. J.-C., apparaît dans l'*Anthologie palatine*.

1

J'avais toujours soupçonné les géographes de ne savoir ce qu'ils disent lorsqu'ils placent le champ de bataille de Munda[1] dans le pays des Bastuli-Pœni, près de la moderne Monda, à quelque deux lieues au nord de Marbella. D'après mes propres conjectures sur le texte de l'anonyme, auteur du *Bellum Hispaniense*[2], et quelques renseignements recueillis dans l'excellente bibliothèque du duc d'Ossuna[3], je pensais qu'il fallait chercher aux environs de Montilla[4] le lieu mémorable où, pour la dernière fois, César joua quitte ou double contre les champions de la république. Me trouvant en Andalousie au commencement de l'automne de 1830, je fis une assez longue excursion pour éclaircir les doutes qui me restaient encore. Un mémoire que je publierai prochainement ne laissera plus, je l'espère, aucune incertitude dans l'esprit de tous les archéologues de bonne foi. En attendant que ma disserta-

1. Munda : César vainquit les fils de Pompée lors de la bataille de Munda en 45 av. J.-C., près de Cordoue. Or Marbella est un petit port sur la Méditerranée, entre Gibraltar et Malaga.
2. Le *Bellum hispaniense* (guerre d'Espagne), attribué à César (*Commentaires*), serait dû à un officier inconnu, romain ou espagnol.
3. Bibliothèque du duc d'Ossuna : bibliothèque madrilène.
4. Montilla : ville à une cinquantaine de kilomètres au sud de Cordoue.

tion résolve enfin le problème géographique qui tient toute l'Europe savante en suspens[1], je veux vous raconter une petite histoire ; elle ne préjuge rien sur l'intéressante question de l'emplacement de Monda.

J'avais loué à Cordoue un guide et deux chevaux, et m'étais mis en campagne avec les *Commentaires de César* et quelques chemises pour tout bagage. Certain jour, errant dans la partie élevée de la plaine de Cachena, harassé de fatigue, mourant de soif, brûlé par un soleil de plomb, je donnais au diable de bon cœur César et les fils de Pompée, lorsque j'aperçus, assez loin du sentier que je suivais, une petite pelouse verte parsemée de joncs et de roseaux. Cela m'annonçait le voisinage d'une source. En effet, en m'approchant, je vis que la prétendue pelouse était un marécage où se perdait un ruisseau, sortant, comme il semblait, d'une gorge étroite entre deux hauts contreforts de la sierra de Cabra. Je conclus qu'en remontant je trouverais de l'eau plus fraîche, moins de sangsues et de grenouilles, et peut-être un peu d'ombre au milieu des rochers. À l'entrée de la gorge, mon cheval hennit, et un autre cheval, que je ne voyais pas, lui répondit aussitôt. À peine eus-je fait une centaine de pas, que la gorge, s'élargissant tout à coup, me montra une espèce de cirque naturel parfaitement ombragé par la hauteur des escarpements qui l'entouraient. Il était impossible de rencontrer un lieu qui promît au voyageur une halte plus agréable. Au pied de rochers à pic, la source s'élançait en bouillonnant, et tombait dans un petit bassin tapissé d'un sable blanc comme la neige. Cinq à six beaux chênes verts, toujours à l'abri du vent et rafraîchis par la

---

1. Mérimée ironise mais il publia un article dans la *Revue archéologique* («Inscriptions romaines de Baena», juin 1844) dans lequel il aborde cette question de l'emplacement réel de la bataille de Munda.

source, s'élevaient sur ses bords, et la couvraient de leur épais ombrage; enfin, autour du bassin, une herbe fine, lustrée, offrait un lit meilleur qu'on n'en eût trouvé dans aucune auberge à dix lieues à la ronde.

À moi n'appartenait pas l'honneur d'avoir découvert un si beau lieu. Un homme s'y reposait déjà, et sans doute dormait, lorsque j'y pénétrai. Réveillé par les hennissements, il s'était levé, et s'était rapproché de son cheval, qui avait profité du sommeil de son maître pour faire un bon repas de l'herbe aux environs. C'était un jeune gaillard, de taille moyenne, mais d'apparence robuste, au regard sombre et fier. Son teint, qui avait pu être beau, était devenu, par l'action du soleil, plus foncé que ses cheveux. D'une main il tenait le licol de sa monture, de l'autre une espingole[1] de cuivre. J'avouerai que d'abord l'espingole et l'air farouche du porteur me surprirent quelque peu; mais je ne croyais plus aux voleurs, à force d'en entendre parler et de n'en rencontrer jamais[2]. D'ailleurs, j'avais vu tant d'honnêtes fermiers s'armer jusqu'aux dents pour aller au marché, que la vue d'une arme à feu ne m'autorisait pas à mettre en doute la moralité de l'inconnu. «Et puis, me disais-je, que ferait-il de mes chemises et de mes *Commentaires* Elzévir[3]?» Je saluai donc l'homme à l'espingole d'un signe de tête familier, et je lui demandai en souriant si j'avais troublé son sommeil. Sans me répondre,

1. Espingole : gros fusil court, au canon évasé.
2. Dans sa troisième *Lettre d'Espagne* (1831-1833), Mérimée écrit qu'il a «parcouru pendant plusieurs mois, et dans tous les sens, l'Andalousie, cette terre classique des voleurs, sans en rencontrer un seul». Il déclare même ironiquement «regrett(er) d'avoir manqué ces messieurs». Mais si on ne croise pas de voleur en Espagne, on ne cesse d'en entendre parler : «les postillons, les aubergistes vous racontent des histoires lamentables de voleurs assassinés, de femmes enlevées, à chaque halte que l'on fait».
3. Mes *Commentaires* Elzévir : il s'agit toujours des *Commentaires* de César, dans une édition de petit format. On notera l'ironique reprise en chiasme * du syntagme * «chemises et commentaires»…

il me toisa de la tête aux pieds; puis, comme satisfait de son examen, il considéra avec la même attention mon guide, qui s'avançait. Je vis celui-ci pâlir et s'arrêter en montrant une terreur évidente. «Mauvaise rencontre!» me dis-je. Mais la prudence me conseilla aussitôt de ne laisser voir aucune inquiétude. Je mis pied à terre; je dis au guide de débrider, et, m'agenouillant au bord de la source, j'y plongeai ma tête et mes mains; puis je bus une bonne gorgée, couché à plat ventre, comme les mauvais soldats de Gédéon[1].

J'observais cependant mon guide et l'inconnu. Le premier s'approchait bien à contrecœur; l'autre semblait n'avoir pas de mauvais desseins contre nous, car il avait rendu la liberté à son cheval, et son espingole, qu'il tenait d'abord horizontale, était maintenant dirigée vers la terre.

Ne croyant pas devoir me formaliser du peu de cas qu'on avait paru faire de ma personne, je m'étendis sur l'herbe, et d'un air dégagé je demandai à l'homme à l'espingole s'il n'avait pas un briquet sur lui. En même temps je tirais mon étui à cigares. L'inconnu, toujours sans parler, fouilla dans sa poche, prit son briquet, et s'empressa de me faire du feu. Évidemment il s'humanisait; car il s'assit en face de moi, toutefois sans quitter son arme. Mon cigare allumé, je choisis le meilleur de ceux qui me restaient, et je lui demandai s'il fumait.

«Oui, monsieur», répondit-il. C'étaient les premiers mots qu'il faisait entendre, et je remarquai qu'il ne prononçait pas l's à la manière andalouse*, d'où je conclus que

---

1. Allusion biblique (*Juges*, VII, 5-7). Gédéon, avant de livrer bataille, avait exclu les soldats qui s'étaient couchés pour boire, retardant la marche de l'armée.

* Les Andalous aspirent l's, et le confondent dans la prononciation avec le *c* doux et le *z*, que les Espagnols prononcent comme le *th* anglais. Sur le seul mot *Señor* on peut reconnaître un Andalou. (Les notes précédées d'un astérisque sont de Mérimée.)

c'était un voyageur comme moi, moins archéologue seulement.

« Vous trouverez celui-ci assez bon », lui dis-je en lui présentant un véritable régalia[1] de La Havane.

Il me fit une légère inclination de tête, alluma son cigare au mien, me remercia d'un autre signe de tête, puis se mit à fumer avec l'apparence d'un très vif plaisir.

« Ah ! s'écria-t-il en laissant échapper lentement sa première bouffée par la bouche et les narines, comme il y avait longtemps que je n'avais fumé ! »

En Espagne, un cigare donné et reçu établit des relations d'hospitalité, comme en Orient le partage du pain et du sel. Mon homme se montra plus causant que je ne l'avais espéré. D'ailleurs, bien qu'il se dît habitant du partido[2] de Montilla, il paraissait connaître le pays assez mal. Il ne savait pas le nom de la charmante vallée où nous nous trouvions ; il ne pouvait nommer aucun village des alentours ; enfin, interrogé par moi s'il n'avait pas vu aux environs des murs détruits, de larges tuiles à rebords, des pierres sculptées, il confessa qu'il n'avait jamais fait attention à pareilles choses. En revanche, il se montra expert en matière de chevaux. Il critiqua le mien, ce qui n'était pas difficile ; puis il me fit la généalogie du sien, qui sortait du fameux haras de Cordoue : noble animal, en effet, si dur à la fatigue, à ce que prétendait son maître, qu'il avait fait une fois trente lieues dans un jour, au galop ou au grand trot. Au milieu de sa tirade, l'inconnu s'arrêta brusquement, comme surpris et fâché d'en avoir trop dit. « C'est que j'étais très pressé d'aller à Cordoue, reprit-il avec quelque embarras. J'avais à solliciter les juges pour un pro-

1. Régalia : cigare de qualité supérieure.
2. Partido : arrondissement.

cès…» En parlant, il regardait mon guide Antonio, qui baissait les yeux.

L'ombre et la source me charmèrent tellement, que je me souvins de quelques tranches d'excellent jambon que mes amis de Montilla avaient mis dans la besace de mon guide. Je les fis apporter, et j'invitai l'étranger à prendre sa part de la collation impromptue. S'il n'avait pas fumé depuis longtemps, il me parut vraisemblable qu'il n'avait pas mangé depuis quarante-huit heures au moins. Il dévorait comme un loup affamé. Je pensai que ma rencontre avait été providentielle pour le pauvre diable. Mon guide, cependant, mangeait peu, buvait encore moins, et ne parlait pas du tout, bien que depuis le commencement de notre voyage il se fût révélé à moi comme un bavard sans pareil. La présence de notre hôte semblait le gêner, et une certaine méfiance les éloignait l'un de l'autre sans que j'en devinasse positivement la cause.

Déjà les dernières miettes du pain et du jambon avaient disparu ; nous avions fumé chacun un second cigare ; j'ordonnai au guide de brider nos chevaux, et j'allais prendre congé de mon nouvel ami, lorsqu'il me demanda où je comptais passer la nuit.

Avant que j'eusse fait attention à un signe de mon guide, j'avais répondu que j'allais à la venta del Cuervo[1].

«Mauvais gîte pour une personne comme vous, monsieur… J'y vais, et, si vous me permettez de vous accompagner, nous ferons route ensemble.

– Très volontiers», dis-je en montant à cheval. Mon guide, qui me tenait l'étrier, me fit un nouveau signe des yeux. J'y répondis en haussant les épaules, comme pour

---

1. Venta del Cuervo : auberge du Corbeau.

l'assurer que j'étais parfaitement tranquille, et nous nous mîmes en chemin.

Les signes mystérieux d'Antonio, son inquiétude, quelques mots échappés à l'inconnu, surtout sa course de trente lieues et l'explication peu plausible qu'il en avait donnée, avaient déjà formé mon opinion sur le compte de mon compagnon de voyage. Je ne doutai pas que je n'eusse affaire à un contrebandier, peut-être à un voleur ; que m'importait ? Je connaissais assez le caractère espagnol pour être très sûr de n'avoir rien à craindre d'un homme qui avait mangé et fumé avec moi. Sa présence même était une protection assurée contre toute mauvaise rencontre. D'ailleurs, j'étais bien aise de savoir ce que c'est qu'un brigand. On n'en voit pas tous les jours, et il y a un certain charme à se trouver auprès d'un être dangereux, surtout lorsqu'on le sent doux et apprivoisé.

J'espérais amener par degrés l'inconnu à me faire des confidences, et, malgré les clignements d'yeux de mon guide, je mis la conversation sur les voleurs de grand chemin. Bien entendu que j'en parlai avec respect. Il y avait alors en Andalousie un fameux bandit nommé José-Maria[1], dont les exploits étaient dans toutes les bouches. «Si j'étais à côté de José-Maria ?» me disais-je... Je racontai les histoires que je savais de ce héros, toutes à sa louange d'ailleurs, et j'exprimai hautement mon admiration pour sa bravoure et sa générosité.

«José-Maria n'est qu'un drôle[2]», dit froidement l'étranger.

«Se rend-il justice, ou bien est-ce excès de modestie de

1. José-Maria : Mérimée évoque ce bandit dans sa troisième *Lettre d'Espagne*. Voir le texte cité dans l'Arrêt sur lecture.
2. Drôle : homme rusé et peu fiable.

sa part?» me demandai-je mentalement; car, à force de considérer mon compagnon, j'étais parvenu à lui appliquer le signalement de José-Maria, que j'avais lu affiché aux portes de mainte ville d'Andalousie. «Oui, c'est bien lui... Cheveux blonds, yeux bleus, grande bouche, belles dents, les mains petites; une chemise fine, une veste de velours à boutons d'argent, des guêtres de peau blanche, un cheval bai... Plus de doute! Mais respectons son incognito.»

Nous arrivâmes à la venta. Elle était telle qu'il me l'avait dépeinte, c'est-à-dire une des plus misérables que j'eusse encore rencontrées. Une grande pièce servait de cuisine, de salle à manger et de chambre à coucher. Sur une pierre plate, le feu se faisait au milieu de la chambre, et la fumée sortait par un trou pratiqué dans le toit, ou plutôt s'arrêtait, formant un nuage à quelques pieds au-dessus du sol. Le long du mur, on voyait étendues par terre cinq ou six vieilles couvertures de mulets; c'étaient les lits des voyageurs. À vingt pas de la maison, ou plutôt de l'unique pièce que je viens de décrire, s'élevait une espèce de hangar servant d'écurie. Dans ce charmant séjour, il n'y avait d'autres êtres humains, du moins pour le moment, qu'une vieille femme et une petite fille de dix à douze ans, toutes les deux de couleur de suie et vêtues d'horribles haillons. «Voilà tout ce qui reste, me dis-je, de la population de l'antique Munda Bœtica[1]! Ô César! ô Sextus Pompée! que vous seriez surpris si vous reveniez au monde!»

En apercevant mon compagnon, la vieille laissa échapper une exclamation de surprise. «Ah! seigneur don José!» s'écria-t-elle.

Don José fronça le sourcil, et leva une main d'un geste

---

1. Munda Boetica : ancienne province romaine d'Espagne méridionale, correspondant à peu près à l'Andalousie actuelle.

d'autorité qui arrêta la vieille aussitôt. Je me tournai vers mon guide, et, d'un signe imperceptible, je lui fis comprendre qu'il n'avait rien à m'apprendre sur le compte de l'homme avec qui j'allais passer la nuit. Le souper fut meilleur que je ne m'y attendais. On nous servit, sur une petite table haute d'un pied, un vieux coq fricassé avec du riz et force piments, puis des piments à l'huile, enfin du *gaspacho,* espèce de salade de piments[1]. Trois plats ainsi épicés nous obligèrent de recourir souvent à une outre de vin de Montilla qui se trouva délicieux. Après avoir mangé, avisant une mandoline accrochée contre la muraille, il y a partout des mandolines en Espagne, je demandai à la petite fille qui nous servait si elle savait en jouer.

«Non, répondit-elle; mais don José en joue si bien!

– Soyez assez bon, lui dis-je, pour me chanter quelque chose; j'aime à la passion votre musique nationale.

– Je ne puis rien refuser à un monsieur si honnête, qui me donne de si excellents cigares», s'écria don José d'un air de bonne humeur; et, s'étant fait donner la mandoline, il chanta en s'accompagnant. Sa voix était rude, mais pourtant agréable, l'air mélancolique et bizarre; quant aux paroles, je n'en compris pas un mot.

«Si je ne me trompe, lui dis-je, ce n'est pas un air espagnol que vous venez de chanter. Cela ressemble aux *zorzicos* que j'ai entendus dans les *Provinces** et les paroles doivent être en langue basque[2].

– Oui », répondit don José d'un air sombre. Il posa la

---

1. Salade de piments : le gaspacho est en fait une soupe à base de tomates, froide et épicée.

* *Les provinces privilégiées*, jouissant de *fueros* particuliers, c'est-à-dire l'Alava, la Biscaïe, la Guipuzcoa, et une partie de la Navarre. Le basque est la langue du pays.

2. Les *zorzicos* sont les airs d'une danse populaire basque. Les *fueros* sont des droits.

mandoline à terre, et, les bras croisés, il se mit à contempler le feu qui s'éteignait, avec une singulière expression de tristesse. Éclairée par une lampe posée sur la petite table, sa figure, à la fois noble et farouche, me rappelait le Satan de Milton[1]. Comme lui peut-être, mon compagnon songeait au séjour qu'il avait quitté, à l'exil qu'il avait encouru par une faute. J'essayai de ranimer la conversation, mais il ne répondit pas, absorbé qu'il était dans ses tristes pensées. Déjà la vieille s'était couchée dans un coin de la salle, à l'abri d'une couverture trouée tendue sur une corde. La petite fille l'avait suivie dans cette retraite réservée au beau sexe. Mon guide alors, se levant, m'invita à le suivre à l'écurie ; mais, à ce mot, don José, comme réveillé en sursaut, lui demanda d'un ton brusque où il allait.

« À l'écurie, répondit le guide.

— Pour quoi faire ? les chevaux ont à manger. Couche ici, Monsieur le permettra.

— Je crains que le cheval de Monsieur ne soit malade ; je voudrais que Monsieur le vît : peut-être saura-t-il ce qu'il faut lui faire. »

Il était évident qu'Antonio voulait me parler en particulier ; mais je ne me souciais pas de donner des soupçons à don José, et, au point où nous en étions, il me semblait que le meilleur parti à prendre était de montrer la plus grande confiance. Je répondis donc à Antonio que je n'entendais rien aux chevaux, et que j'avais envie de dormir. Don José le suivit à l'écurie, d'où bientôt il revint seul. Il me dit que le cheval n'avait rien, mais que mon guide le trouvait un

---

1. Le Satan de Milton : Milton, *Le Paradis perdu*, chant I, vers 591. Chateaubriand, qui a traduit les chants de Milton, cite cette description de l'archange déchu dans le *Génie du christianisme* (2ᵉ partie, livre IV, chap. IX) : «son visage était labouré par les cicatrices de la foudre, et les chagrins veillaient sur ses joues décolorées».

animal si précieux, qu'il le frottait avec sa veste pour le faire transpirer, et qu'il comptait passer la nuit dans cette douce occupation. Cependant, je m'étais étendu sur les couvertures de mulets, soigneusement enveloppé dans mon manteau, pour ne pas les toucher. Après m'avoir demandé pardon de la liberté qu'il prenait de se mettre auprès de moi, don José se coucha devant la porte, non sans avoir renouvelé l'amorce de son espingole, qu'il eut soin de placer sous la besace qui lui servait d'oreiller. Cinq minutes après nous être mutuellement souhaité le bonsoir, nous étions l'un et l'autre profondément endormis.

Je me croyais assez fatigué pour pouvoir dormir dans un pareil gîte ; mais, au bout d'une heure, de très désagréables démangeaisons m'arrachèrent à mon premier somme. Dès que j'en eus compris la nature, je me levai, persuadé qu'il valait mieux passer le reste de la nuit à la belle étoile que sous ce toit inhospitalier. Marchant sur la pointe du pied, je gagnai la porte, j'enjambai par-dessus la couche de don José, qui dormait du sommeil du juste, et je fis si bien que je sortis de la maison sans qu'il s'éveillât. Auprès de la porte était un large banc de bois ; je m'étendis dessus, et m'arrangeai de mon mieux pour achever ma nuit. J'allais fermer les yeux pour la seconde fois, quand il me sembla voir passer devant moi l'ombre d'un homme et l'ombre d'un cheval, marchant l'un et l'autre sans faire le moindre bruit. Je me mis sur mon séant, et je crus reconnaître Antonio. Surpris de le voir hors de l'écurie à pareille heure, je me levai et marchai à sa rencontre. Il s'était arrêté, m'ayant aperçu d'abord.

« Où est-il ? me demanda Antonio à voix basse.

– Dans la venta ; il dort ; il n'a pas peur des punaises. Pourquoi donc emmenez-vous ce cheval ? »

Je remarquai alors que, pour ne pas faire de bruit en sortant du hangar, Antonio avait soigneusement enveloppé les pieds de l'animal avec les débris d'une vieille couverture.

«Parlez plus bas, me dit Antonio, au nom de Dieu! Vous ne savez pas qui est cet homme-là. C'est José Navarro, le plus insigne bandit de l'Andalousie. Toute la journée je vous ai fait des signes que vous n'avez pas voulu comprendre.

– Bandit ou non, que m'importe? répondis-je; il ne nous a pas volés, et je parierais qu'il n'en a pas envie.

– À la bonne heure; mais il y a deux cents ducats pour qui le livrera. Je sais un poste de lanciers à une lieue et demie d'ici, et avant qu'il soit jour, j'amènerai quelques gaillards solides. J'aurais pris son cheval, mais il est si méchant que nul que le Navarro ne peut en approcher.

– Que le diable vous emporte! lui dis-je. Quel mal vous a fait ce pauvre homme pour le dénoncer? D'ailleurs, êtes-vous sûr qu'il soit le brigand que vous dites?

– Parfaitement sûr; tout à l'heure il m'a suivi dans l'écurie et m'a dit : "Tu as l'air de me connaître; si tu dis à ce bon monsieur qui je suis, je te fais sauter la cervelle." Restez, Monsieur, restez auprès de lui; vous n'avez rien à craindre. Tant qu'il vous saura là, il ne se méfiera de rien. »

Tout en parlant, nous nous étions déjà assez éloignés de la venta pour qu'on ne pût entendre les fers du cheval. Antonio l'avait débarrassé en un clin d'œil des guenilles dont il lui avait enveloppé les pieds; il se préparait à enfourcher sa monture. J'essayai prières et menaces pour le retenir.

«Je suis un pauvre diable, Monsieur, me disait-il; deux cents ducats ne sont pas à perdre, surtout quand il s'agit de délivrer le pays de pareille vermine. Mais prenez garde : si le Navarro se réveille, il sautera sur son espingole, et gare à vous ! Moi, je suis trop avancé pour reculer ; arrangez-vous comme vous pourrez. »

Le drôle était en selle ; il piqua des deux, et dans l'obscurité je l'eus bientôt perdu de vue.

J'étais fort irrité contre mon guide et passablement inquiet. Après un instant de réflexion, je me décidai et rentrai dans la venta. Don José dormait encore, réparant sans doute en ce moment les fatigues et les veilles de plusieurs journées aventureuses. Je fus obligé de le secouer rudement pour l'éveiller. Jamais je n'oublierai son regard farouche et le mouvement qu'il fit pour saisir son espingole, que, par mesure de précaution, j'avais mise à quelque distance de sa couche.

« Monsieur, lui dis-je, je vous demande pardon de vous éveiller ; mais j'ai une sotte question à vous faire : seriez-vous bien aise de voir arriver ici une demi-douzaine de lanciers ? »

Il sauta en pieds, et d'une voix terrible :

« Qui vous l'a dit ? me demanda-t-il.

— Peu importe d'où vient l'avis, pourvu qu'il soit bon.

— Votre guide m'a trahi, mais il me le payera ? Où est-il ?

— Je ne sais... Dans l'écurie, je pense... mais quelqu'un m'a dit...

— Qui vous a dit ?... Ce ne peut être la vieille...

— Quelqu'un que je ne connais pas... Sans plus de paroles, avez-vous, oui ou non, des motifs pour ne pas attendre les soldats ? Si vous en avez, ne perdez pas de temps, sinon bonsoir, et je vous demande pardon d'avoir interrompu votre sommeil.

— Ah ! votre guide ! votre guide ! Je m'en étais méfié d'abord... mais... son compte est bon !... Adieu, Monsieur. Dieu vous rende le service que je vous dois. Je ne

suis pas tout à fait aussi mauvais que vous me croyez…
oui ; il y a encore en moi quelque chose qui mérite la pitié
d'un galant homme… Adieu, Monsieur… Je n'ai qu'un
regret, c'est de ne pouvoir m'acquitter envers vous.

– Pour prix du service que je vous ai rendu, promet-
tez-moi, don José, de ne soupçonner personne, de ne pas
songer à la vengeance. Tenez, voilà des cigares pour votre
route ; bon voyage ! » Et je lui tendis la main.

Il me la serra sans répondre, prit son espingole et sa
besace, et, après avoir dit quelques mots à la vieille dans un
argot que je ne pus comprendre, il courut au hangar.
Quelques instants après, je l'entendais galoper dans la
campagne.

Pour moi, je me recouchai sur mon banc, mais je ne me
rendormis point. Je me demandais si j'avais eu raison de
sauver de la potence un voleur, et peut-être un meurtrier, et
cela seulement parce que j'avais mangé du jambon avec lui
et du riz à la valencienne. N'avais-je pas trahi mon guide
qui soutenait la cause des lois ; ne l'avais-je pas exposé à la
vengeance d'un scélérat ? Mais les devoirs de l'hospitalité !… Préjugé de sauvage, me disais-je ; j'aurai à répondre
de tous les crimes que le bandit va commettre… Pourtant
est-ce un préjugé que cet instinct de conscience qui résiste
à tous les raisonnements ? Peut-être, dans la situation délicate où je me trouvais, ne pouvais-je m'en tirer sans
remords. Je flottais encore dans la plus grande incertitude
au sujet de la moralité de mon action, lorsque je vis
paraître une demi-douzaine de cavaliers avec Antonio, qui
se tenait prudemment à l'arrière-garde. J'allai au-devant
d'eux, et les prévins que le bandit avait pris la fuite depuis
plus de deux heures. La vieille, interrogée par le brigadier,
répondit qu'elle connaissait le Navarro, mais que, vivant

seule, elle n'aurait jamais osé risquer sa vie en le dénonçant. Elle ajouta que son habitude, lorsqu'il venait chez elle, était de partir toujours au milieu de la nuit. Pour moi, il me fallut aller, à quelques lieues de là, exhiber mon passeport et signer une déclaration devant un alcade [1], après quoi on me permit de reprendre mes recherches archéologiques. Antonio me gardait rancune, soupçonnant que c'était moi qui l'avais empêché de gagner les deux cents ducats. Pourtant nous nous séparâmes bons amis à Cordoue ; là, je lui donnai une gratification aussi forte que l'état de mes finances pouvait me le permettre.

. . . .

---

1. Alcade : juge.

Arrêt sur lecture 1

Le chapitre 1 appartient au récit-cadre* de *Carmen*. Le récit est mené à la première personne par un narrateur qui apparaît comme un double de Mérimée. Comme lui, il a voyagé en Espagne, s'est intéressé à l'histoire et aux mœurs du pays. L'écrivain compose une figure d'auteur complexe : érudit et voyageur épris d'aventures, il refuse les certitudes, qu'elles soient d'ordre moral ou narratologique.

Un *incipit* sous le signe de l'érudition

La nouvelle ne s'ouvre pas *in medias res** mais débute au contraire par des considérations érudites et la remise en cause des méthodes de certains savants peu scrupuleux, comme ces géographes qui « ne savent ce qu'ils disent ». Le narrateur leur oppose ses propres recherches qui passent par un savoir tout aussi livresque (bibliothèque du duc d'Osuna, *Commentaires* de César et souvenirs historiques) que pratique (un voyage sur les lieux). Introduite par l'épigraphe non traduite du grec, cette érudition se retrouve dans l'ensemble du premier chapitre, qu'il s'agisse du travail de notes, des références convoquées (la Bible avec les « mauvais soldats de Gédéon », Milton…) comme de l'attention constante portée à l'explicitation du vocabulaire ou des traits culturels espagnols.

La « petite histoire » promise, *Carmen*, naîtra de ces recherches. La partie romanesque de *Carmen* est donc encadrée par des réflexions plus érudites (dans cet *incipit**, comme au chapitre 4 avec la longue dissertation sur les bohémiens et Gitans). Mérimée semble soucieux de marier érudition et fiction, et le premier paragraphe du chapitre fonctionne en ce sens comme une véritable annonce des enjeux d'écriture et de composition de *Carmen*.

Un début de récit qui mêle les influences

Aventure ou conte ?

Comme dans les récits d'aventures, et en particulier les romans picaresques*, le narrateur est en mouvement, à cheval, pris dans une

Prosper Mérimée, revêtu de son costume d'inspecteur des monuments historiques.

quête et voit surgir sur son chemin une série de personnages et de faits imprévus, qui vont modifier son itinéraire. Le projet archéologique (pourtant minutieusement préparé par ses lectures : une enquête sur l'emplacement réel de la bataille de Munda) – qui apparentait *Carmen* à une étude érudite – est rapidement abandonné devant la fascination qu'exerce un mystérieux « homme à l'espingole ». D'ailleurs, dès le premier paragraphe du chapitre, le narrateur parle de son voyage comme d'une « excursion », terme qui signifie à la fois parcours et digression. La « petite histoire », c'est-à-dire celle de Carmen, est cette digression. Les recherches érudites n'étaient que prétexte ; le récit véritable, la fiction naissent de l'aventure.

La rencontre avec don José est placée sous le signe de l'exceptionnel : à des notations d'accablement (par la soif, la chaleur et la fatigue du voyage) succède la découverte d'un lieu qui tient de la vision et presque du mirage. La « petite pelouse verte parsemée de joncs et de roseaux » est une oasis de fraîcheur au sein des roches escarpées et hostiles de la sierra. Le lieu idyllique rappelle les descriptions bibliques (le *Cantique des Cantiques*) comme le *locus amoenus*, le « lieu charmant », des contes médiévaux. Il est à lui seul l'indice d'une aventure hors du commun.

Policier ou fantastique ?

Dès sa rencontre avec l'inconnu, le narrateur tente de décrypter son mystère puis se montre désireux de le pousser aux « confidences ». Le récit se fait alors enquête policière. Le monologue intérieur du narrateur, ses interrogations et conjectures servent la mise en place d'un véritable suspens romanesque. Tout porte en effet à croire que l'inconnu, dont on apprend qu'il se nomme don José, cache un secret. Ce dernier, brigand, homme de l'errance, voué à l'« incognito » rappelle le roman du crime, tout comme la dénonciation d'Antonio ou l'apparition des lanciers.

L'atmosphère de ce premier chapitre offre enfin quelques tonalités fantastiques : les lieux inquiétants traversés (la sierra désolée aux « rochers à pic » puis la venta isolée au nom inquiétant), la présence du Diable (le Satan de Milton), l'inquiétude qu'inspire le bandit, le cheval de don José décrit comme un animal fabuleux.

Pour autant, la narration joue de ces différents codes romanesques sans jamais investir un genre unique. De même, rien n'est encore révélé au lecteur qui ignore tout des raisons qui poussent don José à demeurer dans la clandestinité.

Carmen ?

Le personnage éponyme* du roman est singulièrement absent de ce premier chapitre : nulle mention de Carmen. Pourtant nombre d'indices, de « signes » comme dit le narrateur, sont disséminés dans le texte. Certains ne sont lisibles qu'une fois le récit achevé. Ainsi le cigare offert par le narrateur à don José évoque-t-il au lecteur averti la manufacture de tabac. D'autres détails, sans être parlants, sont plus explicites : ainsi, lorsque don José, louant son cheval, avoue avoir été « très pressé d'aller à Cordoue » et semble « fâché d'en avoir trop dit ». L'indice est même souligné quelques lignes plus loin, lorsque le narrateur évoque de nouveau ces « quelques mots échappés à l'inconnu, surtout sa course de trente lieues et l'explication peu plausible qu'il en avait donnée ». Par ailleurs, le rôle du guide, Antonio, est d'accentuer, par son trouble, cette atmosphère de mystère et d'attente.

Si Mérimée offre quelques pistes à son lecteur, ménageant un suspens par ces prolepses*, le jeu narratif demeure relativement complexe : parallèlement à ces indices, l'auteur met en place un certain nombre de brouillages. Ainsi lorsqu'il assimile don José (protagoniste de *Carmen*) et José-Maria, jouant de la ressemblance physique comme onomastique* des deux hommes. Par ailleurs, tous les personnages sont ambigus : don José est un brigand aux manières extrêmement courtoises (l'expression « sa figure, à la fois noble et farouche » résume la contradiction) ; le narrateur, un érudit passionné d'aventures et fasciné par un homme qu'il soupçonne d'être un voleur, sinon un meurtrier. Le lecteur demeure dans le trouble et la « petite histoire » promise est certes lancée mais retardée : par la nuit à l'auberge qui interrompt les confidences de don José, par la dénonciation – manquée –

d'Antonio qui provoque le départ du « bandit » et, enfin, par le changement de chapitre. La ligne de points qui clôt le chapitre 1 vient, en quelque sorte, matérialiser l'absence de certitudes et la nécessité de poursuivre les conjectures.

Ironie

L'ironie est présente dès le premier paragraphe de la nouvelle, dans la manière emphatique dont le narrateur évoque ses travaux d'érudit (le « problème géographique qui tient toute l'Europe savante en suspens »). Le narrateur intradiégétique* conserve une distance, amusée ou plus critique, vis-à-vis de tout ce qu'il décrit ou raconte. Les tensions et l'inquiétude soulevées par la fuite de don José sont contrebalancées par l'humour du narrateur et le mélange des registres (p. 34) :

> [...] je me demandais si j'avais eu raison de sauver de la potence un voleur, et peut-être un meurtrier, et cela seulement parce que j'avais mangé du jambon avec lui et du riz à la valencienne.

De même, le personnage du guide, lâche et préoccupé uniquement de l'argent que pourra lui rapporter la dénonciation du brigand, introduit un élément comique dans un chapitre par ailleurs dominé par le mystère et les tensions. Antonio est le type même du valet de comédie. Il rappelle le Sancho Pança de *Don Quichotte* de Cervantès, le Sganarelle du *Dom Juan* de Molière ou *Jacques le fataliste* de Diderot. Le personnage permet un contrepoint dans les dernières pages du chapitre, centrées sur la grave question de la dénonciation du brigand.

De fait, l'ironie est ici au service d'une inversion des valeurs : le guide, que l'on pouvait croire serviable et dévoué à son maître, apparaît comme un délateur ; le bandit, au contraire, donne tous les signes d'un respect pointilleux du code de l'honneur et d'une certaine éthique : « je ne suis pas tout à fait aussi mauvais que vous me croyez ». Tout vient défaire certitudes et partage manichéen du bien et du mal. Le lecteur se voit placé, comme le narrateur, face au doute, face à cette « grande incertitude au sujet de la moralité » des actions du guide et de don José.

L'ensemble du chapitre 1 de *Carmen* nous a donc menés du savoir livresque et érudit au doute et aux interrogations.

Groupement de textes : le mythe du bandit

Le romantisme élabore une véritable mythologie du bandit. Loin d'être représenté de manière péjorative, il apparaît plutôt comme un être de mystère, d'énergie et de force. Dans le portrait de don José que Mérimée mène dans ce premier chapitre, nous trouvons nombre d'éléments forgeant le type du bandit romantique : il respecte le code de l'honneur, apparaît comme « brave », « généreux » et fascine par les aventures mystérieuses qu'il a vécues. Les bandits sont « fameux », terme employé par Mérimée au sens étymologique du terme, renommés parce qu'ils sont l'objet de récits et de légendes populaires. En somme, le criminel sert un renversement complet des valeurs établies et l'écrivain mène, à travers lui, une critique des certitudes morales de son époque.

Charles Nodier, *Jean Sbogar* (1818)

Jean Sbogar est l'un des premiers bandits justiciers du romantisme français. Figure double, à la fois prince et chef de brigands, ange et démon, il est un révolté, s'écartant de la loi non pour s'enrichir ou par amour du mal mais pour réparer les inégalités entre les hommes. Sa bande de voleurs, les « frères du bien commun », s'insurge contre toutes les formes de tyrannie et d'abus de pouvoir. Jean Sbogar devient ainsi une figure de légende pour le peuple et se voit l'objet d'un véritable culte.

« Un bruit s'était répandu qu'on avait vu Jean Sbogar lui-même errer, au milieu des ténèbres, sous les murailles du château. La renommée lui donnait des forces colossales et terribles. On prétendait que des bataillons effrayés avaient reculé à son seul aspect. Aussi n'était-ce point un simple paysan d'Istrie ou de Croatie, comme la plupart des aventuriers qui l'accompagnaient. Le vulgaire le faisait petit-fils du fameux brigand Sociviska, et les gens du monde disaient qu'il descendait de Scanderberg, le Pyrrhus[1] des Illyriens modernes. Les hommes simples, qui sont toujours amoureux des merveilles, ornaient son histoire des épisodes les plus singuliers et les plus divers ; mais on s'accordait à avouer qu'il était intrépide et impitoyable. En peu de temps, son nom avait acquis le crédit d'une tradition des temps reculés, et dans le langage figuré de ce peuple, chez qui toutes les idées de grandeur et de puissance se réunissent dans celles d'un âge avancé, on l'appelait le vieux Sbogar, quoique personne ne sût quel nombre d'années avait passé sur sa tête, et qu'aucun de ses compagnons, tombé entre les mains de la justice, n'eût pu donner sur lui le moindre renseignement. 》

Chapitre 2.

Mérimée, *Lettres d'Espagne*, III (1832)

José Maria, évoqué dans le premier chapitre de *Carmen*, est un héros récurrent de l'œuvre de Mérimée. Figure à la fois historique et légendaire, il rappelle Robin des Bois, symbole de la révolte du peuple contre la noblesse et le haut clergé, mais aussi Roque Guinar, célèbre bandit catalan de la fin du XVIe siècle évoqué par Cervantès dans *Don Quichotte* (livre II, chapitre 60).

《 Le modèle du brigand espagnol, le prototype du héros de grand chemin, le Robin Hood, le Roque Guinar de notre temps, c'est le fameux José-Maria, surnommé *el Tempranito*, le Matinal. C'est l'homme dont on parle le plus de Madrid à Séville et de Séville à Malaga. Beau, brave, courtois autant qu'un voleur peut l'être, tel est José-Maria. S'il arrête une diligence, il donne la main aux dames pour descendre et prend soin qu'elles soient commodément assises à l'ombre, car c'est de jour que se font ses exploits. Jamais un juron, jamais un mot grossier ; au contraire, des égards presque respectueux et une politesse naturelle qui ne se dément jamais. Ôte-t-il une bague de

1. Pyrrhus : général et conquérant grec (319-272 av. J.-C.), réputé pour ses batailles sanglantes.

Le bandit don José et sa belle, par Gustave Doré (1832-1883). Comment l'illustration met-elle en évidence le type du bandit romantique ? Observez la position des corps, l'habit, etc.

la main d'une femme : « Ah ! madame, dit-il, une si belle main n'a pas besoin d'ornements… » Et tout en faisant glisser la bague hors du doigt, il baise la main d'un air à faire croire, suivant l'expression d'une dame espagnole, que le baiser avait pour lui plus de prix que la bague. La bague, il la prenait comme par distraction : mais le baiser, au contraire, il le faisait durer longtemps. On m'a assuré qu'il laisse toujours aux voyageurs assez d'argent pour arriver à la ville la plus proche, et que jamais il n'a refusé à personne la permission de garder un bijou que des souvenirs rendaient précieux.

On m'a dépeint José-Maria comme un grand jeune homme de vingt-cinq à trente ans, bien fait, la physionomie ouverte et riante, des dents blanches comme des perles et des yeux remarquablement expressifs. Il porte ordinairement un costume de majo, d'une très grande richesse.

Son linge est toujours éclatant de blancheur, et ses mains feraient honneur à un élégant de Paris ou de Londres. 》

26 août 1832.

Stendhal, *Chroniques italiennes, L'Abbesse de Castro* (1839)

Après l'Illyrie de Nodier et l'Espagne de Mérimée, voici l'Italie de Stendhal, autre patrie d'élection des bandits romantiques.

《 Le mélodrame nous a montré si souvent les brigands italiens du seizième siècle, et tant de gens en ont parlé sans les connaître, que nous en avons maintenant les idées les plus fausses. On peut dire en général que ces brigands furent l'*opposition* contre les gouvernements atroces qui, en Italie, succédèrent aux républiques du Moyen Âge. [...]

Je demande pardon pour ces rudes vérités. Quoi qu'il en soit, les vengeances atroces et *nécessaires* des petits tyrans italiens du Moyen Âge concilièrent aux brigands le cœur des peuples. On haïssait les brigands quand ils volaient des chevaux, du blé, de l'argent, en un mot, tout ce qui leur était nécessaire pour vivre ; mais au fond le cœur des peuples était pour eux [...].

De nos jours encore tout le monde assurément redoute la rencontre des brigands ; mais subissent-ils des châtiments, chacun les plaint. C'est que ce peuple si fin, si moqueur, qui rit de tous les écrits publiés sous la censure de ses maîtres, fait sa lecture habituelle de petits poèmes qui racontent avec chaleur la vie des brigands les plus renommés. Ce qu'il trouve d'héroïque dans ces histoires ravit la fibre artiste qui vit toujours *dans les basses classes*, et, d'ailleurs, il est tellement las des louanges officielles données à certaines gens, que tout ce qui n'est pas officiel en ce genre va droit à son cœur. 》

chapitre 1.

Alexandre Dumas, *Robin des Bois, le prince des voleurs* (1872)

Dans ce roman d'aventures posthume, Dumas s'approprie la légende de Robin des Bois. La préface retrace la légende du bandit, popularisée par Walter Scott (*Ivanhoé*, 1819) et explique pour quelles raisons il est impossible de «confondre les *outlaws* avec les voleurs ordinaires».

《 La vie aventureuse de l'*outlaw* (hors-la-loi, proscrit) Robin Hood, transmise de génération en génération, est devenue en Angleterre un sujet populaire. Néanmoins l'historien manque souvent de documents pour retracer l'existence étrange de ce célèbre bandit. (…)

Les biographes de Robin Hood n'ont pas été d'accord sur l'origine de notre héros. Les uns lui ont donné une naissance illustre, les autres lui ont contesté son titre de comte de Huntingdon. Quoi qu'il en soit, Robin Hood fut le dernier Saxon qui tenta de s'opposer à la domination normande.

Les événements qui composent l'histoire que nous avons entrepris de raconter, quelque vraisemblables et admissibles qu'ils puissent paraî-tre, ne sont peut-être, après tout, qu'un effet de l'imagination, car la preuve matérielle de leur authenticité manque complètement. L'universelle popularité de Robin Hood est arrivée jusqu'à nous dans toute la fraîcheur et dans tout l'éclat des premiers jours de sa naissance. Il n'est pas un auteur anglais qui ne lui consacre quelques bonnes paroles. Cordun, écrivain ecclésiastique du quatorzième siècle, l'appelle *ille famosissimus sicarius* (le très célèbre bandit), Major lui donne la qualification de «très humain prince des voleurs». […] Si nous voulions énumérer ici les noms de tous les auteurs qui ont fait l'éloge de Robin Hood, nous lasserions la patience du lecteur ; il nous suffira de dire que dans toutes les légendes, chansons, ballades, chroniques, qui parlent de lui, on le représente comme un homme d'un esprit distingué, d'un courage et d'une audace sans égale. Généreux, patient et bon, Robin Hood était adoré, non seulement de ses compagnons (il ne fut jamais trahi ni abandonné par aucun d'eux), mais encore de tous les habitants du comté de Nottingham. **》**

Préface.

à vous...

1 – Recherche – Relevez et commentez dans l'ensemble du chapitre les termes et expressions par lesquels le narrateur exprime ses doutes et ses conjectures.

2 – Interprétation – « Comme lui, peut-être, mon compagnon songeait au séjour qu'il avait quitté, à l'exil qu'il avait encouru pour une faute. » En quoi cette supposition du narrateur est-elle juste ?

3 – Réflexion – Commentez la citation de Palladas qui ouvre la nouvelle :
Comment appelle-t-on ce type de phrase mise en exergue ?
En quoi cette citation donne-t-elle un éclairage particulier au titre de l'œuvre ?
Pourquoi Mérimée a-t-il fait le choix d'une citation en grec ?

4 – Synthèse – Recherchez les traits communs aux différents bandits célébrés par les écrivains romantiques.

5 – À la manière de – En vous inspirant des éléments récurrents du groupement de textes, écrivez à votre tour un portrait de bandit romantique.

2

Je passai quelques jours à Cordoue. On m'avait indiqué certain manuscrit de la bibliothèque des Dominicains, où je devais trouver des renseignements intéressants sur l'antique Munda. Fort bien accueilli par les bons Pères, je passais les journées dans leur couvent, et le soir je me promenais par la ville. À Cordoue, vers le coucher du soleil, il y a quantité d'oisifs sur le quai qui borde la rive droite du Guadalquivir. Là, on respire les émanations d'une tannerie qui conserve encore l'antique renommée du pays pour la préparation des cuirs ; mais, en revanche, on y jouit d'un spectacle qui a bien son mérite. Quelques minutes avant l'*angélus*, un grand nombre de femmes se rassemblent sur le bord du fleuve, au bas du quai, lequel est assez élevé. Pas un homme n'oserait se mêler à cette troupe. Aussitôt que l'*angélus* sonne, il est censé qu'il fait nuit. Au dernier coup de cloche, toutes ces femmes se déshabillent et entrent dans l'eau. Alors ce sont des cris, des rires, un tapage infernal. Du haut du quai, les hommes contemplent les baigneuses, écarquillent les yeux, et ne voient pas grand-chose. Cependant ces formes blanches et incertaines qui se dessinent sur le sombre azur du fleuve, font travailler les esprits poétiques, et, avec un peu d'imagination, il n'est pas difficile de se représenter Diane et ses nymphes au bain, sans avoir à craindre le sort d'Actéon[1]. – On m'a dit que quelques mauvais garnements se cotisèrent certain jour, pour graisser la patte au sonneur de la cathédrale et lui faire sonner l'*angélus* vingt minutes avant l'heure légale. Bien qu'il fît encore grand jour, les nymphes du Guadalquivir n'hésitèrent pas, et se fiant plus à l'*angélus* qu'au soleil, elles firent en sûreté de conscience leur toilette de bain, qui est toujours des plus simples. Je n'y étais pas. De mon temps, le sonneur était incorruptible, le crépuscule peu clair, et un chat seulement aurait pu distinguer la plus vieille marchande d'oranges de la plus jolie grisette de Cordoue.

Un soir, à l'heure où l'on ne voit plus rien, je fumais, appuyé sur le parapet du quai, lorsqu'une femme, remontant l'escalier qui conduit à la rivière, vint s'asseoir près de moi. Elle avait dans les cheveux un gros bouquet de jasmin, dont les pétales exhalent le soir une odeur enivrante. Elle était simplement, peut-être pauvrement vêtue, tout en noir, comme la plupart des grisettes dans la soirée. Les femmes comme il faut ne portent le noir que le matin ; le soir, elles s'habillent *a la francesa*[2]. En arrivant auprès de moi, ma baigneuse laissa glisser sur ses épaules la mantille qui lui couvrait la tête, et, *à l'obscure clarté qui tombe des étoiles*[3], je vis qu'elle était petite, jeune, bien faite, et qu'elle avait de très grands yeux. Je jetai mon cigare aussitôt. Elle comprit cette attention d'une politesse toute française, et se hâta de me dire qu'elle aimait beaucoup l'odeur

---

1. Actéon : grand chasseur, il surprit Diane se baignant. La déesse le métamorphosa en cerf et il fut dévoré par ses propres chiens.
2. *A la francesa* : à la mode française (c'est-à-dire avec des couleurs).
3. Citation extraite de Corneille, *Le Cid*, IV, 3, v. 1273.

du tabac, et que même elle fumait, quand elle trouvait des *papelitos*[1] bien doux. Par bonheur, j'en avais de tels dans mon étui, et je m'empressai de lui en offrir. Elle daigna en prendre un, et l'alluma à un bout de corde enflammé qu'un enfant nous apporta moyennant un sou. Mêlant nos fumées, nous causâmes si longtemps, la belle baigneuse et moi, que nous nous trouvâmes presque seuls sur le quai. Je crus n'être point indiscret en lui offrant d'aller prendre des glaces à la *neveria**. Après une hésitation modeste elle accepta ; mais avant de se décider, elle désira savoir quelle heure il était. Je fis sonner ma montre, et cette sonnerie parut l'étonner beaucoup. « Quelles inventions[2] on a chez vous, messieurs les étrangers ! De quel pays êtes-vous, monsieur ? Anglais sans doute* ?

– Français et votre grand serviteur. Et vous mademoiselle, ou madame, vous êtes probablement de Cordoue ?

– Non.

– Vous êtes du moins andalouse. Il me semble le reconnaître à votre doux parler.

– Si vous remarquez si bien l'accent du monde, vous devez bien deviner qui je suis.

– Je crois que vous êtes du pays de Jésus, à deux pas du paradis. »

(J'avais appris cette métaphore, qui désigne l'Anda-

1. *Papelitos* : cigarettes.
* *Neveria* : café pourvu d'une glacière, ou plutôt d'un dépôt de neige. En Espagne, il n'y a guère de village qui n'ait sa *neveria*.
2. Quelles inventions : l'Angleterre, dans les deux récits, est associée à la modernité et aux inventions. Mais, dans *Militona*, Gautier caricature le goût des « fils de la perfide Albion » pour les gadgets les plus rocambolesques (cf. chapitre IX).
* En Espagne, tout voyageur qui ne porte pas avec lui des échantillons de calicot ou de soieries passe pour un Anglais, *Inglesito*. Il en est de même en Orient. À Chalcis, j'ai eu l'honneur d'être annoncé comme un Μιλόρδος Φραντζέσος. [Un « milord français ». Il ne s'agit pas d'une expression grecque, mais de deux termes hellénisés.]

lousie, de mon ami Francisco Sevilla, picador bien connu[1].)

«Bah! le paradis... les gens d'ici disent qu'il n'est pas fait pour nous.

– Alors, vous seriez donc moresque, ou...», je m'arrêtai, n'osant dire : juive.

«Allons, allons! vous voyez bien que je suis bohémienne; voulez-vous que je vous dise *la baji**? Avez-vous entendu parler de la Carmencita? C'est moi. »

J'étais alors un tel mécréant, il y a de cela quinze ans, que je ne reculai pas d'horreur en me voyant à côté d'une sorcière. «Bon! me dis-je; la semaine passée, j'ai soupé avec un voleur de grands chemins, allons aujourd'hui prendre des glaces avec une servante du diable. En voyage il faut tout voir. » J'avais encore un autre motif pour cultiver sa connaissance. Sortant du collège, je l'avouerai à ma honte, j'avais perdu quelque temps à étudier les sciences occultes et même plusieurs fois j'avais tenté de conjurer l'esprit de ténèbres[2]. Guéri depuis longtemps de la passion de semblables recherches, je n'en conservais pas moins un certain attrait de curiosité pour toutes les superstitions, et me faisais une fête d'apprendre jusqu'où s'était élevé l'art de la magie parmi les Bohémiens.

Tout en causant, nous étions entrés dans la *neveria,* et nous étions assis à une petite table éclairée par une bougie renfermée dans un globe de verre. J'eus alors tout le loisir d'examiner ma *gitana* pendant que quelques honnêtes gens s'ébahissaient, en prenant leurs glaces, de me voir en si bonne compagnie.

1. Francisco Sevilla : Mérimée évoque «cet homme [...] devenu immortel à Madrid» dans sa première *Lettre d'Espagne.*
* *La baji* : la bonne aventure.
2. L'esprit de ténèbres : le diable.

Je doute fort que mademoiselle Carmen fût de race pure, du moins elle était infiniment plus jolie que toutes les femmes de sa nation que j'aie jamais rencontrées. Pour qu'une femme soit belle, il faut, disent les Espagnols, qu'elle réunisse trente *si*, ou, si l'on veut, qu'on puisse la définir au moyen de dix adjectifs applicables chacun à trois parties de sa personne. Par exemple, elle doit avoir trois choses noires : les yeux, les paupières et les sourcils; trois fines, les doigts, les lèvres, les cheveux, etc. Voyez Brantôme pour le reste[1]. Ma bohémienne ne pouvait prétendre à tant de perfections. Sa peau, d'ailleurs parfaitement unie, approchait fort de la teinte du cuivre. Ses yeux étaient obliques, mais admirablement fendus; ses lèvres un peu fortes, mais bien dessinées et laissant voir des dents plus blanches que des amandes sans leur peau. Ses cheveux, peut-être un peu gros, étaient noirs, à reflets bleus comme l'aile d'un corbeau, longs et luisants. Pour ne pas vous fatiguer d'une description trop prolixe, je vous dirai en somme qu'à chaque défaut elle réunissait une qualité qui ressortait peut-être plus fortement par le contraste. C'était une beauté étrange et sauvage, une figure qui étonnait d'abord, mais qu'on ne pouvait oublier. Ses yeux surtout avaient une expression à la fois voluptueuse et farouche que je n'ai trouvée depuis à aucun regard humain. Œil de Bohémien, œil de loup, c'est un dicton espagnol qui dénote une bonne observation. Si vous n'avez pas le temps

---

1. Voyez Brantôme pour le reste : Mérimée publia et annota les *Œuvres complètes* de Brantôme. Dans le *Recueil des Dames* (II, II, *Discours sur le sujet qui contente le plus en amours, ou le toucher, ou la vue, ou la parole*), Brantôme (≈ 1540-1614) énumère les «trente beaux *si*» qui rendent une «femme toute parfaite et absolue en beauté». Mérimée fait un clin d'œil au lecteur averti : son «etc.» voile les allusions sexuelles du texte de Brantôme (Brantôme, *Recueil des Dames, Poésies et tombeaux*, Gallimard, Pléiade, 1991, p. 403-404).

d'aller au Jardin des Plantes[1] pour étudier le regard d'un loup, considérez votre chat quand il guette un moineau.

On sent qu'il eût été ridicule de se faire tirer la bonne aventure dans un café. Aussi je priai la jolie sorcière de me permettre de l'accompagner à son domicile ; elle y consentit sans difficulté, mais elle voulut connaître encore la marche du temps, et me pria de nouveau de faire sonner ma montre.

« Est-elle vraiment d'or ? » dit-elle en la considérant avec une excessive attention.

Quand nous nous remîmes en marche, il était nuit close ; la plupart des boutiques étaient fermées et les rues presque désertes. Nous passâmes le pont du Guadalquivir, et à l'extrémité du faubourg nous nous arrêtâmes devant une maison qui n'avait nullement l'apparence d'un palais. Un enfant nous ouvrit. La Bohémienne lui dit quelques mots dans une langue à moi inconnue, que je sus depuis être la *rommani* ou *chipe calli,* l'idiome[2] des gitanos. Aussitôt l'enfant disparut, nous laissant dans une chambre assez vaste, meublée d'une petite table, de deux tabourets et d'un coffre. Je ne dois point oublier une jarre d'eau, un tas d'oranges et une botte d'oignons.

Dès que nous fûmes seuls, la Bohémienne tira de son coffre des cartes qui paraissaient avoir beaucoup servi, un aimant, un caméléon desséché, et quelques autres objets nécessaires à son art. Puis elle me dit de faire la croix dans ma main gauche avec une pièce de monnaie, et les cérémonies magiques commencèrent. Il est inutile de vous rapporter ses prédictions, et, quant à sa manière d'opérer, il était évident qu'elle n'était pas sorcière à demi.

---

1. Jardin des Plantes : célèbre jardin botanique parisien.
2. Idiome : langue propre à une région ou à un groupe.

Malheureusement nous fûmes bientôt dérangés. La porte s'ouvrit tout à coup avec violence, et un homme, enveloppé jusqu'aux yeux dans un manteau brun entra dans la chambre en apostrophant la Bohémienne d'une façon peu gracieuse. Je n'entendais pas[1] ce qu'il disait, mais le ton de sa voix indiquait qu'il était de fort mauvaise humeur. À sa vue, la gitana ne montra ni surprise ni colère, mais elle accourut à sa rencontre, et, avec une volubilité extraordinaire, lui adressa quelques phrases dans la langue mystérieuse dont elle s'était déjà servie devant moi. Le mot de *payllo*, souvent répété, était le seul mot que je comprisse. Je savais que les Bohémiens désignent ainsi tout homme étranger à leur race. Supposant qu'il s'agissait de moi, je m'attendais à une explication délicate ; déjà j'avais la main sur le pied d'un des tabourets, et je syllogisais[2] à part moi pour deviner le moment précis où il conviendrait de le jeter à la tête de l'intrus. Celui-ci repoussa rudement la Bohémienne, et s'avança vers moi ; puis, reculant d'un pas :

« Ah ! Monsieur, dit-il, c'est vous ! »

Je le regardai à mon tour, et reconnus mon ami don José. En ce moment, je regrettais un peu de ne pas l'avoir laissé pendre.

« Eh ! c'est vous, mon brave ! m'écriai-je en riant le moins jaune que je pus ; vous avez interrompu mademoiselle au moment où elle m'annonçait des choses bien intéressantes.

– Toujours la même ! Ça finira », dit-il entre ses dents, attachant sur elle un regard farouche.

Cependant la Bohémienne continuait à lui parler dans sa langue. Elle s'animait par degrés. Son œil s'injectait de

1. Je n'entendais pas : je ne comprenais pas.
2. Je syllogisais : je raisonnais avec difficulté. Le terme est emprunté à Rabelais.

sang et devenait terrible, ses traits se contractaient, elle frappait du pied. Il me sembla qu'elle le pressait vivement de faire quelque chose à quoi il montrait de l'hésitation. Ce que c'était, je croyais ne le comprendre que trop à la voir passer et repasser rapidement sa petite main sous son menton. J'étais tenté de croire qu'il s'agissait d'une gorge à couper, et j'avais quelques soupçons que cette gorge ne fût la mienne.

À tout ce torrent d'éloquence, don José ne répondit que par deux ou trois mots prononcés d'un ton bref. Alors la Bohémienne lui lança un regard de profond mépris ; puis, s'asseyant à la turque dans un coin de la chambre, elle choisit une orange, la pela et se mit à la manger.

Don José me prit le bras, ouvrit la porte et me conduisit dans la rue. Nous fîmes environ deux cents pas dans le plus profond silence. Puis, étendant la main :

« Toujours tout droit, dit-il, et vous trouverez le pont. »

Aussitôt il me tourna le dos et s'éloigna rapidement. Je revins à mon auberge un peu penaud et d'assez mauvaise humeur. Le pire fut qu'en me déshabillant, je m'aperçus que ma montre me manquait.

Diverses considérations m'empêchèrent d'aller la réclamer le lendemain, ou de solliciter M. le corrégidor[1] pour qu'il voulût bien la faire chercher. Je terminai mon travail sur le manuscrit des Dominicains et je partis pour Séville. Après plusieurs mois de courses errantes en Andalousie, je voulus retourner à Madrid, et il me fallut repasser par Cordoue. Je n'avais pas l'intention d'y faire un long séjour, car j'avais pris en grippe cette belle ville et les baigneuses du Guadalquivir. Cependant quelques amis à revoir,

---

1. M. le corrégidor : plus haut magistrat municipal, chargé de fonctions administratives mais aussi judiciaires.

quelques commissions à faire devaient me retenir au moins trois ou quatre jours dans l'antique capitale des princes musulmans[1].

Dès que je reparus au couvent des Dominicains, un des pères qui m'avait toujours montré un vif intérêt dans mes recherches sur l'emplacement de Munda, m'accueillit les bras ouverts, en s'écriant :

«Loué soit le nom de Dieu! Soyez le bienvenu, mon cher ami. Nous vous croyions tous mort, et moi, qui vous parle, j'ai récité bien des *pater* et des *ave,* que je ne regrette pas, pour le salut de votre âme. Ainsi vous n'êtes pas assassiné, car pour volé nous savons que vous l'êtes?

– Comment cela? lui demandai-je un peu surpris.

– Oui, vous savez bien, cette belle montre à répétition que vous faisiez sonner dans la bibliothèque, quand nous vous disions qu'il était temps d'aller au chœur. Eh bien! elle est retrouvée, on vous la rendra.

– C'est-à-dire, interrompis-je un peu décontenancé, que je l'avais égarée…

– Le coquin est sous les verrous, et, comme on savait qu'il était homme à tirer un coup de fusil à un chrétien pour lui prendre une piécette, nous mourions de peur qu'il ne vous eût tué. J'irai avec vous chez le corrégidor, et nous vous ferons rendre votre belle montre. Et puis, avisez-vous de dire là-bas que la justice ne sait pas son métier en Espagne!

– Je vous avoue, lui dis-je, que j'aimerais mieux perdre ma montre que de témoigner, en justice, pour faire pendre un pauvre diable, surtout parce que… parce que…

– Oh! n'ayez aucune inquiétude; il est bien recommandé, et on ne peut le pendre deux fois. Quand je dis

---

1. L'occupation de l'Espagne par des princes arabes a duré huit siècles (711-1492).

pendre, je me trompe. C'est un hidalgo[1] que votre voleur ; il sera donc *garrotté** après demain sans rémission. Vous voyez qu'un vol de plus ou de moins ne changera rien à son affaire. Plût à Dieu qu'il n'eût que volé ! mais il a commis plusieurs meurtres, tous plus horribles les uns que les autres.

– Comment se nomme-t-il ?

– On le connaît dans le pays sous le nom de José Navarro ; mais il a encore un autre nom basque, que ni vous ni moi ne prononcerons jamais. Tenez, c'est un homme à voir, et vous qui aimez à connaître les singularités du pays, vous ne devez pas négliger d'apprendre comment en Espagne les coquins[2] sortent de ce monde. Il est en chapelle, et le père Martinez vous y conduira. »

Mon Dominicain insista tellement pour que je visse les apprêts du «*petit pendement pien choli*[3] », que je ne pus m'en défendre. J'allai voir le prisonnier, muni d'un paquet de cigares qui, je l'espérais, devaient lui faire excuser mon indiscrétion.

On m'introduisit auprès de don José, au moment où il prenait son repas. Il me fit un signe de tête assez froid, et me remercia poliment du cadeau que je lui apportais. Après avoir compté les cigares du paquet que j'avais mis entre ses mains, il en choisit un certain nombre, et me rendit le reste, observant qu'il n'avait pas besoin d'en prendre davantage.

Je lui demandai si, avec un peu d'argent, ou par le crédit de mes amis, je pourrais obtenir quelque adoucissement à

---

1. Hidalgo : homme noble.
* En 1830, la noblesse jouissait encore de ce privilège. Aujourd'hui, sous le régime constitutionnel, les vilains ont conquis le droit au *garrote*. [Ce supplice est une mort par strangulation.]
2. Les coquins : les scélérats et hors-la-loi.
3. Citation de Molière, *Monsieur de Pourceaugnac*, acte III, sc. 3.

son sort. D'abord il haussa les épaules en souriant avec tristesse ; bientôt, se ravisant, il me pria de faire dire une messe pour le salut de son âme.

« Voudriez-vous, ajouta-t-il timidement, voudriez-vous en faire dire une autre pour une personne qui vous a offensé ?

– Assurément, mon cher, lui dis-je ; mais personne, que je sache, ne m'a offensé en ce pays. »

Il me prit la main et la serra d'un air grave. Après un moment de silence, il reprit :

« Oserai-je encore vous demander un service ?... Quand vous reviendrez dans votre pays, peut-être passerez-vous par la Navarre : au moins vous passerez par Vittoria, qui n'en est pas fort éloignée.

– Oui, lui dis-je, je passerai certainement par Vittoria ; mais il n'est pas impossible que je me détourne[1] pour aller à Pampelune, et, à cause de vous, je crois que je ferais volontiers ce détour.

– Eh bien ! si vous allez à Pampelune, vous y verrez plus d'une chose qui vous intéressera... C'est une belle ville... Je vous donnerai cette médaille (il me montrait une petite médaille d'argent qu'il portait au cou), vous l'envelopperez dans du papier... (il s'arrêta un instant pour maîtriser son émotion...) et vous la remettrez ou vous la ferez remettre à une bonne femme dont je vous dirai l'adresse. Vous direz que je suis mort, vous ne direz pas comment. »

Je promis d'exécuter sa commission. Je le revis le lendemain, et je passai une partie de la journée avec lui. C'est de sa bouche que j'ai appris les tristes aventures qu'on va lire.

---

1. Que je me détourne : que je fasse un détour.

Arrêt lecture 2

Ce second chapitre poursuit la mise en place de l'intrigue. Il appartient toujours au récit-cadre*. Le narrateur rencontre enfin Carmen, et, si rien n'est encore révélé des liens qui unissent don José et la Gitane, de nombreux indices laissent supposer un dénouement tragique.

Un fonctionnement en résonance avec le chapitre 1

Effets de reprises

Les deux premiers chapitres de la nouvelle fonctionnent en écho, comme un diptyque*. Les parallèles sont constants, qu'il s'agisse de la structure des épisodes, des lieux ou même de certains motifs en apparence anecdotiques : le chapitre 2 opère un retour à Cordoue, lieu même où se terminait l'épisode précédent. Par ailleurs, le narrateur continue ses recherches en bibliothèque sur « l'antique Munda » ; il s'agit cette fois de celle des dominicains. L'érudition sert donc de fil conducteur aux deux chapitres : Mérimée poursuit ses notations sur les particularismes espagnols ou gitans (présence des Anglais, *neveria*…), joue de références culturelles plus ou moins explicites, qu'elles soient littéraires (Corneille, Brantôme, Molière) ou plus historiques.

Structures similaires

Concernant la structure des chapitres, le parallélisme est encore plus évident : le narrateur, qui semble goûter les échanges avec des inconnus, satisfaisant ainsi son esprit romanesque et aventureux, rencontre cette fois une femme. La prise de contact est identique (un échange de tabac), les lieux similaires : d'abord un endroit ouvert et extérieur (le « cirque naturel », les bords du Guadalquivir) puis un lieu clos et sombre (la *venta*, la *neveria*). Les dénouements de certains épisodes sont les mêmes : don José devait fuir les lanciers, dénoncé par Antonio et sauvé par le narrateur. C'est ici au tour du narrateur de s'échapper (menacé par la cupidité de Carmen), grâce à l'intervention de don José. Mérimée met donc en place un système d'échos et de chiasmes*, renforcé par des motifs récurrents, comme celui du corbeau. Nom de la venta du chapitre 1 (*venta del cuervo*), il s'agit ici de la couleur des cheveux de Carmen : « noirs, à reflets bleus, comme l'aile d'un corbeau ».

Un système serré d'annonces

Prolepses

Dans un récit aussi court que *Carmen*, caractérisé par une extrême concision narrative, aucun détail n'est accessoire. La moindre mention d'un trait physique, d'un élément du décor ou d'un costume est dotée d'une valeur symbolique ou prend valeur d'annonce narrative, de prolepse*. Ainsi, les remarques consacrées à cette langue « inconnue, que je sus depuis être la *rommani* ou *chipe calli*, l'idiome des gitanos » appellent le long développement du chapitre 4. Le premier portrait de Carmen (sa mantille qui découvre ses épaules, l'« odeur enivrante » des fleurs dans ses cheveux, son air de « chat ») annonce la description de la gitanilla menée par don José au chapitre suivant. Les références érudites ont également fonction de prolepse : ainsi l'épisode mythologique d'Actéon et Diane met en place une intrigue fondée sur la valeur funeste de la séduction.

Brouillages

Ces annonces sont relativement explicites. Mais, comme au chapitre 1, Mérimée brouille les pistes et certains détails laissent le lecteur perplexe, à l'image du narrateur qui « syllogise ». Lorsque don José, à la fin du chapitre, demande qu'une messe soit dite par le narrateur « pour une personne qui vous a offensé », doit-on comprendre que Carmen est morte ? Et lorsque cette dernière dialogue avec don José et s'emporte à propos d'un *payllo*, qui désigne-t-elle ? le narrateur ? ou don José lui-même, qu'elle ne cesse de nommer ainsi au chapitre 3 ? Enfin, comment interpréter cette violente altercation de Carmen et don José ? La colère de la jeune femme est-elle motivée par la jalousie de son amant, son irruption l'empêchant de mener à bien son projet de séduction ? Ou Carmen tente-t-elle d'utiliser don José pour tuer sa victime, comme semble le sous-entendre son geste (« passer et repasser rapidement sa petite main sous son menton ») ? Les éléments de l'intrigue connus à ce stade du récit ne permettent pas de donner une interprétation univoque. Mérimée joue de cette ambiguïté, mettant en place un horizon d'attente pour le lecteur.

Mise en place de la fatalité

Il serait aisé de conclure à une certaine invraisemblance du récit : le narrateur rencontre de manière fortuite don José puis Carmen, alors que les deux personnages sont intimement liés. De même, lorsqu'il se rend dans la bibliothèque des dominicains, il apprend justement ce qu'est devenu don José. Ces éléments pourraient sembler forcés, voire invraisemblables. Comment interpréter un tel faisceau de coïncidences ? La première explication tient au genre même du récit : dans une nouvelle, à l'action concise et resserrée, aucun fait annexe ou accessoire n'est retenu. Mérimée passe ainsi sous silence des mois entiers (« après plusieurs mois de courses errantes en Andalousie ») et ne retient que les éléments nécessaires à l'histoire de Carmen et don José. Par ailleurs, et c'est là l'interprétation la plus intéressante, l'auteur met en place une fatalité implacable. Il n'est pas de hasard. Ces rencontres ne sont pas des concours de circonstances ou des coïncidences invraisemblables, mais la mise en lumière d'un cercle vicieux, celui de la fatalité. Tout se répète, les lieux se ressemblent, les êtres destinés à se détruire se retrouvent.

Ainsi, à la fin de ce deuxième chapitre, qui appartient toujours au récit-cadre*, tous les éléments nécessaires à l'intrigue sont présents. Mérimée a mis en place une véritable fascination pour le personnage de Carmen, et le lecteur brûle de connaître l'histoire de don José. Un horizon d'attente, un suspens ont été créés, renforcés par la clausule* suivante (p. 57) :

> C'est de sa bouche que j'ai appris les tristes aventures qu'on va lire.

Pour une lecture : portrait de Carmen

De « tout en causant » à « considérez votre chat quand il guette un moineau » (p. 50-52).

Introduction

Carmen est un personnage attendu : présente dès le titre de la nouvelle, elle n'apparaît pas dans le chapitre 1 et son nom n'est pas même évoqué. Le chapitre 2 propose alors non un mais deux portraits de la jeune Gitane. Carmen se présente elle-même, sait son nom connu : « Avez-vous entendu parler de la Carmencita ? C'est moi. » Cette manière de s'introduire elle-même dans le récit est révélatrice du personnage : Carmen prend les initiatives, elle est dominatrice. Le diminutif comme l'usage d'un article défini posent d'emblée l'ambiguïté du personnage : elle est déjà un « mythe » mais aussi une femme qui échappe, comme son nom. Tout dans son portrait, mené par le narrateur, dit combien son charme est difficile à saisir et paradoxal.

1 – Un portrait sous le signe des antithèses

a) Contrastes et oppositions :

Toutes les phrases du portrait reposent sur des figures d'opposition, syntaxiques (« mais », « et », employé comme adversatif) et lexicales. Comme le résume le narrateur, « je vous dirai en somme qu'à chaque défaut elle réunissait une qualité ». L'ensemble du portrait travaille des contrastes, le terme est employé par le narrateur. Carmen est plurielle : féminine, sensuelle et voluptueuse, elle est aussi masculine : elle fume, trait choquant pour l'époque, prend les initiatives, inverse les rôles en cantonnant le narrateur à un rôle passif. Elle porte en elle un véritable bestiaire : le narrateur la compare successivement à un corbeau, un loup, un chat.

Ces oppositions forment pourtant un ensemble (« réunisse », « à la fois », « en somme »), un mélange étonnant. Carmen n'est pas « de race pure », la pureté – physique comme morale – lui est étrangère. Calculatrice, rusée, manipulatrice, elle demeure insaisissable.

b) Une beauté approchée mais insaisissable :

L'apparition de Carmen, au crépuscule, est placée sous l'égide d'une citation de Corneille : « l'obscure clarté qui tombe des étoiles ». L'oxymore*, que l'on retrouve dans la lumière voilée de la scène (« une petite table éclairée par une bougie renfermée dans un globe de verre »), traduit l'ambiguïté fondamentale du personnage, le trouble de sa beauté. Par ailleurs, il est à noter que dans le premier portrait de Carmen, les verbes de mouvement et d'action dominent ; la jeune femme n'offre que quelques éclats fugitifs de sa beauté. C'est à la faveur d'une pause (« nous nous étions assis ») que le narrateur trouve enfin « tout le loisir » de la détailler, de l'« examiner » et tente de saisir un ensemble.

Mais cette beauté résiste. Le portrait accumule les « peut-être », les expressions du trouble et du « doute ». On ne peut qu'approcher d'une vérité de Carmen, par la citation (Brantôme), la comparaison (« comme l'aile d'un corbeau ») ou le recours aux vérités admises (le « dicton espagnol »). Le refus d'une « description trop prolixe » est aussi aveu d'impuissance.

2 – Le sublime, dépassement des contraires

a) À rebours des canons classiques :

Il est cependant paradoxal d'employer ce terme de «beauté» à propos de Carmen. Si les détails sont beaux, «joli(s)», Carmen «ne pouvait prétendre à tant de perfections». Certains traits de son visage sont presque laids (peau qui «approchait fort de la teinte du cuivre», lèvres «un peu fortes», cheveux «un peu gros»). Carmen attire et effraie à la fois. Sa beauté est «étrange», sa figure «étonne», au sens étymologique du terme : *extonare*, frapper du tonnerre, provoquer une commotion, faire trembler. Elle est de l'ordre du sublime* (voir Ouvertures), à rebours des conventions classiques : l'exotisme (peau cuivrée, yeux et cheveux noirs), l'hyperbole («infiniment plus»), la violence (œil «farouche», comparaison à des animaux prédateurs, loup et chat) définissent le sublime romantique.

Le sublime incarné par Carmen est tout entier contenu par un modalisateur qu'emploie le narrateur à deux reprises, un adverbe d'intensité comme d'approximation : fort («je doute fort», «approchait fort»).

b) L'essence de la séduction :

Séduire (*se-ducere*), étymologiquement, signifie détourner, mener hors du (droit) chemin. Ce terme définit Carmen, doublement. Elle dévoie le narrateur, le menant chez elle. Surtout elle le fascine, joue d'un savoir lié aux sens comme à une parole captivante (Carmen prédit l'avenir). Cette femme dangereuse (cf. réseau sémantique de la pointe acérée dans son portrait) provoque un véritable trouble qui mène à l'inédit, à l'aventure, à l'inconnu. Personne ne ressemble à Carmen, elle demeure unique, originale au sens plein du terme («elle était infiniment plus jolie que toutes les femmes de sa nation que j'aie jamais rencontrées», «une expression (…) que je n'ai trouvée depuis à aucun regard humain»). Carmen est une exception, elle abolit le passé (avoir déjà rencontré) comme l'avenir (jamais trouvé depuis).

CARMEN
Aquarelle de Prosper MÉRIMÉE,
offerte par lui à M.ᵐᵉ Ferdinand de LESSEPS née DELAMALLE
Barcelone 1846. Fac-Simile

Sur cette aquarelle de Prosper Mérimée, c'est la Carmen-séductrice qui se pend au cou de don José. Énumérez les autres facettes que vous connaissez déjà d'elle à la fin du deuxième chapitre.

3 – Un art poétique

a) Une connivence recherchée :

Le lecteur est sans cesse interpellé par le narrateur qui lui «donne à voir» Carmen. Les impératifs («voyez», «considérez»), les adresses directes («pour ne pas vous fatiguer […], je vous dirai») créent une forme de dialogue. Le lecteur ne peut demeurer passif. Cette connivence est également établie par le jeu des références culturelles (Brantôme, le Jardin des Plantes, le chat), le narrateur faisant appel à des connaissances qu'il partage avec son lecteur. C'est particulièrement évident dans la référence à Brantôme puisqu'une partie du texte est tronquée : le narrateur passe sous silence la nature sexuelle de cet extrait du recueil des *Dames galantes* (voir note 1, p. 51). Enfin, l'ironie du narrateur vient conforter cette connivence nécessaire, et ce, dès le premier paragraphe de notre extrait : le lecteur ne peut que sourire en lisant «<u>ma</u> *gitana*» (puis «<u>ma</u> bohémienne») – Carmen n'appartient à personne – ou en relevant l'antiphrase* «en si bonne compagnie».

De fait, il s'agit de faire partager au lecteur la fascination qu'exerce Carmen, de le mener lui aussi sur ce chemin de détournement, de séduction. Les «quelques honnêtes gens» qui «s'ébahissent» (au sens d'admirer comme de s'étonner) ont pour fonction de mettre en abyme* le magnétisme de Carmen, toujours au centre des regards.

b) Refus des normes et manifeste esthétique :

En somme, ce portrait n'est pas une simple description : il s'agit de mener le lecteur «ailleurs», vers cette étrangeté («une beauté étrange et sauvage») qu'incarne Carmen, sur ce chemin hors des normes, morales (les «honnêtes gens» sont choqués) comme esthétiques. Mérimée malmène les convenances (en célébrant une femme de si mauvaise vie, en mettant en lumière sa sensualité) comme les conventions (beauté régulière, harmonie). L'ironie du narrateur est aussi une jubilation, née du plaisir de choquer. En ce sens, la beauté de Carmen dit la réception attendue de la nouvelle : comme Carmen, le récit échappe, effraie et attire, choque et fascine.

Conclusion

Dans ce portrait, le récit se fait hymne au mystère d'une féminité exotique, étrange et changeante. Comme l'écrit Gautier dans *Fortunio*, « les mots si bien arrangés qu'ils soient ne donnent jamais qu'une idée imparfaite de la beauté d'une femme ». Carmen suscite une fascination tout aussi sensuelle qu'esthétique, que le texte se charge de faire partager au lecteur. Ainsi la *Gitana* n'est pas seulement le personnage éponyme* du récit, elle est aussi l'incarnation de son esthétique (de sa structure comme de sa réception par le lecteur).

Groupement de textes : Gitanes

Le romantisme hérite de Cervantès la figure mythique de la bohémienne. La Preciosa, *gitanilla* des *Nouvelles exemplaires*, ouvre en effet la voie à une certaine représentation de la féminité, à rebours des canons classiques de beauté, incarnation de la volupté, du désir charnel, de la danse et du chant. Insaisissable, à l'image de son peuple libre et en mouvement, la Gitane fascine les écrivains qui tentent, dans leurs portraits, de cerner ses contradictions, ses paradoxes, sa beauté plurielle. L'aimer conduit à la mort violente, au meurtre, au sang.

La Gitane est figure de l'Autre : elle échappe, séduit et dérange, effraie par ses pratiques hors des lois (vol, sorcellerie...) et sa nature incertaine (elle est femme, animal, être surnaturel). Marginale, elle est pourtant au centre de tous les regards, objet d'une fascination qu'elle excelle à susciter.

Miguel de Cervantès, « La Petite Gitane », *Nouvelles exemplaires* (1610)

L'*incipit** de la nouvelle présente le personnage de Preciosa, qui marquera durablement l'imaginaire de la gitane, en particulier chez les écrivains romantiques. Pourtant, cette jeune femme, considérée comme la « fine fleur de toute la beauté des gitanes d'Espagne », n'est pas bohémienne... Née doña Constance de Acevedo y de Meneses, elle a été enlevée et élevée par une vieille Gitane. Cervantès, au début de la nouvelle, distribue les indices préparant le dénouement en forme de coup de théâtre, tout en forgeant les facettes d'un mythe. Feignant d'adopter un certain nombre d'idées reçues sur les gitans (vol, mauvaise éducation), Cervantès renverse ironiquement les a priori et dénonce le piège des apparences, nécessairement trompeuses.

« Il semble que gitans et gitanes ne soient sur terre que pour être voleurs : ils naissent de pères voleurs, sont élevés pour le vol, s'instruisent dans le vol, et finissent bel et bien voleurs à tous crins ; l'envie de friponner et la friponnerie même sont en eux des accidents dont ils ne se défont qu'à la mort. Une donc de cette nation (vieille gitane dont on eût pu fêter le jubilé dans la science de Cacus) éleva une enfant comme sa petite-fille, lui donna le nom de Précieuse et lui enseigna tous les artifices et modes d'engeigner autrui, plus mille autres gitaneries. Ladite Précieuse devint la plus excellente danseuse qui se pût trouver dans tout le gitanisme et aussi la plus belle et la plus sensée qui se pût trouver, non parmi les gitanes, mais parmi toutes les filles belles et sensées que publiait la renommée. Ni les soleils, ni les vents, ni aucune des inclémences du ciel auxquelles, plus que toutes les autres, est sujette la gent bohémienne, ne purent délustrer son visage, ni basaner ses mains ; et, qui plus est, l'éducation grossière qu'elle reçut ne découvrit en elle qu'un être d'une nature supérieure à celle de gitane, car elle était infiniment courtoise et pleine de raison ; avec cela fort désinvolte mais non de façon déshonnête [...].

Précieuse devint riche de noëls, de couplets, séguedilles, sarabandes et autres airs, mais surtout de romances qu'elle chantait avec une grâce particulière [...].

[...] La première entrée que fit Précieuse à Madrid, ce fut pour la fête de Sainte-Anne, patronne et avocate de la ville, dans un ballet que composaient huit gitanes : quatre vieilles et quatre jeunes, plus un gitan, excellent baladin, qui conduisait la danse ; et bien que toutes fussent propres et bien attifées, la toilette de Précieuse était telle que, peu à peu, elle commença de rendre amoureux les yeux de tous ceux qui la regardaient. Par-dessus le son du tambourin et des castagnettes et les mouvements du bal, une rumeur s'élevait qui louait à l'extrême la beauté et la gentillesse de la petite gitane, et les garçons accouraient la voir, et les hommes la regarder […]. **»**

Trad. Jean Cassou, Folio classique n°1256.

Alexandre Pouchkine, *Les Bohémiens* (1823-1824)

Aleko, qui n'appartient pas au monde du voyage, aime Zemphira, une jeune Bohémienne. Pour elle, il adopte une vie de liberté et d'errance. Deux années passent, Zemphira se détache d'Aleko, elle aime un Bohémien. Aleko surprend leur duo d'amour et se venge. L'extrait cité du poème a été traduit du russe par Mérimée.

« Aleko dort ; une inquiète vision l'obsède. Il se réveille en criant. Le jaloux étend la main, mais sa main effrayée n'a saisi qu'une couverture froide. Sa compagne n'est plus auprès de lui. Tremblant, il se lève. Tout est tranquille. Il frémit, il transit, il brûle. Il sort de sa tente, et, pâle, tourne autour des chariots. Nul bruit ; la campagne est muette. L'obscurité règne, la lune s'est plongée dans le brouillard. À la tremblante lueur des étoiles sur la rosée, il a deviné des pas. Ils mènent au Kourgane. Il se précipite sur ces traces funestes. Voilà le tombeau blanc qui se dresse au bord du sentier. Un sinistre pressentiment l'agite, il marche en chancelant. Ses lèvres tremblent, ses genoux fléchissent : il avance, et… Est-ce un rêve ? Deux ombres sont là, près de lui, et il entend le murmure de voix qui se parlent sur la tombe profanée.

PREMIÈRE VOIX : Il est temps.

DEUXIÈME VOIX : Demeure encore…

PREMIÈRE VOIX : Il le faut, ami, séparons-nous.

DEUXIÈME VOIX : Non, non, restons jusqu'au jour.

PREMIÈRE VOIX : L'heure nous presse.

DEUXIÈME VOIX : Quelle timide amoureuse ! Un instant !

PREMIÈRE VOIX : Tu me perds !

DEUXIÈME VOIX : Un moment.

PREMIÈRE VOIX : Si mon mari se réveillait sans moi !…

ALEKO : Il est réveillé. Où allez-vous ? Demeurez tous les deux. Vous êtes bien là ; oui, là, sur cette tombe.

ZEMFIRA : Ami, sauve-toi, fuis !

ALEKO : Arrête ! Où vas-tu, beau galant ! Tiens.

(Il le frappe de son couteau.)

ZEMFIRA : Aleko !

LE BOHÉMIEN : Je suis mort !

ZEMFIRA : Aleko ! ne le tue pas ! Mais tu es couvert de sang ? Qu'as-tu fait ?

ALEKO : Rien. À présent respire ton amour.

ZEMFIRA : Eh bien, je ne te crains pas ! Je méprise tes menaces. Assassin, je te maudis.

ALEKO *(la frappant)* : Meurs donc aussi !

ZEMFIRA : Je meurs en l'aimant.

L'orient s'éclaire de ses premiers feux. Sur le tertre, Aleko tout sanglant, le couteau à la main, est assis sur la pierre du tombeau. À ses pieds gisent deux cadavres. Les traits du meurtrier sont effrayants. Une troupe effarée de Bohémiens l'entoure. Sur le Kourgane même, à ses pieds, ils creusent une fosse. Les femmes, l'une après l'autre, s'avancent et baisent les yeux des morts. Le vieillard, le père, est assis, regardant la victime, immobile, silencieux. On soulève les cadavres, et le jeune couple est déposé au sein froid de la terre. Aleko les contemple à l'écart, et quand la dernière poignée de terre est jetée sur la fosse, sans dire un mot, il glisse de la pierre et tombe sur le gazon. **»**

Trad. Prosper Mérimée.

Victor Hugo, *Notre-Dame de Paris* (1831)

Le nom d'Esméralda – « émeraude » –, la Gitane de *Notre-Dame de Paris*, rappelle la Preciosa de Cervantès. Son essence est le mouvement : elle entre dans le roman en dansant, la description hugolienne multiplie les verbes d'action, les juxtapositions, les antithèses pour tenter de cerner sa beauté. Être des métamorphoses, elle est animal (salamandre, guêpe), créature divine (nymphe, bacchante) et, paradoxalement, figure de la marge, objet d'un certain mépris (elle n'est qu'une Bohémienne). Son portrait joue de ces contradictions, trouvant une définition de sa beauté dans les antithèses.

« Dans un vaste espace laissé libre entre la foule et le feu, une jeune fille dansait.

Si cette jeune fille était un être humain, ou une fée, ou un ange, c'est ce que Gringoire, tout philosophe sceptique, tout poète ironique qu'il était, ne put décider dans le premier moment, tant il fut fasciné par cette éblouissante vision.

Elle n'était pas grande, mais elle le semblait, tant sa fine taille s'élançait hardiment. Elle était brune, mais on devinait que le jour sa peau devait avoir ce beau reflet doré des Andalouses et des Romaines. Son petit pied aussi était andalou, car il était tout ensemble à l'étroit et à l'aise dans sa gracieuse chaussure. Elle dansait, elle tournait, elle tourbillonnait sur un vieux tapis de Perse, jeté négligemment sous ses pieds ; et chaque fois qu'en tournoyant sa rayonnante figure passait devant vous, ses grands yeux noirs vous jetaient un éclair.

Autour d'elle tous les regards étaient fixes, toutes les bouches ouvertes ; et en effet, tandis qu'elle dansait ainsi, au bourdonnement du tambour de basque que ses deux bras ronds et purs élevaient au-dessus de sa tête, mince, frêle et vive comme une guêpe, avec son corsage d'or sans pli, sa robe bariolée qui se gonflait, avec ses épaules nues, ses jambes fines que sa jupe découvrait par moments, ses cheveux noirs, ses yeux de flamme, c'était une surnaturelle créature.

– En vérité, pensa Gringoire, c'est une salamandre, c'est une nymphe, c'est une déesse, c'est une bacchante du mont Ménaléen !

En ce moment, une des nattes de la chevelure de la « salamandre » se détacha, et une pièce de cuivre jaune qui y était attachée roula à terre.

– Hé non ! dit-il, c'est une bohémienne.

Toute illusion avait disparu.

Elle se remit à danser. Elle prit à terre deux épées dont elle appuya la pointe sur son front et qu'elle fit tourner dans un sens tandis qu'elle tournait dans l'autre. C'était en effet tout bonnement une bohémienne. »

Livre deuxième, chapitre 3.

Jules-Amédée Barbey d'Aurevilly, *Une vieille maîtresse* (1851)

Vellini, héroïne du roman aurévillien, inspire une passion fatale à Ryno de Marigny. Son charme étrange et sa sensualité savante le lient à jamais à «cette bohémienne aux goûts barbares, la dépravatrice de sa vie».

« Vellini était petite et maigre. Sa peau, qui manquait naturellement de transparence, était d'un ton presque aussi foncé que le vin extrait du raisin brûlant de son pays. Son front, projeté durement en avant, paraissait d'autant plus bombé que le nez se creusait un peu à la racine; une bouche trop grande, estompée d'un duvet noir bleu, qui, avec la poitrine extrêmement plate de la señora, lui donnait fort un air de jeune garçon déguisé; oui, voilà ce qui paraissait, aveuglait d'abord, ce qui choquait au premier coup d'œil, ce qui faisait dire, aux yeux épris de la tête caucasienne, qu'elle était laide, la señora Vellini […] elle n'était pas belle, non, jamais! mais elle était vivante, et la vie, chez elle, valait la beauté dans les autres! L'Expression – ce dieu caché au fond de nos âmes – la créait par une foudroyante métamorphose. Alors, ce front envahi par une chevelure mal plantée, ce front d'esclave, étroit, entêté, ténébreux, grossissait, grandissait et commandait au visage. Ce nez, commencé par un peintre Kalmouk, finissait en narines entrouvertes, fines, palpitantes, comme le ciseau grec en eût prêté à la statue du Désir. Les coins de la bouche allaient mourir dans des fossettes voluptueuses. Les yeux, emplis par des prunelles d'une largeur extraordinaire, noirs, durs, faux, espionnants, tisons ardents d'un vrai *brasero* sans flammes, s'avivaient d'une clarté qui brûlait le jour. C'étaient des yeux infernaux ou célestes, car l'homme n'a guère que ces mots-là qui cachent l'Infini, pour en exprimer la puissance. […]

Pour aimer cet être changeant, beau et laid tout ensemble, il fallait être un poète ou un homme corrompu. **»**

Première partie, chapitre 4, «Une maîtresse-sérail».

Théophile Gautier, « Carmen », *Émaux et Camées* (1852)
Publié dans la *Revue fantaisiste*, le 15 avril 1861, ce poème est un hommage à la Gitane de Mérimée mais il puise aussi son inspiration dans la fascination qu'exerce l'Espagne sur Gautier. Femme fleur et piment, sensuelle et fatale, provoquant blasphèmes et crimes, la Carmen de Gautier est un vampire « qui prend sa pourpre au sang des cœurs ».

« Carmen est maigre – un trait de bistre
Cerne son œil de gitana.
Ses cheveux sont d'un noir sinistre,
Sa peau, le diable la tanna.

Les femmes disent qu'elle est laide,
Mais tous les hommes en sont fous :
Et l'archevêque de Tolède
Chante la messe à ses genoux ;

Car sur sa nuque d'ambre fauve
Se tord un énorme chignon
Qui, dénoué, fait dans l'alcôve
Une mante à son corps mignon.

Et, parmi sa pâleur, éclate
Une bouche aux rires vainqueurs ;
Piment rouge, fleur écarlate,
Qui prend sa pourpre au sang des cœurs.

Ainsi faite, la moricaude
Bat les plus altières beautés,
Et de ses yeux la lueur chaude
Rend la flamme aux satiétés.

Elle a dans sa laideur piquante
Un grain de sel de cette mer
D'où jaillit nue et provocante,
L'âcre Vénus du gouffre amer. »

à vous...

1 – Repérez les différentes apparitions de la montre dans le chapitre. Quelle est la fonction symbolique de cet objet en apparence anodin ?

2 – Étude du personnage du dominicain.

3 – À l'issue de ce chapitre, quelle suite imaginez-vous au récit ?

4 – Après lecture et analyse des extraits proposés dans le groupement de textes, relevez les traits communs aux différentes figures de Gitane. Lesquels retrouvez-vous en Carmen ?

5 – Dissertation – Vous commenterez cette citation de Roland Barthes (*S/Z*, 1961), en vous appuyant sur les différents portraits de femmes proposés dans cet arrêt sur lecture : « La beauté ne peut vraiment s'expliquer ; elle se dit, s'affirme, se répète en chaque partie du corps, mais ne se décrit pas... Il ne reste plus alors au discours qu'à asserter la perfection de chaque détail et à envoyer le reste au "code" qui fonde toute beauté : l'Art. Autrement dit, la beauté ne peut s'alléguer que sous forme d'une citation. »

3

Je suis né, dit-il, à Elizondo, dans la vallée de Baztan. Je m'appelle don José Lizarrabengoa, et vous connaissez assez l'Espagne, Monsieur, pour que mon nom vous dise aussitôt que je suis Basque et vieux chrétien. Si je prends le *don* [1], c'est que j'en ai le droit, et si j'étais à Elizondo, je vous montrerais ma généalogie sur parchemin. On voulait que je fusse d'église, et l'on me fit étudier, mais je ne profitais guère. J'aimais trop à jouer à la paume [2], c'est ce qui m'a perdu. Quand nous jouons à la paume, nous autres Navarrais, nous oublions tout. Un jour que j'avais gagné, un gars de l'Alava me chercha querelle ; nous prîmes nos *maquilas** et j'eus encore l'avantage ; mais cela m'obligea de quitter le pays. Je rencontrai des dragons, et je m'engageai dans le régiment d'Almanza, cavalerie. Les gens de nos montagnes apprennent vite le métier militaire. Je devins bientôt brigadier, et on me promettait de me faire maréchal des logis, quand, pour mon malheur, on me mit de garde à la manufacture de tabacs à Séville. Si vous êtes

1. *Don* : particule nobiliaire.
2. La paume : jeu de balle.
* Bâtons ferrés des Basques.

allé à Séville, vous aurez vu ce grand bâtiment-là, hors des remparts, près du Guadalquivir. Il me semble en voir encore la porte et le corps de garde auprès. Quand ils sont de service, les Espagnols jouent aux cartes, ou dorment ; moi, comme un franc Navarrais, je tâchais toujours de m'occuper. Je faisais une chaîne avec du fil de laiton, pour tenir mon épinglette[1]. Tout d'un coup, les camarades disent : « Voilà la cloche qui sonne ; les filles vont rentrer à l'ouvrage. » Vous saurez, monsieur, qu'il y a bien quatre à cinq cents femmes occupées dans la manufacture. Ce sont elles qui roulent les cigares dans une grande salle, où les hommes n'entrent pas sans une permission du *Vingt-quatre**, parce qu'elles se mettent à leur aise, les jeunes surtout, quand il fait chaud. À l'heure où les ouvrières rentrent, après leur dîner, bien des jeunes gens vont les voir passer, et leur en content de toutes les couleurs. Il y a peu de ces demoiselles qui refusent une mantille de taffetas, et les amateurs, à cette pêche-là, n'ont qu'à se baisser pour prendre le poisson. Pendant que les autres regardaient, moi, je restais sur mon banc, près de la porte. J'étais jeune alors ; je pensais toujours au pays, et je ne croyais pas qu'il y eût de jolies filles sans jupes bleues et sans nattes tombant sur les épaules*. D'ailleurs, les Andalouses me faisaient peur ; je n'étais pas encore fait à leurs manières : toujours à railler, jamais un mot de raison. J'étais donc le nez sur ma chaîne, quand j'entends des bourgeois qui disaient : « Voilà la gitanilla ! » Je levai les yeux, et je la vis. C'était un vendredi, et je ne l'oublierai jamais. Je vis cette Carmen que vous connaissez, chez qui je vous ai rencontré il y a quelques mois.

1. Épinglette : épingle qui sert à déboucher les fusils.
* Magistrat chargé de la police et de l'administration municipale.
* Costume ordinaire des paysannes de la Navarre et des provinces basques.

Elle avait un jupon rouge fort court qui laissait voir des bas de soie blancs avec plus d'un trou, et des souliers mignons de maroquin rouge attachés avec des rubans couleur de feu. Elle écartait sa mantille afin de montrer ses épaules et un gros bouquet de cassie qui sortait de sa chemise. Elle avait encore une fleur de cassie dans le coin de la bouche, et elle s'avançait en se balançant sur ses hanches comme une pouliche du haras de Cordoue. Dans mon pays, une femme en ce costume aurait obligé le monde à se signer. À Séville, chacun lui adressait quelque compliment gaillard sur sa tournure ; elle répondait à chacun, faisant les yeux en coulisse, le poing sur la hanche, effrontée comme une vraie Bohémienne qu'elle était. D'abord elle ne me plut pas, et je repris mon ouvrage ; mais elle, suivant l'usage des femmes et des chats qui ne viennent pas quand on les appelle et qui viennent quand on ne les appelle pas, s'arrêta devant moi et m'adressa la parole :

« Compère[1], me dit-elle à la façon andalouse, veux-tu me donner ta chaîne pour tenir les clefs de mon coffre-fort ?

– C'est pour attacher mon épinglette, lui répondis-je.

– Ton épinglette ! s'écria-t-elle en riant. Ah ! monsieur fait de la dentelle, puisqu'il a besoin d'épingles ! » Tout le monde qui était là se mit à rire, et moi je me sentais rougir, et je ne pouvais trouver rien à lui répondre. « Allons, mon cœur, reprit-elle, fais-moi sept aunes[2] de dentelle noire pour une mantille, épinglier de mon âme ! » Et prenant la fleur de cassie qu'elle avait à la bouche, elle me la lança, d'un mouvement du pouce, juste entre les deux yeux. Monsieur, cela me fit l'effet d'une balle qui m'arrivait… Je ne savais où me fourrer, je demeurais immobile comme

---

1. Compère : Mérimée traduit littéralement le terme espagnol (camarade, ami).
2. Aune : ancienne unité de longueur (1,20 m environ), supprimée en 1840.

une planche. Quand elle fut entrée dans la manufacture, je vis la fleur de cassie qui était tombée à terre entre mes pieds ; je ne sais ce qui me prit, mais je la ramassai sans que mes camarades s'en aperçussent et je la mis précieusement dans ma veste. Première sottise !

Deux ou trois heures après, j'y pensais encore, quand arrive dans le corps de garde un portier tout haletant, la figure renversée. Il nous dit que dans la grande salle des cigares il y avait une femme assassinée, et qu'il fallait y envoyer la garde. Le maréchal me dit de prendre deux hommes et d'y aller voir. Je prends mes hommes et je monte. Figurez-vous, monsieur, qu'entré dans la salle je trouve d'abord trois cents femmes en chemise, ou peu s'en faut, toutes criant, hurlant, gesticulant, faisant un vacarme à ne pas entendre Dieu tonner. D'un côté, il y en avait une, les quatre fers en l'air, couverte de sang, avec un X sur la figure qu'on venait de lui marquer en deux coups de couteau. En face de la blessée, que secouraient les meilleures de la bande, je vois Carmen tenue par cinq ou six commères. La femme blessée criait : « Confession ! confession ! je suis morte ! » Carmen ne disait rien ; elle serrait les dents, et roulait des yeux comme un caméléon. « Qu'est-ce que c'est ? » demandai-je. J'eus grand-peine à savoir ce qui s'était passé, car toutes les ouvrières me parlaient à la fois. Il paraît que la femme blessée s'était vantée d'avoir assez d'argent en poche pour acheter un âne au marché de Triana[1]. « Tiens, dit Carmen qui avait une langue, tu n'as donc pas assez d'un balai ? »

L'autre, blessée du reproche, peut-être parce qu'elle se sentait véreuse sur l'article, lui répond qu'elle ne se

---

1. Marché de Triana : faubourg de Séville, habité majoritairement par les Gitans.

connaissait pas en balais, n'ayant pas l'honneur d'être bohémienne ni filleule de Satan, mais que mademoiselle Carmencita ferait bientôt connaissance avec son âne, quand M. le corrégidor la mènerait à la promenade avec deux laquais par-derrière pour l'émoucher[1]. «Eh bien, moi, dit Carmen, je te ferai des abreuvoirs à mouches sur la joue, et je veux y peindre un damier*. »

Là-dessus, vli-vlan! elle commence, avec le couteau dont elle coupait le bout des cigares, à lui dessiner des croix de Saint-André sur la figure.

Le cas était clair; je pris Carmen par le bras : «Ma sœur, lui dis-je poliment, il faut me suivre. » Elle me lança un regard comme si elle me reconnaissait; mais elle dit d'un air résigné : «Marchons. Où est ma mantille?» Elle la mit sur sa tête de façon à ne montrer qu'un seul de ses grands yeux, et suivit mes deux hommes, douce comme un mouton. Arrivés au corps de garde, le maréchal des logis dit que c'était grave, et qu'il fallait la mener à la prison. C'était encore moi qui devais la conduire. Je la mis entre deux dragons, et je marchais derrière comme un brigadier doit faire en semblable rencontre. Nous nous mîmes en route pour la ville. D'abord la Bohémienne avait gardé le silence; mais dans la rue du Serpent – vous la connaissez, elle mérite bien son nom par les détours qu'elle fait –, dans la rue du Serpent, elle commence par laisser tomber sa mantille sur ses épaules, afin de me montrer son minois enjôleur, et, se tournant vers moi autant qu'elle pouvait, elle me dit :

1. Émoucher : signifie faire fuir les mouches avec un fouet. Il est plutôt fait ici allusion à une peine infligée à certains criminels (femmes adultères, sorcières) qui étaient ainsi menés par les rues, montés sur un âne et fouettés.
* *Pintar un javeque,* peindre un chebec. Les chebecs espagnols ont, pour la plupart, leur bande peinte à carreaux rouges et blancs. [Le chebec est un navire à voiles et à rames.]

«Mon officier, où me menez-vous?

– À la prison, ma pauvre enfant, lui répondis-je le plus doucement que je pus, comme un bon soldat doit parler à un prisonnier, surtout à une femme.

– Hélas! que deviendrai-je? Seigneur officier, ayez pitié de moi. Vous êtes si jeune, si gentil!...» Puis, d'un ton plus bas: «Laissez-moi m'échapper, dit-elle, je vous donnerai un morceau de la *bar lachi*, qui vous fera aimer de toutes les femmes.»

La *bar lachi,* monsieur, c'est la pierre d'aimant, avec laquelle les Bohémiens prétendent qu'on fait quantité de sortilèges quand on sait s'en servir. Faites-en boire à une femme une pincée râpée dans un verre de vin blanc, elle ne résiste plus. Moi, je lui répondis le plus sérieusement que je pus:

«Nous ne sommes pas ici pour dire des balivernes; il faut aller à la prison, c'est la consigne, et il n'y a pas de remède.»

Nous autres gens du pays basque, nous avons un accent qui nous fait reconnaître facilement des Espagnols; en revanche, il n'y en a pas un qui puisse seulement apprendre à dire *baï, jaona**. Carmen donc n'eut pas de peine à deviner que je venais des provinces. Vous saurez que les Bohémiens, monsieur, comme n'étant d'aucun pays, voyageant toujours, parlent toutes les langues, et la plupart sont chez eux en Portugal, en France, dans les provinces, en Catalogne, partout; même avec les Maures et les Anglais, ils se font entendre. Carmen savait assez bien le basque. «*Laguna, ene bihotsarena,* camarade de mon cœur, me dit-elle tout à coup, êtes-vous du pays?»

* Oui, monsieur.

Notre langue, monsieur, est si belle, que, lorsque nous l'entendons en pays étranger, cela nous fait tressaillir… « Je voudrais avoir un confesseur des provinces », ajouta plus bas le bandit. Il reprit après un silence :

« Je suis d'Elizondo, lui répondis-je en basque, fort ému de l'entendre parler ma langue.

– Moi, je suis d'Etchalar », dit-elle. C'est un pays à quatre heures de chez nous. « J'ai été emmenée par des Bohémiens à Séville. Je travaillais à la manufacture pour gagner de quoi retourner en Navarre, près de ma pauvre mère qui n'a que moi pour soutien, et un petit *barratcea** avec vingt pommiers à cidre. Ah! si j'étais au pays, devant la montagne blanche[1]! On m'a insultée parce que je ne suis pas de ce pays de filous, marchands d'oranges pourries; et ces gueuses se sont mises toutes contre moi, parce que je leur ai dit que tous leurs *jacques** de Séville, avec leurs couteaux, ne feraient pas peur à un gars de chez nous avec son béret bleu et son *maquila*. Camarade, mon ami, ne ferez-vous rien pour une payse[2]? »

Elle mentait, monsieur, elle a toujours menti. Je ne sais pas si dans sa vie cette fille-là a jamais dit un mot de vérité; mais, quand elle parlait, je la croyais : c'était plus fort que moi. Elle estropiait le basque, et je la crus Navarraise; ses yeux seuls et sa bouche et son teint la disaient bohémienne. J'étais fou, je ne faisais plus attention à rien. Je pensais que, si des Espagnols s'étaient avisés de mal parler du pays, je leur aurais coupé la figure, tout comme elle venait de faire à sa camarade. Bref, j'étais

* Enclos, jardin.
1. La montagne blanche : les Pyrénées.
* Braves, fanfarons.
2. Payse : compatriote (terme familier).

comme un homme ivre; je commençais à dire des bêtises, j'étais tout près d'en faire.

« Si je vous poussais, et si vous tombiez, mon pays, reprit-elle en basque, ce ne seraient pas ces deux conscrits de Castillans qui me retiendraient… »

Ma foi, j'oubliai la consigne et tout, et je lui dis :

« Eh bien, m'amie, ma payse, essayez, et que Notre-Dame de la Montagne vous soit en aide ! » En ce moment, nous passions devant une de ces ruelles étroites comme il y en a tant à Séville. Tout à coup Carmen se retourne et me lance un coup de poing dans la poitrine. Je me laissai tomber exprès à la renverse. D'un bond, elle saute par-dessus moi et se met à courir en nous montrant une paire de jambes !… On dit jambes de Basque[1] : les siennes en valaient bien d'autres… aussi vites[2] que bien tournées. Moi, je me relève aussitôt; mais je mets ma lance* en travers, de façon à barrer la rue, si bien que, de prime abord, les camarades furent arrêtés au moment de la poursuivre. Puis je me mis moi-même à courir, et eux après moi; mais l'atteindre ! il n'y avait pas de risque, avec nos éperons, nos sabres et nos lances ! En moins de temps que je n'en mets à vous le dire, la prisonnière avait disparu. D'ailleurs, toutes les commères[3] du quartier favorisaient sa fuite, et se moquaient de nous, et nous indiquaient la fausse voie. Après plusieurs marches et contre-marches[4], il fallut nous en revenir au corps de garde sans un reçu du gouverneur de la prison.

1. Jambes de Basque : Molière, dans *Le Dépit amoureux*, parle de « trotter comme un basque » (I, 2). Le titre de la pièce est tout un symbole…
2. Vites : rapides.
* Toute la cavalerie espagnole est armée de lances.
3. Commères : femmes. Terme employé ici dans le sens péjoratif de femme bavarde et plus loin par don José dans le sens vieilli d'amie.
4. Après plusieurs marches et contre-marches : après avoir marché dans un sens puis dans un autre.

Mes hommes, pour n'être pas punis, dirent que Carmen m'avait parlé basque ; et il ne paraissait pas trop naturel, pour dire la vérité, qu'un coup de poing d'une tant petite fille eût terrassé si facilement un gaillard de ma force. Tout cela parut louche, ou plutôt trop clair. En descendant la garde, je fus dégradé et envoyé pour un mois à la prison. C'était ma première punition depuis que j'étais au service. Adieu les galons de maréchal des logis que je croyais déjà tenir !

Mes premiers jours de prison se passèrent fort tristement. En me faisant soldat, je m'étais figuré que je deviendrais tout au moins officier. Longa, Mina, mes compatriotes, sont bien capitaines généraux ; Chapalangarra[1], qui est un négro[2] comme Mina, et réfugié comme lui dans votre pays, Chapalangarra était colonel, et j'ai joué à la paume vingt fois avec son frère, qui était un pauvre diable comme moi. Maintenant je me disais : «Tout le temps que tu as servi sans punition, c'est du temps perdu. Te voilà mal noté ; pour te remettre bien dans l'esprit des chefs, il te faudra travailler dix fois plus que lorsque tu es venu comme conscrit[3] !» Et pourquoi me suis-je fait punir ? Pour une coquine de Bohémienne qui s'est moquée de moi, et qui, dans ce moment, est à voler dans quelque coin de la ville. Pourtant je ne pouvais m'empêcher de penser à elle. Le croiriez-vous, monsieur ? ses bas de soie troués qu'elle me faisait voir tout en plein en s'enfuyant, je les avais toujours devant les yeux. Je regardais par les barreaux de la prison dans la rue, et, parmi toutes les femmes qui passaient, je n'en voyais pas une seule qui valût cette diable de

---

1. Longa, Mina, Chapalangarra : ces trois personnes ont combattu les Français pour gagner leurs galons de généraux.
2. Négro : un libéral, par opposition aux *biancos*, les royalistes.
3. Conscrit : jeune soldat.

fille-là. Et puis, malgré moi, je sentais la fleur de cassie qu'elle m'avait jetée, et qui, sèche, gardait toujours sa bonne odeur… S'il y a des sorcières, cette fille-là en était une!

Un jour, le geôlier entre, et me donne un pain d'Alcalà*. «Tenez, dit-il, voilà ce que votre cousine vous envoie.» Je pris le pain, fort étonné, car je n'avais pas de cousine à Séville. C'est peut-être une erreur, pensai-je en regardant le pain; mais il était si appétissant, il sentait si bon, que, sans m'inquiéter de savoir d'où il venait et à qui il était destiné, je résolus de le manger. En voulant le couper, mon couteau rencontra quelque chose de dur. Je regarde, et je trouve une petite lime anglaise qu'on avait glissée dans la pâte avant que le pain fût cuit. Il y avait encore dans le pain une pièce d'or de deux piastres. Plus de doute alors, c'était un cadeau de Carmen. Pour les gens de sa race, la liberté est tout, et ils mettraient le feu à une ville pour s'épargner un jour de prison. D'ailleurs, la commère était fine, et avec ce pain-là on se moquait des geôliers. En une heure, le plus gros barreau était scié avec la petite lime; et avec la pièce de deux piastres, chez le premier fripier, je changeais ma capote d'uniforme pour un habit bourgeois. Vous pensez bien qu'un homme qui avait déniché maintes fois des aiglons dans nos rochers ne s'embarrassait guère de descendre dans la rue, d'une fenêtre haute de moins de trente pieds; mais je ne voulais pas m'échapper. J'avais encore mon honneur de soldat, et déserter me semblait un grand crime. Seulement, je fus touché de cette marque de souvenir. Quand on est en prison, on aime à penser qu'on a

---

* Alcalà de los Panaderos, bourg à deux lieues de Séville, où l'on fait des petits pains délicieux. On prétend que c'est à l'eau d'Alcalà qu'ils doivent leur qualité et l'on en apporte tous les jours une grande quantité à Séville.

dehors un ami qui s'intéresse à vous. La pièce d'or m'offusquait un peu, j'aurais bien voulu la rendre; mais où trouver mon créancier? cela ne me semblait pas facile.

Après la cérémonie de la dégradation, je croyais n'avoir plus rien à souffrir; mais il me restait encore une humiliation à dévorer : ce fut à ma sortie de prison, lorsqu'on me commanda de service et qu'on me mit en faction comme un simple soldat. Vous ne pouvez vous figurer ce qu'un homme de cœur éprouve en pareille occasion. Je crois que j'aurais aimé autant à être fusillé. Au moins on marche seul, en avant de son peloton; on se sent quelque chose; le monde vous regarde.

Je fus mis en faction à la porte du colonel. C'était un jeune homme riche, bon enfant, qui aimait à s'amuser. Tous les jeunes officiers étaient chez lui, et force bourgeois, des femmes aussi, des actrices, à ce qu'on disait. Pour moi il me semblait que toute la ville s'était donné rendez-vous à sa porte pour me regarder. Voilà qu'arrive la voiture du colonel, avec son valet de chambre sur le siège. Qu'est-ce que je vois descendre?… la gitanilla. Elle était parée, cette fois, comme une châsse[1], pomponnée, attifée, tout or et tout rubans. Une robe à paillettes, des souliers bleus à paillettes aussi, des fleurs et des galons partout. Elle avait un tambour de basque à la main. Avec elle il y avait deux autres Bohémiennes, une jeune et une vieille. Il y a toujours une vieille pour les mener; puis un vieux avec une guitare, bohémien aussi, pour jouer et les faire danser. Vous savez qu'on s'amuse souvent à faire venir des Bohémiennes dans les sociétés, afin de leur faire danser la *romalis*, c'est leur danse, et souvent bien autre chose.

1. Châsse : riche coffret, souvent orné de pierres précieuses, contenant les reliques d'un saint.

Carmen me reconnut, et nous échangeâmes un regard. Je ne sais, mais, en ce moment, j'aurais voulu être à cent pieds sous terre. «*Agur laguna**, dit-elle. Mon officier, tu montes la garde comme un conscrit! » Et, avant que j'eusse trouvé un mot à répondre, elle était dans la maison.

Toute la société était dans le patio, et, malgré la foule, je voyais à peu près tout ce qui se passait à travers la grille*. J'entendais les castagnettes, le tambour, les rires et les bravos; parfois j'apercevais sa tête quand elle sautait avec son tambour. Puis j'entendais encore des officiers qui lui disaient bien des choses qui me faisaient monter le rouge à la figure. Ce qu'elle répondait, je n'en savais rien. C'est de ce jour-là, je pense, que je me mis à l'aimer pour tout de bon; car l'idée me vint trois ou quatre fois d'entrer dans le patio, et de donner de mon sabre dans le ventre à tous ces freluquets qui lui contaient fleurettes. Mon supplice dura une bonne heure; puis les Bohémiens sortirent, et la voiture les ramena. Carmen, en passant, me regarda encore avec les yeux que vous savez, et me dit très bas : «Pays, quand on aime la bonne friture, on en va manger à Triana, chez Lillas Pastia. » Légère comme un cabri, elle s'élança dans la voiture, le cocher fouetta ses mules, et toute la bande joyeuse s'en alla je ne sais où.

Vous devinez bien qu'en descendant ma garde j'allai à Triana; mais d'abord je me fis raser et je me brossai comme pour un jour de parade. Elle était chez Lillas Pastia, un vieux marchand de friture, bohémien, non comme un

---

* Bonjour, camarade.
* La plupart des maisons de Séville ont une cour intérieure entourée de portiques. On s'y tient en été. Cette cour est couverte d'une toile qu'on arrose pendant le jour et qu'on retire le soir. La porte de la rue est presque toujours ouverte, et le passage qui conduit à la cour, *zaguan*, est fermé par une grille en fer très élégamment ouvragée.

Maure, chez qui beaucoup de bourgeois venaient manger du poisson frit, surtout, je crois, depuis que Carmen y avait pris ses quartiers.

«Lillas, dit-elle sitôt qu'elle me vit, je ne fais plus rien de la journée. Demain il fera jour*! Allons, pays, allons nous promener.»

Elle mit sa mantille devant son nez, et nous voilà dans la rue, sans savoir où j'allais.

«Mademoiselle, lui dis-je, je crois que j'ai à vous remercier d'un présent que vous m'avez envoyé quand j'étais en prison. J'ai mangé le pain; la lime me servira pour affiler ma lance, et je la garde comme souvenir de vous; mais l'argent, le voilà.

– Tiens! il a gardé l'argent, s'écria-t-elle en éclatant de rire. Au reste, tant mieux, car je ne suis guère en fonds; mais qu'importe? chien qui chemine ne meurt pas de famine*. Allons, mangeons tout. Tu me régales.»

Nous avions repris le chemin de Séville. À l'entrée de la rue du Serpent, elle acheta une douzaine d'oranges, qu'elle me fit mettre dans mon mouchoir. Un peu plus loin, elle acheta encore un pain, du saucisson, une bouteille de manzanilla[1]; puis enfin elle entra chez un confiseur. Là, elle jeta sur le comptoir la pièce d'or que je lui avais rendue, une autre encore qu'elle avait dans sa poche, avec quelque argent blanc; enfin elle me demanda tout ce que j'avais. Je n'avais qu'une piécette et quelques cuartos[2], que je lui donnai, fort honteux de n'avoir pas davantage. Je crus

---

* *Mañana serà otro dia.* – Proverbe espagnol. [La traduction exacte serait «demain sera un autre jour».]
* *Chuquel sos pirela, Cocal terela.* «Chien qui marche, os trouve.» – Proverbe bohémien.
1. Manzanilla : vin blanc de la région de Séville.
2. Cuartos : monnaie de cuivre, de très faible valeur.

qu'elle voulait emporter toute la boutique. Elle prit tout ce qu'il y avait de plus beau et de plus cher, *yemas**, *turon**, fruits confits, tant que l'argent dura. Tout cela, il fallut encore que je le portasse dans des sacs de papier. Vous connaissez peut-être la rue du Candilejo, où il y a une tête du roi don Pedro le Justicier*. Elle aurait dû m'inspirer des réflexions. Nous nous arrêtâmes, dans cette rue-là, devant une vieille maison. Elle entra dans l'allée, et frappa au rez-de-chaussée. Une Bohémienne, vraie servante de Satan, vint nous ouvrir. Carmen lui dit quelques mots en romani. La vieille grogna d'abord. Pour l'apaiser, Carmen lui donna deux oranges et une poignée de bonbons, et lui permit de goûter au vin. Puis elle lui mit sa mante sur le dos et la conduisit à la porte, qu'elle ferma avec la barre de

---

* Jaunes d'œuf sucrés.

* Espèce de nougat.

* Le roi don Pèdre, que nous nommons *le Cruel,* et que la reine Isabelle la Catholique n'appelait jamais que *le Justicier,* aimait à se promener le soir dans les rues de Séville, cherchant les aventures, comme le calife Haroûn-al-Raschid. Certaine nuit, il se prit de querelle, dans une rue écartée, avec un homme qui donnait une sérénade. On se battit, et le roi tua le cavalier amoureux. Au bruit des épées, une vieille femme mit la tête à la fenêtre, et éclaira la scène avec la petite lampe, *candilejo,* qu'elle tenait à la main. Il faut savoir que le roi don Pèdre, d'ailleurs leste et vigoureux, avait un défaut de conformation singulier. Quand il marchait, ses rotules craquaient fortement. La vieille, à ce craquement, n'eut pas de peine à le reconnaître. Le lendemain, le Vingt-quatre [magistrat chargé de la police] en charge vint faire son rapport au roi. «Sire, on s'est battu en duel, cette nuit, dans telle rue. Un des combattants est mort. – Avez-vous découvert le meurtrier ? – Oui, sire. – Pourquoi n'est-il pas déjà puni ? – Sire, j'attends vos ordres. – Exécutez la loi. » Or le roi venait de publier un décret portant que tout duelliste serait décapité, et que sa tête demeurerait exposée sur le lieu du combat. Le Vingt-quatre se tira d'affaire en homme d'esprit. Il fit scier la tête d'une statue du roi, et l'exposa dans une niche au milieu de la rue, théâtre du meurtre. Le roi et tous les Sévillans le trouvèrent fort bon. La rue prit son nom de la lampe de la vieille, seul témoin de l'aventure. – Voilà la tradition populaire. Zuñiga raconte l'histoire un peu différemment. (Voir *Anales de Sevilla,* t. II, p. 136.) Quoi qu'il en soit, il existe encore à Séville une rue du Candilejo, et dans cette rue un buste de pierre qu'on dit être le portrait de don Pèdre. Malheureusement, ce buste est moderne. L'ancien était fort usé au XVIIᵉ siècle, et la municipalité d'alors le fit remplacer par celui qu'on voit aujourd'hui. [Mérimée publia une *Histoire de don Pèdre Iᵉʳ roi de Castille* (*Revue des Deux mondes,* 1847-1848).]

bois. Dès que nous fûmes seuls, elle se mit à danser et à rire comme une folle, en chantant : «Tu es mon *rom,* je suis ta *romi* *.» Moi, j'étais au milieu de la chambre, chargé de toutes ses emplettes, ne sachant où les poser. Elle jeta tout par terre, et me sauta au cou, en me disant : «Je paye mes dettes, je paye mes dettes! c'est la loi des Calés*!» Ah! monsieur, cette journée-là! cette journée-là!… quand j'y pense, j'oublie celle de demain. »

Le bandit se tut un instant; puis, après avoir rallumé son cigare, il reprit :

Nous passâmes ensemble toute la journée, mangeant, buvant, et le reste[1]. Quand elle eut mangé des bonbons comme un enfant de six ans, elle en fourra des poignées dans la jarre d'eau de la vieille. «C'est pour lui faire du sorbet», disait-elle. Elle écrasait des yemas en les lançant contre la muraille. «C'est pour que les mouches nous laissent tranquilles», disait-elle… Il n'y a pas de tour ni de bêtise qu'elle ne fît. Je lui dis que je voudrais la voir danser; mais où trouver des castagnettes? Aussitôt elle prend la seule assiette de la vieille, la casse en morceaux, et la voilà qui danse la romalis en faisant claquer les morceaux de faïence aussi bien que si elle avait eu des castagnettes d'ébène ou d'ivoire. On ne s'ennuyait pas auprès de cette fille-là, je vous en réponds. Le soir vint, et j'entendis les tambours qui battaient la retraite.

«Il faut que j'aille au quartier pour l'appel, lui dis-je.

– Au quartier? dit-elle d'un air de mépris; tu es donc un

---

* *Rom,* mari; *romi,* femme.

* *Calo*; féminin, *calli*; pluriel, *cales.* Mot à mot : *noir,* – nom que les Bohémiens se donnent dans leur langue.

1. Citation des *Deux Pigeons* (IX, 2), fable de La Fontaine, «Bon souper, bon gîte et le reste».

nègre, pour te laisser mener à la baguette? Tu es un vrai canari, d'habit et de caractère*. Va, tu as un cœur de poulet. » Je restai, résigné d'avance à la salle de police. Le matin, ce fut elle qui parla la première de nous séparer. «Écoute, Joseito, dit-elle; t'ai-je payé? D'après notre loi, je ne te devais rien, puisque tu es un *payllo*; mais tu es un joli garçon, et tu m'as plu. Nous sommes quittes. Bonjour. »

Je lui demandai quand je la reverrais.

«Quand tu seras moins niais », répondit-elle en riant. Puis, d'un ton plus sérieux : «Sais-tu, mon fils, que je crois que je t'aime un peu? Mais cela ne peut durer. Chien et loup ne font pas longtemps bon ménage. Peut-être que, si tu prenais la loi d'Égypte[1], j'aimerais à devenir ta romi. Mais, ce sont des bêtises : cela ne se peut pas. Bah! mon garçon, crois-moi, tu en es quitte à bon compte. Tu as rencontré le diable, oui, le diable; il n'est pas toujours noir, et il ne t'a pas tordu le cou. Je suis habillée de laine, mais je ne suis pas mouton*. Va mettre un cierge devant ta *majari**; elle l'a bien gagné. Allons, adieu encore une fois. Ne pense plus à Carmencita, ou elle te ferait épouser une veuve à jambes de bois*. »

En parlant ainsi, elle défaisait la barre qui fermait la porte, et une fois dans la rue elle s'enveloppa dans sa mantille et me tourna les talons.

Elle disait vrai. J'aurais été sage de ne plus penser à elle; mais, depuis cette journée dans la rue du Candilejo, je ne pouvais plus songer à autre chose. Je me promenais tout le

---

* Les dragons espagnols sont habillés de jaune.
1. Si tu prenais la loi d'Égypte : si tu devenais gitan (on pensait que les bohémiens venaient d'Égypte).
* *Me dicas vriardà de jorpoy, bus ne sino braco.* – Proverbe bohémien.
* La sainte, – la sainte Vierge.
* La potence, qui est veuve du dernier pendu.

jour, espérant la rencontrer. J'en demandais des nouvelles à la vieille et au marchand de friture. L'un et l'autre répondaient qu'elle était partie pour Laloro*, c'est ainsi qu'ils appellent le Portugal. Probablement c'était d'après les instructions de Carmen qu'ils parlaient de la sorte, mais je ne tardai pas à savoir qu'ils mentaient. Quelques semaines après ma journée de la rue du Candilejo, je fus de faction à une des portes de la ville. À peu de distance de cette porte, il y avait une brèche qui s'était faite dans le mur d'enceinte ; on y travaillait pendant le jour, et la nuit on y mettait un factionnaire pour empêcher les fraudeurs. Pendant le jour, je vis Lillas Pastia passer et repasser autour du corps de garde, et causer avec quelques-uns de mes camarades ; tous le connaissaient, et ses poissons et ses beignets encore mieux. Il s'approcha de moi et me demanda si j'avais des nouvelles de Carmen.

«Non, lui dis-je.

– Eh bien, vous en aurez, compère. »

Il ne se trompait pas. La nuit, je fus mis de faction à la brèche. Dès que le brigadier se fut retiré, je vis venir à moi une femme. Le cœur me disait que c'était Carmen. Cependant je criai : « Au large ! on ne passe pas !

– Ne faites donc pas le méchant, me dit-elle en se faisant connaître à moi.

– Quoi ! vous voilà, Carmen !

– Oui, mon pays. Parlons peu, parlons bien. Veux-tu gagner un douro[1] ? Il va venir des gens avec des paquets ; laisse-les faire.

– Non, répondis-je. Je dois les empêcher de passer ; c'est la consigne.

---

* La (terre) rouge.
1. Douro : pièce d'argent.

– La consigne ! la consigne ! Tu n'y pensais pas rue du Candilejo.

– Ah ! répondis-je, tout bouleversé par ce seul souvenir, cela valait bien la peine d'oublier la consigne ; mais je ne veux pas de l'argent des contrebandiers.

– Voyons, si tu ne veux pas d'argent, veux-tu que nous allions encore dîner chez la vieille Dorothée ?

– Non ! dis-je à moitié étranglé par l'effort que je faisais. Je ne puis pas.

– Fort bien. Si tu es si difficile, je sais à qui m'adresser. J'offrirai à ton officier d'aller chez Dorothée. Il a l'air d'un bon enfant, et il fera mettre en sentinelle un gaillard qui ne verra que ce qu'il faudra voir. Adieu, canari. Je rirai bien le jour où la consigne sera de te pendre. »

J'eus la faiblesse de la rappeler, et je promis de laisser passer toute la Bohême, s'il le fallait, pourvu que j'obtinsse la seule récompense que je désirais. Elle me jura aussitôt de me tenir parole dès le lendemain, et courut prévenir ses amis, qui étaient à deux pas. Il y en avait cinq, dont était Pastia, tous bien chargés de marchandises anglaises. Carmen faisait le guet. Elle devait avertir avec ses castagnettes dès qu'elle apercevrait la ronde, mais elle n'en eut pas besoin. Les fraudeurs firent leur affaire en un instant.

Le lendemain, j'allai rue du Candilejo. Carmen se fit attendre, et vint d'assez mauvaise humeur. « Je n'aime pas les gens qui se font prier, dit-elle. Tu m'as rendu un plus grand service la première fois, sans savoir si tu y gagnerais quelque chose. Hier, tu as marchandé avec moi. Je ne sais pas pourquoi je suis venue, car je ne t'aime plus. Tiens, va-t'en, voilà un douro pour ta peine. » Peu s'en fallut que je ne lui jetasse la pièce à la tête, et je fus obligé de faire un effort violent sur moi-même pour ne pas la battre. Après nous être disputés pendant une heure, je sortis furieux. J'errai quelque temps par la ville, marchant deçà et delà comme un fou ; enfin j'entrai dans une église, et, m'étant mis dans le coin le plus obscur, je pleurai à chaudes larmes. Tout d'un coup j'entends une voix : « Larmes de dragon ! j'en veux faire un philtre. » Je lève les yeux, c'était Carmen en face de moi. « Eh bien, mon pays, m'en voulez-vous encore ? me dit-elle. Il faut bien que je vous aime, malgré que j'en aie, car, depuis que vous m'avez quittée, je ne sais ce que j'ai. Voyons, maintenant c'est moi qui te demande si tu veux venir rue du Candilejo. » Nous fîmes donc la paix ; mais Carmen avait l'humeur comme est le temps chez nous. Jamais l'orage n'est si près dans nos montagnes que lorsque le soleil est le plus brillant. Elle m'avait promis de me revoir une autre fois chez Dorothée, et elle ne vint pas. Et Dorothée me dit de plus belle qu'elle était allée à Laloro pour les affaires d'Égypte.

Sachant déjà par expérience à quoi m'en tenir là-dessus, je cherchais Carmen partout où je croyais qu'elle pouvait être, et je passais vingt fois par jour dans la rue du Candilejo. Un soir, j'étais chez Dorothée, que j'avais presque apprivoisée en lui payant de temps à autre quelque verre d'anisette, lorsque Carmen entra suivie d'un jeune homme, lieutenant dans notre régiment. « Va-t'en, vite », me dit-elle en basque. Je restai stupéfait, la rage dans le cœur. « Qu'est-ce que tu fais ici ? me dit le lieutenant. Décampe, hors d'ici ! » Je ne pouvais faire un pas ; j'étais comme perclus. L'officier, en colère, voyant que je ne me retirais pas, et que je n'avais pas même ôté mon bonnet de police, me prit au collet et me secoua rudement. Je ne sais ce que je lui dis. Il tira son épée, et je dégainai. La vieille me saisit le bras, et le lieutenant me donna un coup au front, dont je porte encore la marque. Je reculai, et d'un coup de coude je jetai Dorothée à la renverse; puis, comme le lieutenant me poursuivait, je lui mis la pointe au corps, et il s'enferra. Carmen alors éteignit la lampe, et dit dans sa langue à Dorothée de s'enfuir. Moi-même je me sauvai dans la rue, et me mis à courir sans savoir où. Il me semblait que quelqu'un me suivait. Quand je revins à moi, je trouvai que Carmen ne m'avait pas quitté. «Grand niais de canari! me dit-elle, tu ne sais faire que des bêtises. Aussi bien, je te l'ai dit que je te porterais malheur. Allons, il y a remède à tout, quand on a pour bonne amie une Flamande de Rome*. Commence par mettre ce mouchoir sur ta tête, et jette-moi ce ceinturon. Attends-moi dans cette allée. Je reviens dans deux minutes. » Elle disparut, et me rapporta bientôt une mante rayée qu'elle était allée chercher je ne sais où. Elle me fit quitter mon uniforme, et mettre la mante par-dessus ma chemise. Ainsi accoutré, avec le mouchoir dont elle avait bandé la plaie que j'avais à la tête, je ressemblais assez à un paysan valencien, comme il y en a à Séville, qui viennent vendre leur orgeat de *chufas**. Puis elle me mena dans une maison assez semblable à celle de Dorothée, au fond d'une petite ruelle. Elle et une autre Bohémienne me lavèrent, me pansèrent mieux que n'eût pu le faire un chirurgien-major, me firent boire je ne sais quoi; enfin, on me mit sur un matelas, et je m'endormis.

Probablement ces femmes avaient mêlé dans ma boisson quelques-unes de ces drogues assoupissantes dont elles ont

---

* *Flamenca de Roma.* Terme d'argot qui désigne les Bohémiennes. *Roma* ne veut pas dire ici la ville éternelle, mais la nation des Romi ou des *gens mariés,* nom que se donnent les Bohémiens. Les premiers qu'on vit en Espagne venaient probablement des Pays-Bas, d'où est venu leur nom de *Flamands.*
* Racine bulbeuse dont on fait une boisson assez agréable.

le secret, car je ne m'éveillai que fort tard le lendemain. J'avais un grand mal de tête et un peu de fièvre. Il fallut quelque temps pour que le souvenir me revînt de la terrible scène où j'avais pris part la veille. Après avoir pansé ma plaie, Carmen et son amie, accroupies toutes les deux sur les talons auprès de mon matelas, échangèrent quelques mots en *chipe calli*, qui paraissaient être une consultation médicale. Puis toutes les deux m'assurèrent que je serais guéri avant peu, mais qu'il fallait quitter Séville le plus tôt possible ; car, si l'on m'y attrapait, j'y serais fusillé sans rémission. « Mon garçon, me dit Carmen, il faut que tu fasses quelque chose ; maintenant que le roi ne te donne plus ni riz ni merluche*, il faut que tu songes à gagner ta vie. Tu es trop bête pour voler *a pastesas**; mais tu es leste et fort : si tu as du cœur, va-t'en à la côte, et fais-toi contre-bandier. Ne t'ai-je pas promis de te faire pendre ? Cela vaut mieux que d'être fusillé. D'ailleurs, si tu sais t'y prendre, tu vivras comme un prince, aussi longtemps que les *miñons** et les gardes-côtes ne te mettront pas la main sur le collet. »

Ce fut de cette façon engageante que cette diable de fille me montra la nouvelle carrière qu'elle me destinait, la seule, à vrai dire, qui me restât, maintenant que j'avais encouru la peine de mort. Vous le dirai-je, monsieur ? elle me détermina sans beaucoup de peine. Il me semblait que je m'unissais à elle plus intimement par cette vie de hasards et de rébellion. Désormais je crus m'assurer son amour. J'avais entendu souvent parler de quelques contre-bandiers qui parcouraient l'Andalousie, montés sur un bon

---

* Nourriture ordinaire du soldat espagnol.
* *Ustilar a pastesas*, voler avec adresse, dérober sans violence.
* Espèce de corps franc.

cheval, l'espingole au poing, leur maîtresse en croupe. Je me voyais déjà trottant par monts et par vaux avec la gentille Bohémienne derrière moi. Quand je lui parlais de cela, elle riait à se tenir les côtés, et me disait qu'il n'y a rien de si beau qu'une nuit passée au bivouac, lorsque chaque rom se retire avec sa romi sous sa petite tente formée de trois cerceaux, avec une couverture par-dessus.

« Si je tiens jamais dans la montagne, lui disais-je, je serai sûr de toi ! Là, il n'y a pas de lieutenant pour partager avec moi.

– Ah ! tu es jaloux, répondait-elle. Tant pis pour toi. Comment es-tu assez bête pour cela ? Ne vois-tu pas que je t'aime, puisque je ne t'ai jamais demandé d'argent ? »

Lorsqu'elle parlait ainsi, j'avais envie de l'étrangler.

Pour le faire court, monsieur, Carmen me procura un habit bourgeois, avec lequel je sortis de Séville sans être reconnu. J'allai à Jerez avec une lettre de Pastia pour un marchand d'anisette chez qui se réunissaient des contrebandiers. On me présenta à ces gens-là, dont le chef, surnommé le Dancaïre [1], me reçut dans sa troupe. Nous partîmes pour Gaucin, où je retrouvai Carmen, qui m'y avait donné rendez-vous. Dans les expéditions, elle servait d'espion à nos gens, et de meilleur il n'y en eut jamais. Elle revenait de Gibraltar, et déjà elle avait arrangé avec un patron de navire l'embarquement de marchandises anglaises que nous devions recevoir sur la côte. Nous allâmes les attendre près d'Estepona, puis nous en cachâmes une partie dans la montagne ; chargés du reste, nous nous rendîmes à Ronda. Carmen nous y avait précédés. Ce fut elle encore qui nous indiqua le moment où nous

1. Dancaïre : mot d'argot espagnol qui signifie jouer avec l'argent d'un autre.

entrerions en ville. Ce premier voyage et quelques autres
après furent heureux. La vie de contrebandier me plaisait
mieux que la vie de soldat; je faisais des cadeaux à
Carmen. J'avais de l'argent et une maîtresse. Je n'avais
guère de remords, car, comme disent les Bohémiens : Gale
avec plaisir ne démange pas*. Partout nous étions bien
reçus; mes compagnons me traitaient bien, et même me
témoignaient de la considération. La raison, c'était que
j'avais tué un homme, et parmi eux il y en avait qui
n'avaient pas un pareil exploit sur la conscience. Mais ce
qui me touchait davantage dans ma nouvelle vie, c'est que
je voyais souvent Carmen. Elle me montrait plus d'amitié
que jamais; cependant, devant les camarades, elle ne conve-
nait pas qu'elle était ma maîtresse; et même, elle m'avait
fait jurer par toutes sortes de serments de ne rien leur dire
sur son compte. J'étais si faible devant cette créature, que
j'obéissais à tous ses caprices. D'ailleurs, c'était la première fois qu'elle se montrait à moi avec la réserve d'une
honnête femme, et j'étais assez simple pour croire qu'elle
s'était véritablement corrigée de ses façons d'autrefois.

Notre troupe, qui se composait de huit ou dix hommes,
ne se réunissait guère que dans les moments décisifs, et
d'ordinaire nous étions dispersés deux à deux, trois à trois,
dans les villes et les villages. Chacun de nous prétendait
avoir un métier : celui-ci était chaudronnier, celui-là
maquignon[1]; moi, j'étais marchand de merceries, mais je
ne me montrais guère dans les gros endroits, à cause de ma
mauvaise affaire de Séville. Un jour, ou plutôt une nuit,
notre rendez-vous était au bas de Véger. Le Dancaïre et
moi nous nous y trouvâmes avant les autres. Il paraissait

---

* *Sarapia sat pesquital ne punzava.*
1. Maquignon : marchand de chevaux.

fort gai. « Nous allons avoir un camarade de plus, me dit-il. Carmen vient de faire un de ses meilleurs tours. Elle vient de faire échapper son rom qui était au presidio[1] à Tarifa. » Je commençais déjà à comprendre le bohémien, que parlaient presque tous mes camarades, et ce mot de rom me causa un saisissement. « Comment ! son mari ! elle est donc mariée ? demandai-je au capitaine.

– Oui, répondit-il, à Garcia le Borgne, un Bohémien aussi futé qu'elle. Le pauvre garçon était aux galères. Carmen a si bien embobeliné[2] le chirurgien du presidio, qu'elle en a obtenu la liberté de son rom. Ah ! cette fille-là vaut son pesant d'or. Il y a deux ans qu'elle cherche à le faire évader. Rien n'a réussi, jusqu'à ce qu'on s'est avisé de changer le major. Avec celui-ci, il paraît qu'elle a trouvé bien vite le moyen de s'entendre. » Vous vous imaginez le plaisir que me fit cette nouvelle. Je vis bientôt Garcia le Borgne ; c'était bien le plus vilain monstre que la Bohême ait nourri : noir de peau et plus noir d'âme, c'était le plus franc scélérat que j'aie rencontré dans ma vie. Carmen vint avec lui ; et, lorsqu'elle l'appelait son rom devant moi, il fallait voir les yeux qu'elle me faisait, et ses grimaces quand Garcia tournait la tête. J'étais indigné, et je ne lui parlais pas de la nuit. Le matin nous avions fait nos ballots, et nous étions déjà en route, quand nous nous aperçûmes qu'une douzaine de cavaliers étaient à nos trousses. Les fanfarons Andalous, qui ne parlaient que de tout massacrer, firent aussitôt piteuse mine. Ce fut un sauve-qui-peut général. Le Dancaïre, Garcia, un joli garçon d'Ecija, qui s'appelait le Remendado[3], et Carmen ne perdirent pas la tête.

1. Presidio : prison, bagne.
2. Embobeliné : subjugué et roulé.
3. Le Remendado : littéralement, le raccommodé (couvert de nombreuses cicatrices).

Le reste avait abandonné les mulets, et s'était jeté dans les ravins où les chevaux ne pouvaient les suivre. Nous ne pouvions conserver nos bêtes, et nous nous hâtâmes de défaire le meilleur de notre butin, et de le charger sur nos épaules, puis nous essayâmes de nous sauver au travers des rochers par les pentes les plus roides. Nous jetions nos ballots devant nous, et nous les suivions de notre mieux en glissant sur les talons. Pendant ce temps-là, l'ennemi nous canardait; c'était la première fois que j'entendais siffler les balles, et cela ne me fit pas grand-chose. Quand on est en vue d'une femme, il n'y a pas de mérite à se moquer de la mort. Nous nous échappâmes, excepté le pauvre Remendado, qui reçut un coup de feu dans les reins. Je jetai mon paquet, et j'essayai de le prendre. «Imbécile! me cria Garcia, qu'avons-nous à faire d'une charogne? achève-le et ne perds pas les bas de coton. – Jette-le!» me criait Carmen. La fatigue m'obligea de le déposer un moment à l'abri d'un rocher. Garcia s'avança, et lui lâcha son espingole dans la tête. «Bien habile qui le reconnaîtrait maintenant», dit-il en regardant sa figure que douze balles avaient mise en morceaux. Voilà, monsieur, la belle vie que j'ai menée. Le soir, nous nous trouvâmes dans un hallier[1], épuisés de fatigue, n'ayant rien à manger et ruinés par la perte de nos mulets. Que fit cet infernal Garcia? il tira un paquet de cartes de sa poche, et se mit à jouer avec le Dancaïre à la lueur d'un feu qu'ils allumèrent. Pendant ce temps-là, moi, j'étais couché, regardant les étoiles, pensant au Remendado, et me disant que j'aimerais autant être à sa place. Carmen était accroupie près de moi, et de temps en temps elle faisait un roulement de castagnettes en chanton-

---

1. Hallier : groupe touffu de buissons.

nant. Puis, s'approchant comme pour me parler à l'oreille, elle m'embrassa, presque malgré moi, deux ou trois fois. «Tu es le diable, lui disais-je. – Oui», me répondait-elle.

Après quelques heures de repos, elle s'en fut à Gaucin, et le lendemain matin un petit chevrier vint nous porter du pain. Nous demeurâmes là tout le jour, et la nuit nous nous rapprochâmes de Gaucin. Nous attendions des nouvelles de Carmen. Rien ne venait. Au jour, nous voyons un muletier qui menait une femme bien habillée, avec un parasol, et une petite fille qui paraissait sa domestique. Garcia nous dit : «Voilà deux mules et deux femmes que saint Nicolas nous envoie; j'aimerais mieux quatre mules; n'importe, j'en fais mon affaire!» Il prit son espingole et descendit vers le sentier en se cachant dans les broussailles. Nous le suivions, le Dancaïre et moi, à peu de distance. Quand nous fûmes à portée, nous nous montrâmes, et nous criâmes au muletier de s'arrêter. La femme, en nous voyant, au lieu de s'effrayer, et notre toilette aurait suffi pour cela, fait un grand éclat de rire. «Ah! les *lillipendi* qui me prennent pour une *erani**!» C'était Carmen, mais si bien déguisée, que je ne l'aurais pas reconnue parlant une autre langue. Elle sauta en bas de sa mule, et causa quelque temps à voix basse avec le Dancaïre et Garcia, puis elle me dit : «Canari, nous nous reverrons avant que tu sois pendu. Je vais à Gibraltar pour les affaires d'Égypte. Vous entendrez bientôt parler de moi.» Nous nous séparâmes après qu'elle nous eut indiqué un lieu où nous pourrions trouver un abri pour quelques jours. Cette fille était la providence de notre troupe. Nous reçûmes bientôt quelque argent qu'elle nous envoya, et un avis qui valait mieux pour nous :

* Les imbéciles qui me prennent pour une femme comme il faut.

c'était que tel jour partiraient deux milords anglais, allant de Gibraltar à Grenade par tel chemin. À bon entendeur, salut. Ils avaient de belles et bonnes guinées[1]. Garcia voulait les tuer, mais le Dancaïre et moi nous nous y opposâmes. Nous ne leur prîmes que l'argent et les montres, outre les chemises, dont nous avions grand besoin.

Monsieur, on devient coquin sans y penser. Une jolie fille vous fait perdre la tête, on se bat pour elle, un malheur arrive, il faut vivre à la montagne, et de contrebandier on devient voleur avant d'avoir réfléchi. Nous jugeâmes qu'il ne faisait pas bon pour nous dans les environs de Gibraltar après l'affaire des milords, et nous nous enfonçâmes dans la sierra de Ronda. Vous m'avez parlé de José-Maria ; tenez, c'est là que j'ai fait connaissance avec lui. Il menait sa maîtresse dans ses expéditions. C'était une jolie fille, sage, modeste, de bonnes manières ; jamais un mot malhonnête, et un dévouement !... En revanche, il la rendait bien malheureuse. Il était toujours à courir après toutes les filles, il la malmenait, puis quelquefois il s'avisait de faire le jaloux. Une fois, il lui donna un coup de couteau. Eh bien, elle ne l'en aimait que davantage. Les femmes sont ainsi faites, les Andalouses surtout. Celle-là était fière de la cicatrice qu'elle avait au bras, et la montrait comme la plus belle chose du monde. Et puis José-Maria, par-dessus le marché, était le plus mauvais camarade !... Dans une expédition que nous fîmes, il s'arrangea si bien, que tout le profit lui en demeura, à nous les coups et l'embarras de l'affaire. Mais je reprends mon histoire. Nous n'entendions plus parler de Carmen. Le Dancaïre dit : «Il faut qu'un de nous aille à Gibraltar pour en avoir des nouvelles ; elle doit

1. Guinées : monnaie anglaise.

avoir préparé quelque affaire. J'irais bien, mais je suis trop connu à Gibraltar. » Le Borgne dit : «Moi aussi, on m'y connaît, j'y ai fait tant de farces aux Écrevisses*! et, comme je n'ai qu'un œil, je suis difficile à déguiser. – Il faut donc que j'y aille ? dis-je à mon tour, enchanté à la seule idée de revoir Carmen ; voyons, que faut-il faire ? » Les autres me dirent : «Fais tant que de t'embarquer ou de passer par Saint-Roc, comme tu aimeras le mieux, et, lorsque tu seras à Gibraltar, demande sur le port où demeure une marchande de chocolat qui s'appelle la Rollona ; quand tu l'auras trouvée, tu sauras d'elle ce qui se passe là-bas. » Il fut convenu que nous partirions tous les trois pour la sierra de Gaucin, que j'y laisserais mes deux compagnons, et que je me rendrais à Gibraltar comme[1] un marchand de fruits. À Ronda, un homme qui était à nous m'avait procuré un passeport ; à Gaucin, on me donna un âne : je le chargeai d'oranges et de melons, et je me mis en route. Arrivé à Gibraltar, je trouvai qu'on y connaissait bien la Rollona, mais elle était morte ou elle était allée à *finibus terræ**, et sa disparition expliquait, à mon avis, comment nous avions perdu notre moyen de correspondre avec Carmen. Je mis mon âne dans une écurie, et, prenant mes oranges, j'allais par la ville comme pour les vendre, mais, en effet, pour voir si je ne rencontrerais pas quelque figure de connaissance. Il y a là force canaille de tous les pays du monde, et c'est la tour de Babel[2], car on ne saurait

---

* Nom que le peuple en Espagne donne aux Anglais à cause de la couleur de leur uniforme.
1. Comme : en me faisant passer pour un...
* Aux galères, ou bien à tous les diables. [Littéralement, au bout de la terre.]
2. La tour de Babel : référence biblique (*Genèse*, 11). Les hommes parlaient tous la même langue sur la terre. Par orgueil, ils voulurent construire une tour «dont le sommet touche le ciel». Pour les punir, Dieu les condamna à ne plus parler les mêmes langues afin «qu'ils ne s'entendent plus les uns les autres».

faire dix pas dans une rue sans entendre parler autant de langues. Je voyais bien des gens d'Égypte, mais je n'osais guère m'y fier; je les tâtais, et ils me tâtaient. Nous devinions bien que nous étions des coquins; l'important était de savoir si nous étions de la même bande. Après deux jours passés en courses inutiles, je n'avais rien appris touchant la Rollona ni Carmen, et je pensais à retourner auprès de mes camarades après avoir fait quelques emplettes, lorsqu'en me promenant dans une rue, au coucher du soleil, j'entends une voix de femme d'une fenêtre qui me dit : « Marchand d'oranges!... » Je lève la tête, et je vois à un balcon Carmen, accoudée avec un officier en rouge, épaulettes d'or, cheveux frisés, tournure d'un gros mylord. Pour elle, elle était habillée superbement : un châle sur ses épaules, un peigne d'or, toute en soie; et la bonne pièce, toujours la même! riait à se tenir les côtes. L'Anglais, en baragouinant l'espagnol, me cria de monter, que madame voulait des oranges; et Carmen me dit en basque : « Monte, et ne t'étonne de rien. » Rien, en effet, ne devait m'étonner de sa part. Je ne sais si j'eus plus de joie que de chagrin en la retrouvant. Il y avait à la porte un grand domestique anglais, poudré, qui me conduisit dans un salon magnifique. Carmen me dit aussitôt en basque : « Tu ne sais pas un mot d'espagnol, tu ne me connais pas. » Puis, se tournant vers l'Anglais : « Je vous le disais bien, je l'ai tout de suite reconnu pour un Basque; vous allez entendre quelle drôle de langue. Comme il a l'air bête, n'est-ce pas? On dirait un chat surpris dans un garde-manger.

— Et toi, lui dis-je dans ma langue, tu as l'air d'une effrontée coquine, et j'ai bien envie de te balafrer la figure devant ton galant.

— Mon galant! dit-elle, tiens, tu as deviné cela tout seul?

Et tu es jaloux de cet imbécile-là ? Tu es encore plus niais qu'avant nos soirées de la rue du Candilejo. Ne vois-tu pas, sot que tu es, que je fais en ce moment les affaires d'Égypte, et de la façon la plus brillante. Cette maison est à moi, les guinées de l'écrevisse seront à moi ; je le mène par le bout du nez ; je le mènerai d'où il ne sortira jamais.

— Et moi, lui dis-je, si tu fais encore les affaires d'Égypte de cette manière-là, je ferai si bien que tu ne recommenceras plus.

— Ah ! oui-dà ! Es-tu mon rom, pour me commander ? Le Borgne le trouve bon, qu'as-tu à y voir ? Ne devrais-tu pas être bien content d'être le seul qui se puisse dire mon *minchorrò**?

— Qu'est-ce qu'il dit ? demanda l'Anglais.

— Il dit qu'il a soif et qu'il boirait bien un coup », répondit Carmen. Et elle se renversa sur un canapé en éclatant de rire à sa traduction.

Monsieur, quand cette fille-là riait, il n'y avait pas moyen de parler raison. Tout le monde riait avec elle. Ce grand Anglais se mit à rire aussi, comme un imbécile qu'il était, et ordonna qu'on m'apportât à boire.

Pendant que je buvais : « Vois-tu cette bague qu'il a au doigt ? dit-elle ; si tu veux, je te la donnerai. »

Moi je répondis : « Je donnerais un doigt pour tenir ton mylord dans la montagne, chacun un maquila au poing.

— Maquila, qu'est-ce que cela veut dire ? demanda l'Anglais.

— Maquila, dit Carmen riant toujours, c'est une orange. N'est-ce pas un bien drôle de mot pour une orange ? Il dit qu'il voudrait vous faire manger du maquila.

---

* Mon amant, ou plutôt mon caprice.

– Oui? dit l'Anglais. Eh bien! apporte encore demain du maquila. » Pendant que nous parlions, le domestique entra et dit que le dîner était prêt. Alors l'Anglais se leva, me donna une piastre, et offrit son bras à Carmen, comme si elle ne pouvait pas marcher seule. Carmen, riant toujours, me dit : «Mon garçon, je ne puis t'inviter à dîner; mais demain, dès que tu entendras le tambour pour la parade, viens ici avec des oranges. Tu trouveras une chambre mieux meublée que celle de la rue du Candilejo, et tu verras si je suis toujours ta Carmencita. Et puis nous parlerons des affaires d'Égypte. » Je ne répondis rien, et j'étais dans la rue que l'Anglais me criait : «Apportez demain du maquila! » et j'entendais les éclats de rire de Carmen.

Je sortis ne sachant ce que je ferais, je ne dormis guère, et le matin je me trouvais si en colère contre cette traîtresse, que j'avais résolu de partir de Gibraltar sans la revoir; mais, au premier roulement de tambour, tout mon courage m'abandonna : je pris ma natte [1] d'oranges et je courus chez Carmen. Sa jalousie était entrouverte, et je vis son grand œil noir qui me guettait. Le domestique poudré m'introduisit aussitôt; Carmen lui donna une commission, et dès que nous fûmes seuls, elle partit d'un de ses éclats de rire de crocodile, et se jeta à mon cou. Je ne l'avais jamais vue si belle. Parée comme une madone, parfumée… des meubles de soie, des rideaux brodés… ah!… et moi fait [2] comme un voleur que j'étais. «Minchorrò! disait Carmen, j'ai envie de tout casser ici, de mettre le feu à la maison, et de m'enfuir à la sierra. » Et c'étaient des tendresses!… et puis des rires!… et elle dansait, et elle déchirait ses falbalas : jamais singe ne fit plus de gambades, de grimaces, de

1. Natte : panier.
2. Fait : habillé.

diableries. Quand elle eut repris son sérieux : «Écoute, me dit-elle, il s'agit de l'Égypte. Je veux qu'il me mène à Ronda, où j'ai une sœur religieuse… (Ici nouveaux éclats de rire.) Nous passons par un endroit que je te ferai dire. Vous tombez sur lui : pillé rasibus[1]! Le mieux serait de l'escoffier[2] ; mais, ajouta-t-elle avec un sourire diabolique qu'elle avait dans de certains moments, et ce sourire-là, personne n'avait alors envie de l'imiter, sais-tu ce qu'il faudrait faire ? Que le Borgne paraisse le premier. Tenez-vous un peu en arrière ; l'écrevisse est brave et adroit : il a de bons pistolets… Comprends-tu ?…» Elle s'interrompit par un nouvel éclat de rire qui me fit frissonner.

«Non, lui dis-je : je hais Garcia, mais c'est mon camarade. Un jour peut-être je t'en débarrasserai, mais nous réglerons nos comptes à la façon de mon pays. Je ne suis Égyptien que par hasard ; et pour certaines choses, je serai toujours franc Navarrais, comme dit le proverbe*. »

Elle reprit : «Tu es une bête, un niais, un vrai *payllo*. Tu es comme le nain qui se croit grand quand il a pu cracher loin*. Tu ne m'aimes pas, va-t'en. »

Quand elle me disait : «Va-t'en», je ne pouvais m'en aller. Je promis de partir, de retourner auprès de mes camarades et d'attendre l'Anglais ; de son côté, elle me promit d'être malade jusqu'au moment de quitter Gibraltar pour Ronda. Je demeurai encore deux jours à Gibraltar. Elle eut l'audace de me venir voir déguisée dans mon auberge. Je partis ; moi aussi j'avais mon projet. Je retournai à notre rendez-vous, sachant le lieu et l'heure où l'Anglais et

1. Rasibus : à ras.
2. Escoffier : tuer, en argot.
* *Navarro fino.*
* *Or esorjié de or narsichislé, sin chismar lachinguel* – proverbe bohémien. La promesse d'un nain, c'est de cracher loin.

Carmen devaient passer. Je trouvai le Dancaïre et Garcia qui m'attendaient. Nous passâmes la nuit dans un bois auprès d'un feu de pommes de pin qui flambait à merveille. Je proposai à Garcia de jouer aux cartes. Il accepta. À la seconde partie, je lui dis qu'il trichait; il se mit à rire. Je lui jetai les cartes à la figure. Il voulut prendre son espingole; je mis le pied dessus, et je lui dis : «On dit que tu sais jouer du couteau comme le meilleur jaque[1] de Malaga, veux-tu t'essayer avec moi?» Le Dancaïre voulut nous séparer. J'avais donné deux ou trois coups de poing à Garcia. La colère l'avait rendu brave; il avait tiré son couteau, moi le mien. Nous dîmes tous deux au Dancaïre de nous laisser place libre et franc jeu. Il vit qu'il n'y avait pas moyen de nous arrêter, et il s'écarta. Garcia était déjà ployé en deux comme un chat prêt à s'élancer contre une souris. Il tenait son chapeau de la main gauche pour parer, son couteau en avant. C'est leur garde andalouse. Moi, je me mis à la navarraise, droit en face de lui, le bras gauche levé, la jambe gauche en avant, le couteau le long de la cuisse droite. Je me sentais plus fort qu'un géant. Il se lança sur moi comme un trait; je tournai sur le pied gauche, et il ne trouva plus rien devant lui; mais je l'atteignis à la gorge, et le couteau entra si avant, que ma main était sous son menton. Je retournai la lame si fort qu'elle se cassa. C'était fini. La lame sortit de la plaie lancée par un bouillon de sang gros comme le bras. Il tomba sur le nez roide comme un pieu. «Qu'as-tu fait? me dit le Dancaïre. – Écoute, lui dis-je : nous ne pouvions vivre ensemble. J'aime Carmen, et je veux être seul. D'ailleurs, Garcia était un coquin, et je me rappelle ce qu'il a fait au pauvre Remendado. Nous ne

1. Jaque : gars.

sommes plus que deux, mais nous sommes de bons garçons. Voyons, veux-tu de moi pour ami, à la vie à la mort?» Le Dancaïre me tendit la main. C'était un homme de cinquante ans. «Au diable les amourettes! s'écria-t-il. Si tu lui avais demandé Carmen, il te l'aurait vendue pour une piastre. Nous ne sommes plus que deux; comment ferons-nous demain? – Laisse-moi faire tout seul, lui répondis-je. Maintenant je me moque du monde entier. »

Nous enterrâmes Garcia, et nous allâmes placer notre camp deux cents pas plus loin. Le lendemain, Carmen et son Anglais passèrent avec deux muletiers et un domestique. Je dis au Dancaïre : «Je me charge de l'Anglais. Fais peur aux autres, ils ne sont pas armés. » L'Anglais avait du cœur. Si Carmen ne lui eût poussé le bras, il me tuait. Bref, je reconquis Carmen ce jour-là, et mon premier mot fut de lui dire qu'elle était veuve. Quand elle sut comment cela s'était passé : «Tu seras toujours un *lillipendi*! me dit-elle. Garcia devait te tuer. Ta garde navarraise n'est qu'une bêtise, et il en a mis à l'ombre de plus habiles que toi. C'est que son temps était venu. Le tien viendra. – Et le tien, répondis-je, si tu n'es pas pour moi une vraie romi. – À la bonne heure, dit-elle; j'ai vu plus d'une fois dans du marc du café que nous devions finir ensemble. Bah! arrive qui plante[1]!» Et elle fit claquer ses castagnettes, ce qu'elle faisait toujours quand elle voulait chasser quelque idée importune.

On s'oublie quand on parle de soi. Tous ces détails-là vous ennuient sans doute, mais j'ai bientôt fini. La vie que nous menions dura assez longtemps. Le Dancaïre et moi

1. Arrive qui plante : expression proverbiale : on verra bien, advienne que pourra.

nous nous étions associés quelques camarades plus sûr
que les premiers, et nous nous occupions de contrebande
et aussi parfois, il faut bien l'avouer, nous arrêtions sur la
grande route, mais à la dernière extrémité, et lorsque nous
ne pouvions faire autrement. D'ailleurs, nous ne maltrai-
tions pas les voyageurs, et nous nous bornions à leur
prendre leur argent. Pendant quelques mois, je fus content
de Carmen; elle continuait à nous être utile pour nos opérations, en nous avertissant des bons coups que nous pourrions faire. Elle se tenait, soit à Malaga, soit à Cordoue,
soit à Grenade; mais, sur un mot de moi, elle quittait tout,
et venait me retrouver dans une venta isolée, ou même au
bivouac. Une fois seulement, c'était à Malaga, elle me
donna quelque inquiétude. Je sus qu'elle avait jeté son
dévolu sur un négociant fort riche, avec lequel probablement elle se proposait de recommencer la plaisanterie de
Gibraltar. Malgré tout ce que le Dancaïre put me dire pour
m'arrêter, je partis, et j'entrai dans Malaga en plein jour. Je
cherchai Carmen, et je l'emmenai aussitôt. Nous eûmes
une verte explication. «Sais-tu, me dit-elle, que, depuis
que tu es mon rom pour tout de bon, je t'aime moins que
lorsque tu étais mon minchorrò? Je ne veux pas être tour-
mentée, ni surtout commandée. Ce que je veux, c'est être
libre et faire ce qui me plaît. Prends garde de me pousser à
bout. Si tu m'ennuies, je trouverai quelque bon garçon qui
te fera comme tu as fait au Borgne.» Le Dancaïre nous rac-
commoda; mais nous nous étions dit des choses qui nous
restaient sur le cœur, et nous n'étions plus comme aupara-
vant. Peu après, un malheur nous arriva. La troupe nous
surprit. Le Dancaïre fut tué, ainsi que deux de mes camarades; deux autres furent pris. Moi, je fus grièvement
blessé, et, sans mon bon cheval, je demeurais entre les

mains des soldats. Exténué de fatigue, ayant une balle dans le corps, j'allai me cacher dans un bois avec le seul compagnon qui me restât. Je m'évanouis en descendant de cheval, et je crus que j'allais crever dans les broussailles comme un lièvre qui a reçu du plomb. Mon camarade me porta dans une grotte que nous connaissions, puis il alla chercher Carmen. Elle était à Grenade, et aussitôt elle accourut. Pendant quinze jours, elle ne me quitta pas d'un instant. Elle ne ferma pas l'œil; elle me soigna avec une adresse et des attentions que jamais femme n'a eues pour l'homme le plus aimé. Dès que je pus me tenir sur mes jambes, elle me mena à Grenade dans le plus grand secret. Les Bohémiennes trouvent partout des asiles sûrs, et je passai plus de six semaines dans une maison, à deux portes du corrégidor qui me cherchait. Plus d'une fois, regardant derrière un volet, je le vis passer. Enfin je me rétablis; mais j'avais fait bien des réflexions sur mon lit de douleur, et je projetais de changer de vie. Je parlai à Carmen de quitter l'Espagne, et de chercher à vivre honnêtement dans le Nouveau-Monde[1]. Elle se moqua de moi. «Nous ne sommes pas faits pour planter des choux, dit-elle; notre destin, à nous, c'est de vivre aux dépens des payllos. Tiens, j'ai arrangé une affaire avec Nathan Ben-Joseph de Gibraltar. Il a des cotonnades qui n'attendent que toi pour passer. Il sait que tu es vivant. Il compte sur toi. Que diraient nos correspondants de Gibraltar, si tu leur manquais de parole?» Je me laissai entraîner, et je repris mon vilain commerce.

Pendant que j'étais caché à Grenade, il y eut des courses de taureaux où Carmen alla. En revenant, elle parla beau-

---

1. Dans le Nouveau-Monde : en Amérique. Mérimée fait ici allusion au dénouement de *Manon Lescaut* (1731).

coup d'un picador très adroit nommé Lucas. Elle savait le nom de son cheval, et combien lui coûtait sa veste brodée. Je n'y fis pas attention. Juanito, le camarade qui m'était resté, me dit, quelques jours après, qu'il avait vu Carmen avec Lucas chez un marchand du Zacatin[1]. Cela commença à m'alarmer. Je demandai à Carmen comment et pourquoi elle avait fait connaissance avec le picador. «C'est un garçon, me dit-elle, avec qui on peut faire une affaire. Rivière qui fait du bruit, a de l'eau ou des cailloux*. Il a gagné 1200 réaux aux courses. De deux choses l'une : ou bien il faut avoir cet argent; ou bien, comme c'est un bon cavalier et un gaillard de cœur, on peut l'enrôler dans notre bande. Un tel et un tel sont morts, tu as besoin de les remplacer. Prends-le avec toi.

– Je ne veux, répondis-je, ni de son argent, ni de sa personne, et je te défends de lui parler. – Prends garde, me dit-elle; lorsqu'on me défie de faire une chose, elle est bientôt faite ! » Heureusement, le picador partit pour Malaga, et moi, je me mis en devoir de faire entrer les cotonnades du juif. J'eus fort à faire dans cette expédition-là, Carmen aussi, et j'oubliai Lucas; peut-être aussi l'oublia-t-elle, pour le moment du moins. C'est vers ce temps, Monsieur, que je vous rencontrai, d'abord près de Montilla, puis après à Cordoue. Je ne vous parlerai pas de notre dernière entrevue. Vous en savez peut-être plus long que moi. Carmen vous vola votre montre; elle voulait encore votre argent, et surtout cette bague que je vois à votre doigt, et qui, dit-elle, est un anneau magique qu'il lui importait beaucoup de posséder. Nous eûmes une violente

1. Zacatin : rue du centre de Grenade.
* Len sos sonsi abela
  Pani o reblendani terela. – (Proverbe bohémien).

dispute, et je la frappai. Elle pâlit et pleura. C'était la première fois que je la voyais pleurer, et cela me fit un effet
terrible. Je lui demandai pardon, mais elle me bouda pendant tout un jour, et, quand je repartis pour Montilla, elle
ne voulut pas m'embrasser. J'avais le cœur gros, lorsque,
trois jours après, elle vint me trouver l'air riant et gaie
comme pinson. Tout était oublié, et nous avions l'air
d'amoureux de deux jours. Au moment de nous séparer,
elle me dit : « Il y a une fête à Cordoue, je vais la voir, puis
je saurai les gens qui s'en vont avec de l'argent, et je te le
dirai. » Je la laissai partir. Seul, je pensai à cette fête et à
ce changement d'humeur de Carmen. « Il faut qu'elle se
soit vengée déjà, me dis-je, puisqu'elle est revenue la première. » Un paysan me dit qu'il y avait des taureaux à
Cordoue. Voilà mon sang qui bouillonne, et, comme un
fou, je pars, et je vais à la place[1]. On me montra Lucas, et,
sur le banc contre la barrière, je reconnus Carmen. Il me
suffit de la voir une minute pour être sûr de mon fait.
Lucas, au premier taureau, fit le joli cœur, comme je
l'avais prévu. Il arracha la cocarde* du taureau et la porta
à Carmen, qui s'en coiffa sur-le-champ. Le taureau se
chargea de me venger. Lucas fut culbuté avec son cheval
sur la poitrine, et le taureau par-dessus tous les deux. Je
regardai Carmen, elle n'était déjà plus à sa place. Il
m'était impossible de sortir de celle où j'étais, et je fus
obligé d'attendre la fin des courses. Alors j'allai à la maison que vous connaissez, et je m'y tins coi toute la soirée
et une partie de la nuit. Vers deux heures du matin,

1. Je vais à la place : la plaza de toros, les arènes.
* *La divisa*, nœud de rubans dont la couleur indique les pâturages d'où viennent
les taureaux. Ce nœud est fixé dans la peau du taureau au moyen d'un crochet,
et c'est le comble de la galanterie que de l'arracher à l'animal vivant, pour
l'offrir à une femme.

Carmen revint, et fut un peu surprise de me voir. «Viens avec moi, lui dis-je.

— Eh bien! dit-elle, partons! » J'allai prendre mon cheval, je la mis en croupe, et nous marchâmes tout le reste de la nuit sans nous dire un seul mot. Nous nous arrêtâmes au jour dans une venta isolée, assez près d'un petit ermitage. Là je dis à Carmen :

«Écoute, j'oublie tout. Je ne te parlerai de rien; mais jure-moi une chose : c'est que tu vas me suivre en Amérique, et que tu t'y tiendras tranquille.

— Non, dit-elle d'un ton boudeur, je ne veux pas aller en Amérique. Je me trouve bien ici.

— C'est parce que tu es près de Lucas; mais songes-y bien, s'il guérit, ce ne sera pas pour faire de vieux os. Au reste, pourquoi m'en prendre à lui? Je suis las de tuer tous tes amants; c'est toi que je tuerai. »

Elle me regarda fixement de son regard sauvage, et me dit :

«J'ai toujours pensé que tu me tuerais. La première fois que je t'ai vu, je venais de rencontrer un prêtre à la porte de ma maison[1]. Et cette nuit, en sortant de Cordoue, n'as-tu rien vu? Un lièvre a traversé le chemin entre les pieds de ton cheval. C'est écrit.

— Carmencita, lui demandai-je, est-ce que tu ne m'aimes plus?»

Elle ne répondit rien. Elle était assise les jambes croisées sur une natte et faisait des traits par terre avec son doigt.

«Changeons de vie, Carmen, lui dis-je d'un ton suppliant. Allons vivre quelque part où nous ne serons jamais séparés. Tu sais que nous avons, pas loin d'ici, sous un

---

1. Selon les croyances populaires, c'est une rencontre de mauvais augure, tout comme lorsqu'un lapin traverse la route devant vous.

chêne, cent vingt onces[1] enterrées… Puis, nous avons des fonds encore chez le juif Ben-Joseph. »

Elle se mit à sourire, et me dit :

« Moi d'abord, toi ensuite. Je sais bien que cela doit arriver ainsi.

– Réfléchis, repris-je ; je suis au bout de ma patience et de mon courage ; prends ton parti ou je prendrai le mien. » Je la quittai et j'allai me promener du côté de l'ermitage. Je trouvai l'ermite qui priait. J'attendis que sa prière fût finie ; j'aurais bien voulu prier, mais je ne pouvais pas. Quand il se releva, j'allai à lui. « Mon père, lui dis-je, voulez-vous prier pour quelqu'un qui est en grand péril ?

– Je prie pour tous les affligés, dit-il.

– Pouvez-vous dire une messe pour une âme qui va peut-être paraître devant son Créateur ?

– Oui », répondit-il en me regardant fixement. Et, comme il y avait dans mon air quelque chose d'étrange, il voulut me faire parler :

« Il me semble que je vous ai vu », dit-il.

Je mis une piastre sur son banc. « Quand direz-vous la messe ? lui demandai-je.

– Dans une demi-heure. Le fils de l'aubergiste de là-bas va venir la servir. Dites-moi, jeune homme, n'avez-vous pas quelque chose sur la conscience qui vous tourmente ? voulez-vous écouter les conseils d'un chrétien ? »

Je me sentais près de pleurer. Je lui dis que je reviendrais, et je me sauvai. J'allai me coucher sur l'herbe jusqu'à ce que j'entendisse la cloche. Alors je m'approchai, mais je restai en dehors de la chapelle. Quand la messe fut dite, je retournai à la venta. J'espérais presque que Carmen

---

1. Once : monnaie d'or espagnole.

se serait enfuie ; elle aurait pu prendre mon cheval et se sauver… mais je la retrouvai. Elle ne voulait pas qu'on pût dire que je lui avais fait peur. Pendant mon absence, elle avait défait l'ourlet de sa robe pour en retirer le plomb[1]. Maintenant elle était devant une table, regardant dans une terrine pleine d'eau le plomb qu'elle avait fait fondre, et qu'elle venait d'y jeter. Elle était si occupée de sa magie qu'elle ne s'aperçut pas d'abord de mon retour. Tantôt elle prenait un morceau de plomb et le tournait de tous les côtés d'un air triste, tantôt elle chantait quelqu'une de ces chansons magiques où elles invoquent Marie Padilla, la maîtresse de don Pédro, qui fut, dit-on la *Bari Crallisa,* ou la grande reine des Bohémiens[*] :

« Carmen, lui dis-je, voulez-vous venir avec moi ? »

Elle se leva, jeta sa sébile[2], et mit sa mantille sur sa tête comme prête à partir. On m'amena mon cheval, elle monta en croupe et nous nous éloignâmes.

« Ainsi, lui dis-je, ma Carmen, après un bout de chemin, tu veux bien me suivre n'est-ce pas ?

– Je te suis à la mort, oui, mais je ne vivrai plus avec toi. »

Nous étions dans une gorge solitaire ; j'arrêtai mon cheval. « Est-ce ici ? » dit-elle, et d'un bond elle fut à terre. Elle ôta sa mantille, la jeta à ses pieds, et se tint immobile un poing sur la hanche, me regardant fixement.

« Tu veux me tuer, je le vois bien, dit-elle ; c'est écrit, mais tu ne me feras pas céder.

---

1. Le plomb sert à ce que la jupe tombe bien droit et ne soit pas soulevée par le vent.
* On a accusé Marie Padilla d'avoir ensorcelé le roi don Pèdre. Une tradition populaire rapporte qu'elle avait fait présent à la reine Blanche de Bourbon d'une ceinture d'or, qui parut aux yeux fascinés du roi comme un serpent vivant. De là la répugnance qu'il montra toujours pour la malheureuse princesse.
2. Sébile : petite coupe destinée à recueillir de l'argent.

– Je t'en prie, lui dis-je, sois raisonnable. Écoute-moi ! tout le passé est oublié. Pourtant, tu le sais, c'est toi qui m'as perdu ; c'est pour toi que je suis devenu un voleur et un meurtrier. Carmen ! ma Carmen ! laisse-moi te sauver et me sauver avec toi.

– José, répondit-elle, tu me demandes l'impossible. Je ne t'aime plus ; toi, tu m'aimes encore, et c'est pour cela que tu veux me tuer. Je pourrais bien encore te faire quelque mensonge ; mais je ne veux pas m'en donner la peine. Tout est fini entre nous. Comme mon rom, tu as le droit de tuer ta romi ; mais Carmen sera toujours libre. Calli elle est née, calli elle mourra.

– Tu aimes donc Lucas ? lui demandai-je.

– Oui, je l'ai aimé, comme toi, un instant, moins que toi peut-être. À présent, je n'aime plus rien, et je me hais pour t'avoir aimé. »

Je me jetai à ses pieds, je lui pris les mains, je les arrosai de mes larmes. Je lui rappelai tous les moments de bonheur que nous avions passés ensemble. Je lui offris de rester brigand pour lui plaire. Tout, monsieur, tout ! je lui offris tout, pourvu qu'elle voulût m'aimer encore !

Elle me dit : « T'aimer encore, c'est impossible. Vivre avec toi, je ne le veux pas. » La fureur me possédait. Je tirai mon couteau. J'aurais voulu qu'elle eût peur et me demandât grâce, mais, cette femme était un démon.

« Pour la dernière fois, m'écriai-je, veux-tu rester avec moi ?

– Non ! non ! non ! » dit-elle en frappant du pied, et elle tira de son doigt une bague que je lui avais donnée, et la jeta dans les broussailles.

Je la frappai deux fois. C'était le couteau du Borgne que j'avais pris, ayant cassé le mien. Elle tomba au second coup sans crier. Je crois encore voir son grand œil noir me regarder fixement ; puis il devint trouble et se ferma. Je restai anéanti une bonne heure devant ce cadavre. Puis, je me rappelai que Carmen m'avait dit souvent qu'elle aimerait à être enterrée dans un bois. Je lui creusai une fosse avec mon couteau, et je l'y déposai[1]. Je cherchai longtemps sa bague, et je la trouvai à la fin. Je la mis dans la fosse auprès d'elle, avec une petite croix. Peut-être ai-je eu tort. Ensuite je montai sur mon cheval, je galopai jusqu'à Cordoue, et au premier corps-de-garde je me fis connaître. J'ai dit que j'avais tué Carmen ; mais je n'ai pas voulu dire où était son corps. L'ermite était un saint homme. Il a prié pour elle ! Il a dit une messe pour son âme… Pauvre enfant ! Ce sont les *Calé* qui sont coupables pour l'avoir élevée ainsi.

---

1. Voir *Manon Lescaut* : « Je rompis mon épée, pour m'en servir à creuser […] J'ouvris une large fosse. J'y plaçai l'idole de mon cœur, après avoir pris soin de l'envelopper de tous mes habits, pour empêcher le sable de la toucher. […] Je m'assis encore près d'elle. Je la considérai longtemps. Je ne pouvais me résoudre à fermer la fosse. » Voir également l'extrait des *Bohémiens* de Pouchkine (Arrêt sur lecture 2).

Arrêt sur lecture 3

Confession et autoportrait

Changement de narrateur

Le chapitre 3 de *Carmen* appartient au récit encadré*. Le narrateur est désormais auditeur, davantage qu'interlocuteur, puisque ses paroles éventuelles ne sont pas mentionnées. Il est devenu un «vous», auquel don José raconte son histoire avec la jeune Gitane. «C'est de sa bouche que j'ai appris les tristes aventures que l'on va lire», écrivait le narrateur à la fin du chapitre 2. Le «je» («je suis né, dit-il, à Elizondo») ne recouvre donc plus la même identité, et la narration écrite cède la place à un récit oral retranscrit.

Retour vers le passé

Les circonstances de ce récit sont extrêmement importantes : don José est sur le point d'être exécuté. Si les verbes, à l'ouverture du chapitre, sont au présent (temps de l'adresse – «vous connaissez» – ou d'énonciation de vérités générales – «je suis Basque», «quand nous jouons à la paume»), ils cèdent rapidement la place aux temps d'un passé révolu (imparfaits et passés simples). D'ailleurs, lorsque le récit croise certains événements narrés aux chapitres 1 et 2, un regard nouveau est porté sur des événements déjà connus du narrateur premier, comme du lecteur.

Confession et tentative d'analyse

L'histoire de don José, qui constitue une ample analepse*, est aussi une confession. Le regard rétrospectif s'accompagne d'une plongée introspective : don José tente de comprendre pourquoi il était « si faible devant cette créature », pourquoi il « obéissai[t] à tous ses caprices ». Le chapitre pourrait presque fonctionner comme un récit autonome puisqu'il contient absolument toute la vie de don José, de sa naissance à sa mort annoncée. Cependant, les deux premiers chapitres apportent des éléments essentiels à la compréhension de l'histoire de don José et Carmen, ici intégralement retranscrite. Nous retrouvons dans ce chapitre 3 le système d'échos et de brouillages mis en lumière dans les pages précédentes. En effet, des éclairages sont apportés : ils sont liés en particulier au fait que don José, de personnage vu de l'extérieur par un narrateur non omniscient, devient narrateur. Le récit prend donc la forme de révélations pour le narrateur – devenu narrataire* – comme pour le lecteur. Pour autant, don José ne maîtrise pas son propre destin, Carmen lui échappe, et son histoire peut être lue comme une véritable fuite en avant, comme le montre la récurrence des « sans savoir où j'allais », « ne sachant où » et autres « sans savoir où ».

Un dialogue

Cette confession est d'autant plus poignante et directe que don José s'adresse à un auditeur privilégié : les deux hommes ont contracté des dettes d'honneur en se sauvant mutuellement, et le narrateur a rencontré Carmen. Certes, le narrateur des deux premiers chapitres ne prend pas la parole, mais don José est poussé à l'analyse par ce tête-à-tête avec son confident, à la présence par ailleurs fort marquée dans son discours (adresses – « monsieur » –, questions rhétoriques* – « le croiriez-vous, monsieur ? » –, commentaires et digressions – « vous m'avez parlé de José-Maria [...] mais je reprends mon histoire »). La confession est donc aussi une forme de « dialogue », certes un peu particulier puisque l'un des interlocuteurs reste muet, ce qui explique les fortes marques d'oralité : les onomatopées – « vli vlan ! » –, les expressions imagées et familières – « les quatre fers en l'air », « l'ennemi nous canardait ».

Un autoportrait

Le voyageur mystérieux que nous avions croisé dans le premier chapitre donne les clés de sa vie et de son comportement. Il lie en effet son aventure à un faisceau d'origines, géographique (le pays basque), sociale (noblesse), religieuse (« vieux chrétien »). Le premier paragraphe exprime son attachement à ces différentes valeurs, qui toutes se retrouveront dans le cours du récit : Carmen le séduit en prononçant des mots de sa langue, il fera dire des messes et se montrera fidèle en amitié, en particulier avec Remendado. Pour autant, don José n'énonce pas ses seules qualités : il s'avoue peu studieux (« l'on me fit étudier, mais je ne profitais guère »), ayant le goût du jeu et l'emportement facile. De fait, ce premier paragraphe du chapitre est véritablement programmatique* : don José, déjà, se laisse mener par les événements (il n'est entré dans l'armée qu'en raison d'une mauvaise querelle, ce n'est pas un choix), il est passif, manque d'initiative, comme le prouvent l'anaphore du « on » (« on voulait », « on me fit ») et son « je » en position d'objet (« cela m'obligea »). L'autoportrait se poursuit, dans l'ensemble du chapitre, à travers des rencontres, le plus souvent violentes, sinon meurtrières, et la découverte, par don José, d'une vie de hors-la-loi.

Crimes et délits

Le thème des brigands, introduit au chapitre 1, trouve ici son plein développement. Mérimée nous offre des portraits contrastés – du criminel de légende (José-Maria) au personnage le plus négatif (Garcia) –, menés par don José, lui-même en plein apprentissage de la vie aventureuse des hors-la-loi.

Devenir « coquin sans y penser »

Don José, dans ce chapitre, est à la fois acteur et narrateur du crime.

Dans une des rares interventions du narrateur premier, le conteur devient « le bandit » : « le bandit se tut un instant ». Séduit par Carmen, don José emprunte la voie du crime. Il entre dans un monde qui lui est inconnu, et le lecteur le découvre également à travers ses yeux. Carmen est à la fois la tentatrice et l'initiatrice (p. 94) :

> Ce fut de cette façon engageante que cette diable de fille me montra la nouvelle carrière qu'elle me destinait [...]. Vous le dirai-je, monsieur ? elle me détermina sans beaucoup de peine.

La polysémie révélatrice du verbe « déterminer » (à la fois « décider » et « donner un destin ») est renforcée par les nombreux « Carmen me procura », « Carmen [...] m'avait donné rendez-vous », « ce fut elle encore »... Carmen est sujet, don José objet et agent de Carmen. Don José se contente d'exécuter, dans les deux sens du terme. La vie que découvre l'ancien soldat lui paraît d'abord pleine de charme : faite d'actions et de mouvements (comme le montrent listes de verbes et de lieux traversés), elle s'apparente à un rêve (« je me voyais déjà trottant par monts et par vaux avec la gentille bohémienne derrière moi »). La vie de contrebandier procure aisance financière, considération et même l'amour de Carmen : « j'avais de l'argent et une maîtresse ». Don José lui donne une dimension théâtrale et ludique, par les déguisements, les jeux de rôles : tout un réseau sémantique du jeu est mis en place. Bien entendu, ce rêve éveillé ne durera pas, et don José se construit également à travers ses crimes, ses désillusions amoureuses et en réaction à deux autres figures de brigands, dont il dresse un portrait particulièrement négatif.

Le Borgne

Rival de don José, *rom* de Carmen, Garcia, dit le Borgne, est caractérisé – dans la description que le narrateur mène, forcément subjective – par une véritable monstruosité, tant physique que morale : « noir de peau et noir d'âme, c'était le plus franc scélérat que j'aie rencontré dans ma vie ». Cupide, lâche et sans code de l'honneur, Garcia se montre particulièrement cynique et cruel lorsqu'il achève Remendado, blessé, parce qu'il gêne la fuite de la troupe : « bien habile qui le reconnaîtrait maintenant, dit-il en regardant sa figure que douze balles avaient mise en morceaux ». Cet acte immonde, apparié à la jalousie, poussera don José au crime.

José-Maria

Confondu par le narrateur, au chapitre 1, avec ce criminel devenu une légende, don José prend soin de mettre à mal le mythe. Dans une parenthèse narrative soulignée, il met en lumière deux défauts majeurs du bandit : il maltraitait sa maîtresse et se montrait « mauvais camarade ». Ce récit enchâssé* peut être lu comme une véritable mise en abyme* des relations de don José avec Carmen. Mais dans sa propre histoire, il est dans le rôle de la femme, dévouée, « bien malheureuse », bafouée et dépendante.

Une collection de meurtres

Une tragi-comédie

Le chapitre 3 de Carmen offre une succession de scènes violentes et sanglantes, certaines narrées avec sobriété, d'autres avec des détails atroces. Mérimée joue donc de procédés narratifs divers, ainsi que de ruptures de ton. Les meurtres sont entrecoupés de scènes comiques, comme la fuite de Carmen (son coup de poing à don José, les détails grivois des jambes de la Gitane, sa supériorité face aux soldats maladroits) ou la scène de l'Anglais (voir « Pour une lecture »).

Femme criminelle

Le « meurtre » inaugural du chapitre revient à Carmen, déjà initiatrice. Sa rencontre avec don José est immédiatement placée sous le signe du sang et de la violence. Après une rixe verbale, la Gitane a marqué une de ses compagnes de la manufacture des tabacs de « croix de Saint-André sur la figure ». La femme n'est que blessée mais cette scène incarne la violence de Carmen lorsque quiconque menace sa liberté, ne la respecte pas ou contrecarre ses projets. Par ailleurs, la narration de cet épisode joue du contraste entre un spectacle sanglant, agressif («criant, hurlant, gesticulant») et des notations franchement comiques («les quatre fers en l'air»). L'onomatopée dont use don José – «vli vlan!» – pour décrire les coups de couteau de Carmen condense ce double registre.

Les crimes de l'amour

La majorité des meurtres commis dans ce chapitre l'est par don José. Poussé à bout par la frivolité et la cruauté de Carmen, l'homme est «comme un fou», «comme un homme ivre». Il tue un lieutenant de son régiment puis Garcia, l'Anglais avec l'aide de la Gitane, Lucas par procuration du taureau, et enfin Carmen (p. 112) :

> Je suis las de tuer tous tes amants; c'est toi que je tuerai.

Si le premier meurtre est narré avec sobriété («il s'enferra»), le second se voit détaillé avec un certain goût morbide (p. 106) :

> Je l'atteignis à la gorge, et le couteau entra si avant, que ma main était sous son menton. Je retournai la lame si fort qu'elle se cassa. C'était fini. La lame sortit de la plaie lancée par un bouillon de sang gros comme le bras.

Cette violence est par ailleurs étayée par une tension meurtrière permanente. Mené par ses pulsions, don José, jaloux, malmené, jouet de Carmen, se sent prêt à «donner de [s]on sabre dans le ventre à tous ces freluquets qui lui contaient fleurette», pourrait «battre» Carmen, et ne se retient qu'au prix d'un «effort violent», il a «envie de l'étrangler», menace de la «balafrer». La violence est donc constante, marquant les étapes d'une véritable déchéance du personnage.

Chronique d'une mort annoncée

Victime de l'amour

Le parcours de don José, poursuite éperdue d'une femme qu'il ne possédera jamais réellement, prend la forme d'une chute. Les premières pages du chapitre scandent les étapes d'une dérive dans le mal. Les actes illégaux commis par don José vont *crescendo* : il protège la fuite

Costumbres Andaluzas.

UNA PENDENCIA.

Une gravure d'Antonio Chaman (xixe siècle), illustrant une « coutume andalouse » (*costumbres andaluzas*) : la scène de jalousie. Deux hommes s'apprêtent à se battre pour la même femme, comme don José prêt à affronter et tuer tous les hommes qui rôdent autour de Carmen.

de Carmen, déserte, tue le lieutenant de son propre régiment avant de mener une vie de contrebandier, appariant vols et meurtres. Ses mobiles se résument à un prénom, Carmen. Don José est victime de sa passion, de sa jalousie, d'un désir lié à la privation et aux humiliations. Carmen le domine, le manipule. Toujours il pardonne. Carmen se donne puis s'enfuit, joue avec art d'une alternance de moments de bonheur offerts et d'humiliations infligées. Magicienne de la passion, elle fascine et aveugle don José comme tous les hommes, même le narrateur au chapitre 2, qu'elle rencontre et séduit. Experte en plaisirs sensuels (contenus dans de savantes ellipses, « et le reste », « le matin »), jouant de la caresse et du mépris, Carmen fait de don José un automate, réduit à la suivre, à lui obéir, à tuer : les imparfaits de la narration mettent en lumière le caractère répétitif et obsessionnel de ses actes.

Don José est à la veille d'être exécuté et le lecteur, qui sait le conteur condamné à mort avant même que ce chapitre ne commence, voit se mettre en place tous les éléments qui mènent au drame. Tout semble écrit d'avance.

Hasards et conséquences

Don José narre une histoire achevée tragiquement : Carmen est morte, lui-même est condamné. Son récit est lucide, le conteur analyse et souligne ses erreurs et «sottises». Nombre de remarques mettent en lumière un partage entre le don José du passé, naïf puis aveuglé par sa passion, et le conteur présent qui dresse un bilan amer, réinterprète les signes, regrette ses ambitions militaires déçues et exprime sa rancune envers Carmen. Quelques commentaires ironiques et antiphrastiques* jalonnent le récit : «voilà, monsieur, la belle vie que j'ai menée». Don José, jetant un regard rétrospectif sur sa vie, semble même se dédoubler : «je me disais», s'adressant à lui-même comme à un autre («tu as», «te voilà», «tu es»). Confession et bilan se mêlent, entre amertume et passion intacte pour la jeune Gitane.

Carmen, la diabolique

Un nouveau portrait

Le chapitre 2, malgré ses multiples portraits arrêtés ou en mouvement, n'a pu percer le mystère de Carmen. Le chapitre 3 reprend nombre d'éléments déjà mis en place par le narrateur au chapitre précédent : elle déplaît («d'abord elle ne me plut pas») avant d'obséder. Femme changeante et en constantes métamorphoses, Carmen est toujours «chat» et «loup» mais apparaît aussi en «caméléon», «crocodile» et «pouliche». Sa féminité provocante est une parade, une arme, une stratégie au service du vol et du crime. Diable et serpent, elle use d'une séduction redoutable, séduit tous les hommes qu'elle rencontre et aborde, provoque ivresse, folie et violence. Mais de nouveaux éléments viennent compléter le portrait : ses activités illégales – ses «affaires d'Égypte» – comme son rapport à la corrida. Elle séduit le picador Lucas mais, surtout, Carmen est matador, dans sa manière de provoquer don José, usant d'une fleur de cassie comme d'une arme, ou de le regarder fixement, « un poing sur la hanche », lors de sa mise à mort.

Les « Caprices » de Carmen

La jeune Gitane mène les hommes comme le récit. Le chapitre avance au gré de ses apparitions et disparitions, pris dans la poursuite de cet être insaisissable et changeant. Carmen se déplace en tous lieux, danse, se déguise, rit, condamne ; elle est le « fil rouge » du texte, sa trame. À l'image d'un être épris de liberté, refusant toute stabilité, le chapitre avance, au gré de ses « caprices », multipliant effets de surprises et d'accélération. Comme le déclare don José (p. 92) :

> Carmen avait l'humeur comme est le temps de chez nous. Jamais l'orage n'est si près dans nos montagnes que lorsque le soleil est plus brillant.

La jeune femme imprime son rythme instable au récit : tout semble pouvoir arriver, et pourtant, tout conduit, inexorablement, fatalement, à la mort. Carmen maîtrise en effet le présent comme l'avenir ; elle l'a « lu » dans le marc de café comme dans le plomb fondu : « c'est écrit ». Carmen est métaphore du récit, comme le montre l'emploi de ces deux verbes métapoétiques*. Elle hante le souvenir et les pensées de don José : « j'aurais été sage de ne plus penser à elle ; mais depuis cette journée dans la rue du Candilejo, je ne pouvais plus songer à autre chose ». Elle est comparable au parfum de la fleur de cassie, à la présence obsédante (p. 83) :

> Et puis, malgré moi, je sentais la fleur de cassie qu'elle m'avait jetée, et qui, sèche, gardait toujours sa bonne odeur… S'il y a des sorcières, cette fille-là en était une !

Carmen produit le même effet sur le narrateur premier, la nouvelle naissant de sa rencontre, de la fascination qu'elle exerce. Carmen fait naître la fable, le discours. Elle sait les susciter elle-même (« tu vivras comme un prince », déclare-t-elle à don José, les futurs de son discours imposent un destin) et don José ne cesse de construire des vies imaginaires à ses côtés : il leur rêve une vie d'aventures et d'amour partagé, un exil américain («je parlais à Carmen de quitter l'Espagne, et de vivre honnêtement dans le Nouveau-Monde»). Il tente jusqu'au bout de la mener dans son rêve, et avant de la tuer, lui propose encore de le «suivre», de «venir» avec lui. Mais Carmen mène le chant, reste libre, et refuse de ne pas être l'auteur de son histoire.

Les chants de Carmen

Tout au long du chapitre, Carmen chante et la moindre de ses paroles subjugue, blesse et fascine. Le chant est son essence, et l'un des sens de son nom; il n'est donc en rien étrange qu'elle ait inspiré un opéra à Georges Bizet (1838-1875) en 1875. La parole de Carmen est d'abord une invitation directe et un piège, lorsqu'elle apostrophe et aborde un homme, qu'il s'agisse de don José ou du narrateur. Carmen maîtrise le langage, sait jouer de tous ses registres, comme tous les bohémiens qui «voyageant toujours, parlent toutes les langues». Elle sait caresser de sa voix mais aussi être caustique et piquante, usant de l'épigramme* comme d'une arme (« mon officier, tu montes la garde comme un conscrit»), de la moquerie («monsieur fait de la dentelle», «canari»), du rire diabolique. Sa parole subjugue d'autant plus qu'elle est souvent énigmatique, Carmen énonce des sentences étranges («je suis habillée de laine mais je ne suis pas un mouton»), impose de déchiffrer ses discours («quand on aime la bonne friture, on en va manger à Triana»), ses raccourcis imagés («tu as un cœur de poulet»). Chez ce personnage sous le signe de l'oxymore*, la parole est aussi ambiguë et polysémique que le caractère; elle est mensonge :

> Elle mentait, monsieur, elle a toujours menti. Je ne sais pas si dans sa vie cette fille-là a jamais dit un mot de vérité.

mais aussi vérité absolue, énoncée sous forme proverbiale :

> Chien qui chemine ne meurt pas de famine.

> Chien et loup ne font pas bon ménage.

Enfin, Carmen, diable et magicienne, a une parole prophétique : elle sait qu'elle mourra de la main de don José, énonce qu'elle lui «porter[a] malheur», par deux fois qu'il sera «pendu». N'a-t-elle pas lu «dans le marc de café qu['ils devaient] finir ensemble » ? Cette parole semble promettre un avenir heureux à l'amant passionné («finir ensemble» au sens de « vieillir ») mais ces noces ne se réaliseront que dans la mort («finir» au sens de «mourir»).

Pour une lecture : l'écrevisse, le marchand d'oranges et le crocodile

De «après deux jours passés en courses inutiles» (p. 102) à «et j'entendais les éclats de rire de Carmen» (p. 104).

Introduction

Don José et ses compagnons de contrebande sont sans nouvelles de la Gitane, partie préparer des «affaires d'Égypte» : «nous n'entendions plus parler de Carmen». Don José se rend donc à Gibraltar, déguisé en marchand de fruits, dans un double but : apprendre où en sont leurs affaires de contrebande et retrouver sa maîtresse. Après «deux jours passés en courses inutiles», il aperçoit la jeune femme à un balcon, accompagnée «d'un officier en rouge». Le lecteur peut s'attendre à une nouvelle scène de violence, don José ayant déjà tué un amant de Carmen. Cependant, l'effet de surprise est complet, l'épisode tourne au vaudeville*.

1 – Une scène comique

a) Éléments de caricature dans les portraits des personnages :
Le personnage le plus fortement tourné en ridicule dans cette scène est bien entendu l'Anglais, objet de caricature dans les textes romantiques (*Militona* en fournit un autre exemple significatif). Animalisé (Carmen l'appelle «l'écrevisse»), il est le type ridicule de l'homme riche dont il a l'embonpoint, la maîtresse, la bague, les guinées, les vêtements trop voyants. Mais Carmen, lorsqu'elle apparaît au balcon, est aussi réduite au type de la femme entretenue, avec ses vêtements neufs aux détails tapageurs : «un peigne d'or, tout en soie». Don José, quant à lui, a pris

l'apparence d'un marchand d'oranges ; en somme, aucun des personnages de la scène, jusqu'au domestique « poudré », n'est naturel, tous semblent déguisés.

b) Jeux de langue :

La comédie est aussi celle du langage, fondée sur la répétition (« qu'est-ce qu'il dit ? », « qu'est-ce que cela veut dire ? »), la déformation des mots (« l'Anglais, en baragouinant l'espagnol »), le quiproquo*. Le mot « maquila », que Carmen traduit faussement par orange, résume ces jeux de langue. Aux oreilles françaises, le terme peut résonner comme le verbe (« maquilla »), mettant en lumière faux-semblants et polysémies volontaires, comme lorsque Carmen ajoute que don José veut « vous faire manger du maquila » (« se nourrir » au sens propre et « frapper avec »).

c) Une scène de vaudeville :*

La scène est construite autour du trio traditionnel de ce type de pièce. L'Anglais apparaît ici dans le rôle du dupé. Carmen le mène « par le bout du nez » et le traite impunément d'imbécile. Il est la victime du quiproquo*, ignorant qui est don José pour Carmen, ne comprenant pas un traître mot à ce qui se passe.

Mais il serait trop simple de conclure à une scène comique, comme le montre l'emploi polysémique de l'adjectif « drôle » par Carmen (à la fois « cocasse » et « étrange »). La scène violente, promise par la jalousie de don José et la soif de liberté de Carmen, se donne à lire entre les lignes.

2. Un jeu dangereux

a) Double jeu :

Tous les personnages jouent un rôle autre que celui qu'ils semblent interpréter. L'Anglais, Carmen le révélera ensuite à don José, est plus dangereux qu'il n'y paraît : « L'écrevisse est brave et adroit : il a de bons pistolets. » Don José, faux marchand d'oranges, trouve dans la scène et dans les paroles de Carmen tous les éléments venant nourrir sa jalousie féroce : les relations de la Gitane avec l'Anglais (elle se vend pour le voler puis le tuer), avec Garcia (évoqué ici en tant que *rom* de Carmen).

De fait, cette scène de comédie repose sur un schéma déséquilibré, puisqu'il n'y a pas une dupe mais deux. Carmen laisse croire aux deux hommes qu'elle méprise l'autre, faisant montre d'une duplicité qui est une constante de son comportement. Elle est ici metteur en scène, répartissant les rôles («tu ne sais pas un mot d'espagnol, tu ne me connais pas»), et premier public de la scène qu'elle vient de monter, puisqu'elle ne cesse de rire aux éclats.

b) Menaces de mort :
La jalousie de don José comme la colère de Carmen nourrissent une scène d'une extrême violence verbale : paroles blessantes («tu as deviné cela tout seul ? [...] tu es encore plus niais») succèdent aux promesses de blessures («j'ai bien envie de te balafrer la figure»). Tous les termes polysémiques du passage ont des connotations violentes («je le mènerai d'où il ne sortira jamais», «vous faire manger du maquila»). Le triangle vaudevillesque est de fait un trio violent, annonçant trois morts à venir.

c) Un comique grinçant :
De fait, il ne faut pas tenter d'interpréter cet épisode comme une scène comique *ou* violente. D'ailleurs, le mot sarcasme ne signifie-t-il pas, étymologiquement, «morsure», «déchirure» ? Violence et ironie sont appariées et Mérimée joue de la richesse produite par ces contrastes et ruptures de ton. On le perçoit en particulier dans le rire de Carmen, à la fois de franche gaieté et proprement satanique et menaçant : «éclats de rire de crocodile». C'est en cela qu'elle est, comme l'énonce don José, «une effrontée coquine». Son rire est le propre de sa liberté, Carmen se moque de tout, rien n'est sérieux pour elle, ni l'amour ni la mort. Son ironie montre que Carmen met tout à distance, ne se laisse toucher par rien, en ce sens il est adressé aux lecteurs, que Mérimée invite à se méfier des apparences.

<u>3 – Le piège du langage</u>

a) Gibraltar «tour de Babel» et ville de tromperies :
L'ensemble de la scène se déroule à Gibraltar, que don José décrit peu

avant notre passage. Gibraltar est une ville de «coquins», «on ne saurait faire dix pas dans une rue sans entendre parler autant de langues». Ce contexte est important, il annonce le véritable objet de cet épisode : proposer une réflexion sur le langage comme apparence, maquillage et tromperie.

b) Sous-entendus et doubles sens :
Aucun mot prononcé dans cette scène n'est monosémique. Lorsque don José menace Carmen d'une balafre au visage, il rappelle à la Gitane les circonstances de leur rencontre et promet de lui infliger à son tour les «croix de Saint-André» dont elle avait marqué une ouvrière. La majorité des termes employés ont deux sens, l'un propre, l'autre figuré, Carmen comme don José jouant des connotations violentes des termes. Et lorsqu'un mot pourrait sembler univoque, comme maquila, désignant une arme, Carmen lui ajoute une traduction fantaisiste (orange). Ainsi, il revient à chaque personnage d' «entendre» ce qui lui est dit, de décoder le double texte de chaque phrase prononcée. Le «vous allez entendre quelle drôle de langue» de Carmen s'adresse aussi aux lecteurs de la nouvelle…

c) Langage poison :
Le philosophe Jacques Derrida, dans le chapitre «La pharmacie de Platon», de *La Dissémination* (Le Seuil, 1972) a montré que le langage est un *pharmakon*, c'est-à-dire tout ensemble un remède et un poison. On pourrait appliquer ce terme aux discours et chants de Carmen, tour à tour cajoleuse et blessante. Sa parole est un piège, un mensonge menant à la mort. En ce sens, cet extrait, centré sur la question du langage et des apparences, met en abyme* l'ensemble du chapitre 3, voire de la nouvelle, et propose une véritable réflexion métapoétique* : qui dit vrai dans *Carmen* ? qui ment ? Don José, sous couvert de narrer son histoire, n'infléchit-il pas les événements ? Ne joue-t-il pas lui aussi la naïveté ? Son récit n'a-t-il pas pour fonction de le disculper, voire de tenter de maîtriser une histoire dans laquelle il a toujours été passif et aveugle ?

à vous...

1 – Analyse de l'*incipit** du chapitre (jusqu'à «ce qui m'a perdu»).

2 – Commentez la dernière phrase du chapitre («Pauvre enfant! ce sont les *Calés* qui sont coupables pour l'avoir élevée ainsi») et les différentes voies ouvertes à son interprétation.

3 – Commentaire composé du «dénouement», de «Carmen, lui dis-je, voulez-vous venir avec moi?» à la fin du chapitre.

4

L'Espagne est un des pays où se trouvent aujourd'hui, en plus grand nombre encore, ces nomades dispersés dans toute l'Europe, et connus sous les noms de *Bohémiens, Gitanos, Gypsies, Zigeuner*[1], etc. La plupart demeurent, ou plutôt mènent une vie errante dans les provinces du Sud et de l'Est, en Andalousie, en Estramadure dans le royaume de Murcie; il y en a beaucoup en Catalogne. Ces derniers passent souvent en France. On en rencontre dans toutes nos foires du Midi. D'ordinaire, les hommes exercent les métiers de maquignon, de vétérinaire et de tondeur de mulets; ils y joignent l'industrie de raccommoder les poêlons et les instruments de cuivre, sans parler de la contrebande et autres pratiques illicites. Les femmes disent la bonne aventure, mendient et vendent toutes sortes de drogues innocentes ou non.

Les caractères physiques des Bohémiens sont plus faciles à distinguer qu'à décrire, et lorsqu'on en a vu un seul, on reconnaîtrait entre mille un individu de cette race. La physionomie, l'expression, voilà surtout ce qui les

1. Bohémiens, Gitanos, Gypsies, Zigeuner : Bohémiens en français, espagnol, anglais et allemand.

sépare des peuples qui habitent le même pays. Leur teint est très basané, toujours plus foncé que celui des populations parmi lesquelles ils vivent. De là le nom de *Calé,* les noirs, par lequel ils se désignent souvent*. Leurs yeux sensiblement obliques, bien fendus, très noirs, sont ombragés par des cils longs et épais. On ne peut comparer leur regard qu'à celui d'une bête fauve. L'audace et la timidité s'y peignent tout à la fois, et sous ce rapport leurs yeux révèlent assez bien le caractère de la nation, rusée, hardie, mais craignant *naturellement les coups* comme Panurge[1]. Pour la plupart les hommes sont bien découplés, sveltes, agiles ; je ne crois pas en avoir jamais vu un seul chargé d'embonpoint. En Allemagne, les Bohémiennes sont souvent très jolies ; la beauté est fort rare parmi les gitanas d'Espagne. Très jeunes elles peuvent passer pour des laiderons agréables ; mais une fois qu'elles sont mères, elles deviennent repoussantes. La saleté des deux sexes est incroyable, et qui n'a pas vu les cheveux d'une matrone bohémienne s'en fera difficilement une idée, même en se représentant les crins les plus rudes, les plus gras, les plus poudreux. Dans quelques grandes villes d'Andalousie, certaines jeunes filles un peu plus agréables que les autres, prennent plus de soin de leur personne. Celles-là vont danser pour de l'argent, des danses qui ressemblent fort à celles que l'on interdit dans nos bals publics du carnaval. M. Borrow, missionnaire anglais, auteur de deux ouvrages fort intéressants sur les Bohémiens d'Espagne[2], qu'il avait entrepris de convertir, aux frais de la société

---

* Il m'a semblé que les Bohémiens allemands, bien qu'ils comprennent parfaitement le mot *Calé,* n'aimaient point à être appelés de la sorte. Ils s'appellent entre eux *Rommané tchavé.*

1. Comme *Panurge* : Rabelais, *Pantagruel,* XXI.
2. Les deux ouvrages de Borrow sont *The Zincali* (1841) et *The Bible In Spain* (1842).

Biblique[1], assure qu'il est sans exemple qu'une Gitana ait jamais eu quelque faiblesse pour un homme étranger à sa race. Il me semble qu'il y a beaucoup d'exagération dans les éloges qu'il accorde à leur chasteté. D'abord, le plus grand nombre est dans le cas de la laide d'Ovide : *Casta quam nemo rogavit*[2]. Quant aux jolies, elles sont comme toutes les Espagnoles, difficiles dans le choix de leurs amants. Il faut leur plaire, il faut les mériter. M. Borrow cite comme preuve de leur vertu un trait qui fait honneur à la sienne, surtout à sa naïveté. Un homme immoral de sa connaissance, offrit, dit-il, inutilement plusieurs onces à une jolie Gitana. Un Andaloux, à qui je racontai cette anecdote, prétendit que cet homme immoral aurait eu plus de succès en montrant deux ou trois piastres, et qu'offrir des onces d'or à une Bohémienne, était un aussi mauvais moyen de persuader, que de promettre un million ou deux à une fille d'auberge. Quoi qu'il en soit il est certain que les Gitanas montrent à leurs maris un dévouement extraordinaire. Il n'y a pas de danger ni de misères qu'elles ne bravent pour les secourir en leurs nécessités. Un des noms que se donnent les Bohémiens, *Romé* ou les *époux*, me paraît attester le respect de la race pour l'état de mariage. En général on peut dire que leur principale vertu est le patriotisme, si l'on peut ainsi appeler la fidélité qu'ils observent dans leurs relations avec les individus de même origine qu'eux, leur empressement à s'entraider, le secret inviolable qu'ils se gardent dans les affaires compromettantes. Au reste, dans toutes les associations mystérieuses et en dehors des lois, on observe quelque chose de semblable.

1. Société Biblique : missions protestantes.
2. *Casta quam nemo rogavit* : « Est chaste celle que personne n'a sollicitée » (Ovide, *Les Amours*, I, 8).

J'ai visité, il y a quelques mois, une horde de Bohémiens établis dans les Vosges. Dans la hutte d'une vieille femme, l'ancienne de sa tribu, il y avait un Bohémien étranger à sa famille, attaqué d'une maladie mortelle. Cet homme avait quitté un hôpital où il était bien soigné, pour aller mourir au milieu de ses compatriotes. Depuis treize semaines il était alité chez ses hôtes, et beaucoup mieux traité que les fils et les gendres qui vivaient dans la même maison. Il avait un bon lit de paille et de mousse avec des draps assez blancs, tandis que le reste de la famille, au nombre de onze personnes, couchaient sur des planches longues de trois pieds. Voilà pour leur hospitalité. La même femme, si humaine pour son hôte, me disait devant le malade : « *Singo, singo, homte hi mulo* ». Dans peu, dans peu, il faut qu'il meure. Après tout, la vie de ces gens est si misérable, que l'annonce de la mort n'a rien d'effrayant pour eux.

Un trait remarquable du caractère des Bohémiens, c'est leur indifférence en matière de religion ; non qu'ils soient esprits forts ou sceptiques. Jamais ils n'ont fait profession d'athéisme. Loin de là, la religion du pays qu'ils habitent est la leur ; mais ils en changent en changeant de patrie. Les superstitions qui, chez les peuples grossiers remplacent les sentiments religieux, leur sont également étrangères. Le moyen, en effet, que des superstitions existent chez des gens qui vivent le plus souvent de la crédulité des autres. Cependant, j'ai remarqué chez les Bohémiens espagnols une horreur singulière pour le contact d'un cadavre. Il y en a peu qui consentiraient pour de l'argent à porter un mort au cimetière.

J'ai dit que la plupart des Bohémiennes se mêlaient de dire la bonne aventure. Elles s'en acquittent fort bien. Mais ce qui est pour elles une source de grands profits, c'est la vente des charmes[1] et des philtres amoureux. Non seulement elles tiennent des pattes de crapauds pour fixer les cœurs volages, ou de la poudre de pierre d'aimant pour se faire aimer des insensibles; mais elles font au besoin des conjurations puissantes qui obligent le diable à leur prêter son secours. L'année dernière, une Espagnole me racontait l'histoire suivante : Elle passait un jour dans la rue d'Alcala[2], fort triste et préoccupée; une Bohémienne accroupie sur le trottoir lui cria : « Ma belle dame, votre amant vous a trahie. » C'était la vérité. « Voulez-vous que je vous le fasse revenir? » On comprend avec quelle joie la proposition fut acceptée, et quelle devait être la confiance inspirée par une personne qui devinait ainsi d'un coup d'œil, les secrets intimes du cœur. Comme il eût été impossible de procéder à des opérations magiques dans la rue la plus fréquentée de Madrid, on convint d'un rendez-vous pour le lendemain. « Rien de plus facile que de ramener l'infidèle à vos pieds, dit la Gitana. Auriez-vous un mouchoir, une écharpe, une mantille qu'il vous ait donné? » On lui remit un fichu de soie. « Maintenant cousez avec de la soie cramoisie une piastre dans un coin du fichu. Dans un autre coin cousez une demi-piastre; ici, une piécette; là, une pièce de deux réaux. Puis il faut coudre au milieu une pièce d'or. Un doublon serait le mieux. » On coud le doublon et le reste. « À présent, donnez-moi le fichu, je vais le porter au Campo-Santo[3], à minuit sonnant. Venez avec moi, si vous voulez voir une belle diablerie. Je vous promets que dès demain vous reverrez celui que vous aimez. » La Bohémienne partit seule pour le Campo-Santo, car on

---

1. Charmes : objets ou substances magiques.
2. Rue d'Alcala : célèbre rue du centre de Madrid.
3. Campo-Santo : cimetière.

avait trop peur des diables pour l'accompagner. Je vous laisse à penser si la pauvre amante délaissée a revu son fichu et son infidèle.

Malgré leur misère et l'espèce d'aversion qu'ils inspirent, les Bohémiens jouissent cependant d'une certaine considération parmi les gens peu éclairés, et ils en sont très vains[1]. Ils se sentent une race supérieure pour l'intelligence et méprisent cordialement le peuple qui leur donne l'hospitalité. «Les Gentils sont si bêtes, me disait une Bohémienne des Vosges, qu'il n'y a aucun mérite à les attraper. L'autre jour, une paysanne m'appelle dans la rue, j'entre chez elle. Son poêle fumait, et elle me demande un sort pour le faire aller. Moi, je me fais d'abord donner un bon morceau de lard. Puis, je me mets à marmotter quelques mots en rommani. Tu es bête, je disais, tu es née bête, bête tu mourras… Quand je fus près de la porte, je lui dis en bon allemand : Le moyen infaillible d'empêcher ton poêle de fumer, c'est de n'y pas faire de feu. Et je pris mes jambes à mon cou. »

L'histoire des Bohémiens est encore un problème. On sait à la vérité que leurs premières bandes, fort peu nombreuses, se montrèrent dans l'est de l'Europe, vers le commencement du quinzième siècle; mais on ne peut dire ni d'où ils viennent, ni pourquoi ils sont venus en Europe, et, ce qui est plus extraordinaire, on ignore comment ils se sont multipliés en peu de temps d'une façon si prodigieuse dans plusieurs contrées fort éloignées les unes des autres. Les Bohémiens eux-mêmes n'ont conservé aucune tradition sur leur origine, et si la plupart d'entre eux parlent de l'Égypte comme de leur patrie primitive, c'est qu'ils ont

1. Vains : fiers.

adopté une fable très anciennement répandue sur leur compte.

La plupart des orientalistes qui ont étudié la langue des Bohémiens, croient qu'ils sont originaires de l'Inde. En effet, il paraît qu'un grand nombre de racines et beaucoup de formes grammaticales du rommani se retrouvent dans des idiomes dérivés du sanscrit[1]. On conçoit que dans leurs longues pérégrinations, les Bohémiens ont adopté beaucoup de mots étrangers. Dans tous les dialectes du rommani, on trouve quantité de mots grecs. Par exemple : *cocal,* os, de κόκκαλον; *petalli,* fer de cheval, de πέταλον; *cafi,* clou, de καρφί, etc. Aujourd'hui, les Bohémiens ont presque autant de dialectes différents qu'il existe de hordes de leur race séparées les unes des autres. Partout ils parlent la langue du pays qu'ils habitent plus facilement que leur propre idiome, dont ils ne font guère usage que pour pouvoir s'entretenir librement devant des étrangers. Si l'on compare le dialecte des Bohémiens de l'Allemagne avec celui des Espagnols, sans communication avec les premiers depuis des siècles, on reconnaît une très grande quantité de mots communs; mais la langue originale, partout, quoique à différents degrés, s'est notablement altérée par le contact des langues plus cultivées, dont ces nomades ont été contraints de faire usage. L'allemand, d'un côté, l'espagnol, de l'autre, ont tellement modifié le fond du rommani, qu'il serait impossible à un Bohémien de la Forêt-Noire de converser avec un de ses frères andalous, bien qu'il leur suffît d'échanger quelques phrases pour reconnaître qu'ils parlent tous les deux un dialecte dérivé du même idiome. Quelques mots d'un usage très fréquent

1. Sanscrit : langue littéraire et sacrée de l'Inde.

sont communs, je crois, à tous les dialectes ; ainsi, dans tous les vocabulaires que j'ai pu voir : *pani* veut dire de l'eau, *manro,* du pain, *mâs,* de la viande, *lon,* du sel.

Les noms de nombre sont partout à peu près les mêmes. Le dialecte allemand me semble beaucoup plus pur que le dialecte espagnol ; car il a conservé nombre de formes grammaticales primitives, tandis que les Gitanos ont adopté celles du Castillan. Pourtant quelques mots font exception pour attester l'ancienne communauté de langage. – Les prétérits du dialecte allemand se forment en ajoutant *ium* à l'impératif qui est toujours la racine du verbe. Les verbes, dans le rommani espagnol, se conjuguent tous sur le modèle des verbes castillans de la première conjugaison. De l'infinitif *jamar,* manger, on devrait régulièrement faire *jamé,* j'ai mangé, de *lillar,* prendre, on devrait faire *lillé,* j'ai pris. Cependant quelques vieux Bohémiens disent par exception : *jayon, lillon.* Je ne connais pas d'autres verbes qui aient conservé cette forme antique.

Pendant que je fais ainsi étalage de mes minces connaissances dans la langue rommani, je dois noter quelques mots d'argot français que nos voleurs ont empruntés aux Bohémiens. *Les Mystères de Paris* ont appris à la bonne compagnie que *chourin* voulait dire couteau [1]. C'est du rommani pur ; *tchouri* est un de ces mots communs à tous les dialectes. M. Vidocq [2] appelle un cheval *grès,* c'est

1. Un des personnages du roman-feuilleton d'Eugène Sue (publication dans le *Journal des débats* en 1842-1843) se nomme en effet le chourineur. Ce roman eut un succès considérable au XIXᵉ siècle (voir Arrêt sur lecture 4, Groupement de textes).
2. M. Vidocq : Vidocq (1775-1857) fut bagnard puis... chef de la police de sûreté de Paris, avant de redevenir voleur. Il publia un lexique de l'argot dans *Les Voleurs* (1837). Voici sa définition de «Grès, *s. m.* Cheval. Terme des voleurs de campagne de Normandie» (voir Arrêt sur lecture 4, Groupement de textes).

encore un mot bohémien *gras, gre, graste, gris*. Ajoutez encore le mot *romamichel* qui dans l'argot parisien désigne les Bohémiens. C'est la corruption de *rommané tchave* gars bohémiens. Mais une étymologie dont je suis fier, c'est celle de *frimousse*, mine, visage, mot que tous les écoliers emploient ou employaient de mon temps. Observez d'abord que Oudin[1], dans son curieux dictionnaire, écrivait en 1640, *firlimouse*. Or, *firla, fila* en rommani veut dire visage, *mui* a la même signification, c'est exactement *os* des Latins. La combinaison *firlamui* a été sur-le-champ comprise par un Bohémien puriste, et je la crois conforme au génie de sa langue.

En voilà bien assez pour donner aux lecteurs de *Carmen*, une idée avantageuse de mes études sur le rommani. Je terminerai par ce proverbe qui vient à propos : *En retudi panda nasti abela macha*. En close bouche, n'entre point mouche.

---

1. Oudin : auteur, en 1640, des *Curiosités françaises pour servir de supplément aux dictionnaires*.

Arrêt sur lecture 4

Un chapitre surnuméraire ?

Le lecteur de *Carmen*, à l'orée du chapitre 4, pourrait s'attendre à une relance de l'action, avec, par exemple, le récit de l'exécution de don José. En lieu et place, Mérimée lui propose un essai sur la langue et les mœurs des Gitans. On sait que Mérimée étudie cette langue dans les années 1844-1845, et qu'il a dédicacé un exemplaire de *Carmen* à son « maître en *chipe calli* », Serafín Estebañez Calderón. D'ailleurs, le chapitre 4 n'existait pas lors de la parution de la nouvelle en 1845, dans *La Revue des Deux Mondes*; il est ajouté au moment de la publication en volume en 1847. Comment expliquer cet ajout tardif qui met en question l'unité de la nouvelle ?

En effet, non seulement le chapitre abandonne l'intrigue principale, mais il rompt avec la manière dont le récit était mené. Les trois premiers chapitres progressaient au gré de rencontres ou de recherches, celui-ci est didactique, architecturé. Par ailleurs, le « je » cède en partie la place à un « on » (« on ne peut comparer leur regard », « en général on peut dire », « si l'on peut ainsi appeler »…) et lorsqu'il est repris, il est délicat de déterminer s'il appartient toujours au narrateur premier de *Carmen* ou s'il s'agit cette fois plus directement d'un « je » auteur, de Mérimée, sans double fictionnel. En effet, ce « je » diffère sensiblement de celui qui s'avérait, au chapitre 2, incapable de reconnaître une Bohémienne ou de comprendre la langue des Gitans. Le locuteur déclare au contraire ici que «lorsqu'on en a vu un seul, on reconnaîtrait entre mille un individu de cette race», et il se montre particulièrement érudit dans son approche des origines comme de la morphologie de la langue des bohémiens. Cependant, il ne faudrait pas conclure à des incohérences de la nouvelle ou à des effets de rupture involontaires.

Clôtures : l'œuvre dans l'œuvre

Multiplication des focalisations

De fait, l'ensemble de la nouvelle repose sur une multiplication volontaire des points de vue : le récit est d'abord abordé à travers un narrateur en quête d'indices (chapitres 1 et 2) puis par le biais de don José (chapitre 3), avant d'être «ressaisi» dans le chapitre 4, par un essayiste qui tient pour une part du narrateur premier (non plus archéologue mais ethnologue et linguiste) et, pour une autre, plus directement de l'auteur de la nouvelle. De même, au chapitre 4, un même peuple est soumis à des approches scientifiques diverses : histoire, géographie, linguistique. Mérimée compare, nuance, oppose : d'une certaine manière, il s'agit toujours du même texte, sous des formes différentes (fiction, essai), à travers des focalisations* diverses. Ainsi Carmen apparaît, même absente, dans chacun des quatre chapitres : au chapitre 1, elle est la clé des questions que don José fait naître; le chapitre 4 reprend, dans la description des traits du physique comme du caractère des Bohémiens, nombre d'éléments apparus dans ses portraits, aux chapitres 2 et 3 : teint de cuivre, yeux «obliques», regard farouche. De même, Carmen, qui déplaît avant de séduire à jamais, annonce la fascination/répulsion qu'inspirent les Bohémiens au narrateur. Les deux premières pages du chapitre 4 renvoient à de nombreux épisodes du récit : outre le portrait de Carmen, elles condensent les faux métiers endossés par les compagnons de Carmen et don José, la «contrebande», la «bonne aventure», les drogues, les danses «pour de l'argent». Certaines remarques théoriques de l'auteur du chapitre rappellent également les notes des épisodes précédents, comme cette nouvelle explicitation du terme « calés, les noirs, par lequel ils se désignent souvent », le mot servant aussi de transition avec la dernière phrase du chapitre précédent.

De l'essai à la fiction

Si les deux premiers chapitres faisaient naître le récit de recherches savantes – la rencontre de don José provoquant l'abandon du mémoire sur la bataille de Munda –, cette fois l'essai excède la fiction, la soumet à ses lois, de courtes anecdotes venant illustrer des propos théoriques de linguiste et d'ethnologue. Par ailleurs, on peut considérer que l'ensemble du récit des amours de don José et Carmen annonce les éclairages scientifiques du chapitre 4 : l'Égypte comme hypothétique patrie d'origine des Bohémiens, la vénalité, la superstition, le rapport particulier à la mort. De même, certaines remarques du narrateur de la quatrième partie relèvent de la physiognomonie* : il serait possible de mettre en relation traits physiques et traits de caractère des Gitans (« sous ce rapport leurs yeux révèlent assez bien le caractère de la nation »). Par extension, la fiction *Carmen* prépare et éclaire les remarques théoriques du chapitre 4. On peut, en un sens, considérer que l'ensemble de l'essai vient commenter la dernière phrase du chapitre précédent : « Pauvre enfant ! ce sont les *Calés* qui sont coupables pour l'avoir élevée ainsi. » Mérimée offre ici une partie des clés du comportement et du caractère de Carmen, un dernier éclairage du personnage, comme un portrait en creux de son héroïne : ultime manière de tenter de comprendre son mystère.

Érudition et autodérision

Enfin, les présents de vérité générale, la volonté de recherche des origines (celle d'une langue, cette fois), le ton érudit et les citations (Rabelais, Ovide, Borrow) font retour à l'*incipit**, au récit-cadre*. Il s'agit de nouveau de mener une recherche, d'écrire une « dissertation », pour reprendre le terme employé au chapitre 1. Mais le linguiste n'est pas plus sérieux que l'archéologue initial. Ils refusent tous deux le didactisme, les affirmations sans nuance, comme le montre l'emploi de très nombreux modalisateurs («assez bien», «je ne crois pas», au sens de douter, la récurrence du verbe «pouvoir» en tant qu'auxiliaire d'hypothèse). Le narrateur ironise, le chapitre 1 comme le chapitre 4 jouent d'une certaine autodérision : elle touchait, au chapitre 1, une «dissertation» tenant «toute l'Europe en suspens». Cette fois, le narrateur offre une étymologie fausse du mot «frimousse» – au lecteur de décrypter l'ironie – et s'amuse : «en voilà assez pour donner aux lecteurs de *Carmen* une idée assez avantageuse de mes études sur le rommani», offrant, par un proverbe piquant, une clausule* en forme de pied de nez au chapitre comme à la nouvelle (déterminé à finir son récit, il déclare qu' «en bouche close n'entre point mouche»). Ces retours, ces effets de boucle offrent une véritable cohérence à *Carmen*. De fait, conclut la nouvelle, comme le fait Mérimée, sur la question des idiomes et argots met l'accent sur la question des langues et de la parole, motif majeur du texte.

Groupement de textes : idiomes et argots

Les écrivains romantiques portent un intérêt particulier à la question des langues. Nombre de leurs œuvres (*Carmen* et *Militona* en sont deux exemples) jouent des effets esthétiques produits par l'usage de mots étrangers, ou proposent des réflexions sur les idiomes propres à un groupe, qu'il soit social (les voleurs, les typographes, les marchands…) ou ethnique (les Bohémiens). L'argot, évoqué dans ce chapitre de *Carmen*, ou l'idiome des Gitans sont pour eux le moyen d'interroger une forme d'altérité mais aussi de nourrir leurs textes de cette «effroyable poésie» que célèbre Hugo lorsqu'il décrit la Cour des Miracles, «royaume de l'argot» dans *Notre-Dame de Paris* (II, 6). Par ailleurs, ces langues, réhabilitées, leur permettent de rompre avec les usages et bienséances classiques, de mettre, comme l'écrivait le même Hugo dans *Les Contemplations*, un «bonnet rouge au diction-naire» («Réponse à un acte d'accusation», I, 7) :

« Les mots, bien ou mal nés, vivaient parqués en castes ; / Les uns, nobles, hantant les Phèdres, les Jocastes[1], (...) Les autres, tas de gueux, drôles patibulaires, / Habitant les patois ; quelques-uns aux galères / Dans l'argot ; dévoués à tous les genres bas. »

Victor Hugo, *Le Dernier Jour d'un condamné* (1829)

Ce roman, vibrant engagement contre la peine de mort, est, selon les termes mêmes de Hugo, une « espèce d'autopsie intellectuelle d'un condamné ». L'homme, dont on ignore le crime, livre ses réflexions jusqu'au moment de son exécution.

« Tous les dimanches, après la messe, on me lâche dans le préau, à l'heure de la récréation. Là, je cause avec les détenus : il le faut bien. Ils sont bonnes gens, les misérables. Ils me content leurs *tours*, ce serait à faire horreur ; mais je sais qu'ils se vantent. Ils m'apprennent à parler argot, à *rouscailler bigorne*, comme ils disent. C'est toute une langue entée[2] sur la langue générale comme une espèce d'excroissance hideuse, comme une verrue. Quelquefois une énergie singulière, un pittoresque effrayant : *Il y a du raisiné sur le trimar* (du sang sur le chemin), *épouser la veuve* (être pendu), comme si la corde du gibet était veuve de tous les pendus. La tête d'un voleur a deux noms : *la sorbonne*, quand elle médite, raisonne et conseille le crime ; *la tronche*, quand le bourreau la coupe. Quelquefois de l'esprit de vaudeville : un *cachemire d'osier* (une hotte de chiffonnier), *la menteuse* (la langue) – et puis partout, à chaque instant, des mots bizarres, laids et sordides, venus on ne sait d'où : *le taule* (le bourreau), *la cône* (la mort), *la placarde* (la place des exécutions). On dirait des crapauds et des araignées. Quand on entend parler cette langue, cela fait l'effet de quelque chose de sale et de poudreux, d'une liasse de haillons que l'on secouerait devant vous. »

Chapitre 5.

1. Phèdre, Jocaste : héroïnes de tragédies grecques (Euripide, Sophocle) et classiques (Racine, *Phèdre*, *La Thébaïde*).
2. Entée : greffée.

Eugène-François Vidocq, *Les Voleurs* (1837)

Dans cet ouvrage, un ex-bagnard devenu chef de la police de sûreté propose à ses lecteurs un double lexique argot-français et français-argot, accompagné de « considérations » sur le monde des voleurs, leurs mœurs et leur langage. Comme il l'explique dans la préface, il s'agit pour lui de rétablir certaines vérités, maintenant que les écrivains « entravent bigorne » (comprennent l'argot). Nous reproduisons ici l'article de dictionnaire consacré aux bohémiens.

《 Romanichel. Bohémien. Les *Romanichels*, originaires de la Basse-Égypte, forment, comme les Juifs, une population errante sur toute la surface du globe, population qui a conservé un type qui la distingue, mais qui diminue tous les jours, et dont bientôt il ne restera plus rien.

Les Romanichels sont donc ces hommes à la physionomie orientale, que l'on nomme en France Bohémiens, en Allemagne die Egyptens, en Angleterre Gypsès, en Espagne et dans toutes les contrées du midi de l'Europe, Gitanos.

Après avoir erré longtemps dans les contrées du nord de l'Europe, une troupe nombreuse de ces hommes, auxquels on donna le nom de *Bohémiens*, sans doute à cause du long séjour qu'ils avaient fait en Bohême, arriva en France en 1427, commandés par un individu auquel ils donnaient le titre de roi, et qui avait pour lieutenants des ducs et des comtes. Comme ils s'étaient, on ne sait comment, procuré un bref[1] du pape qui occupait alors le trône pontifical, bref qui les autorisait à parcourir toute l'Europe, et à solliciter la charité des bonnes âmes, ils furent d'abord assez bien accueillis, et on leur assigna pour résidence la chapelle Saint-Denis.

Mais bientôt ils abusèrent de l'hospitalité qui leur avait été si généreusement accordée, et, en 1612, un arrêt du parlement de Paris leur enjoignit de sortir du royaume dans un délai fixé, s'ils ne voulaient pas passer toute leur vie aux galères.

Les Bohémiens n'obéirent pas à cette injonction ; ils ne quittèrent pas la France, et continuèrent à prédire l'avenir aux gens crédules, et à voler

1. Bref : lettre.

lorsqu'ils en trouvaient l'occasion. Mais pour échapper aux poursuites qui étaient alors dirigées contre eux, ils furent forcés de se disperser ; c'est alors qu'ils prirent le nom de Romanichels, nom qui leur est resté, et qui est passé dans le jargon des voleurs.

Il n'y a plus en France, au moment où nous sommes arrivés, beaucoup de bohémiens, cependant on en rencontre encore quelques-uns, principalement dans nos provinces du nord. Comme jadis, ils n'ont pas de domicile fixe, ils errent continuellement d'un village à l'autre, et les professions qu'ils exercent ostensiblement sont celles de marchands de chevaux, de brocanteurs ou de charlatans. Les Romanichels connaissent beaucoup de simples [1] propres à rendre malades les animaux domestiques, ils savent se procurer les moyens de leur en administrer une certaine dose, ensuite ils viennent offrir leurs services aux propriétaires de l'étable dont ils ont empoisonné les habitants, et ils se font payer fort cher les guérisons qu'ils opèrent.

Les Romanichels ont inventé, ou du moins exercé avec beaucoup d'habileté le *vol à la carre*, dont il a été parlé dans la première partie de cet ouvrage [2], et qu'ils nomment *cariben*.

Lorsque les Romanichels ne volent pas eux-mêmes, ils servent d'éclaireurs aux voleurs. Les chauffeurs [3] qui, de l'an IV à l'an VI de la République infestèrent la Belgique, une partie de la Hollande, et la plupart des provinces du nord de la France, avaient des Romanichels dans leurs bandes.

Les *marquises* (les Romanichels nomment ainsi leurs femmes) étaient ordinairement chargées d'examiner la position, les alentours, et les moyens de défense des *gernafles* [4] ou des *pipés* [5] qui devaient être attaqués, ce qu'elles faisaient en examinant la main d'une jeune fille à laquelle elles ne manquaient pas de prédire un sort brillant, et qui souvent devait s'endormir le soir même pour ne plus se réveiller. »»

1. Simples : plantes médicinales.
2. Dans la première partie de cet ouvrage : l'article careur renvoie en effet à Romanichels… Il s'agit de voler après avoir rusé pour détourner l'attention de la victime.
3. Chauffeurs : bandes organisées, qui, sous la Révolution, brûlaient la plante des pieds de leurs victimes.
4. *Gernafles* : fermes.
5. *Pipés* : châteaux.

Honoré de Balzac, *Splendeurs et Misères des courtisanes* (1847)

Balzac place au sein de ce foisonnant roman, qui narre la fin des aventures parisiennes de Lucien de Rubempré et de son mentor, Vautrin, ex-bagnard devenu chef de la Sûreté, un « Essai philosophique, linguistique et littéraire sur l'argot, les filles et les voleurs ». Il s'agit pour l'auteur de la *Comédie Humaine* d'expliquer origine et emploi de cette langue à « l'affreuse poésie ».

« Donc, avant tout, un mot sur la langue des grecs, des filous, des voleurs et des assassins, nommée l'*argot*, et que la littérature a, dans ces derniers temps, employée avec tant de succès, que plus d'un mot de cet étrange vocabulaire a passé sur les lèvres roses des jeunes femmes, a retenti sous des lambris dorés, a réjoui les princes, dont plus d'un a pu s'avouer *floué* ! Disons-le, peut-être à l'étonnement de beaucoup de gens, il n'est pas de langue plus énergique, plus colorée que celle de ce monde souterrain qui, depuis l'origine des empires à capitale, s'agite dans les caves, dans les sentines, dans le *troisième-dessous* des sociétés […].

Chaque mot de ce langage est une image brutale, ingénieuse ou terrible. Une culotte est une *montante*; n'expliquons pas ceci. En argot, on ne dort pas, *on pionce*. Remarquez avec quelle énergie ce verbe exprime le sommeil particulier à la bête traquée, fatiguée, défiante, appelée Voleur, et qui, dès qu'elle est en sûreté, tombe et roule dans les abîmes d'un sommeil profond et nécessaire sous les puissantes ailes du Soupçon planant toujours sur elle. Affreux sommeil, semblable à celui de l'animal sauvage qui dort, qui ronfle, et dont néanmoins les oreilles veillent doublées de prudence !

Tout est farouche dans cet idiome. Les syllabes qui commencent ou qui finissent les mots sont âpres et détonnent singulièrement. Une femme est une *largue*. Et quelle poésie ! la paille est *la plume de Beauce*. Le mot minuit est rendu par cette périphrase : *douze plombes crossent !* Ça ne donne-t-il pas le frisson ? *Rincer une cabriole*, veut dire dévaliser une chambre. Qu'est-ce que l'expression se coucher, comparée à se *piausser*, revêtir une autre peau ! Quelle vivacité d'images ! *Jouer des dominos*, signifie manger ; comment mangent les gens poursuivis ?

L'argot va toujours, d'ailleurs ! il suit la civilisation, il la talonne, il s'enrichit d'expressions nouvelles à chaque nouvelle invention. La pomme de terre créée et mise au jour par Louis XVI et Parmentier, est aussitôt saluée par l'argot *d'oranges à cochons*. On invente les billets de banque, le bagne les appelle des *fafiots garatés*, du nom de Garat, le caissier qui les signe. 》

Quatrième partie.

Eugène Sue, *Les Mystères de Paris* (1842-1843)

Ce roman, publié sous forme de feuilleton dans *Le Journal des débats* du 19 juin 1842 au 15 octobre 1843, rencontre un succès populaire sans précédent. Il met en scène un justicier, Rodolphe, une ville, Paris, dont Eugène Sue dévoile les bas-fonds, et de multiples personnages hauts en couleur. Parmi eux, le Chourineur, évoqué par Mérimée, qui raconte son histoire à Rodolphe. Son premier métier fut « d'aider les équarisseurs à égorger les chevaux ».

《 D'abord ça avait commencé par m'écœurer d'égorger ces pauvres vieilles bêtes… après, ça m'avait amusé ; mais quand j'ai eu dans les environs de seize ans et que ma voix a mué, est-ce que ça n'est pas devenu pour moi une rage, une passion que de chouriner ! J'en perdais le boire et le manger… je ne pensais qu'à ça !… Il fallait me voir au milieu de l'*ouvrage* : à part un vieux pantalon de toile, j'étais tout nu. Quand, mon grand couteau bien aiguisé à la main, j'avais autour de moi (je ne me vante pas) jusqu'à quinze et vingt chevaux qui faisaient la queue pour attendre leur tour… tonnerre ! quand je me mettais à les égorger, je ne sais pas ce qui me prenait… c'était comme une furie ; les oreilles me bourdonnaient ! je voyais rouge, tout rouge, et je chourinais… et je chourinais jusqu'à ce que le couteau me fût tombé des mains ! Tonnerre ! C'était une jouissance ! J'aurais été millionnaire que j'aurais payé pour faire ce métier-là…

– C'est ce qui t'aura donné l'habitude de chouriner, dit Rodolphe…

– Ça se peut bien ; mais quand j'ai eu seize ans, cette rage-là a fini par devenir si forte qu'une fois en train de chouriner je devenais comme fou, et je gâtais l'ouvrage… Oui, j'abîmais les peaux à force d'y donner des coups de couteau à tort et à travers. **»**

Première partie, chapitre 4, « Histoire du chourineur ».

Victor Hugo, *Les Misérables* (1862)

Nous connaissons *Les Misérables* pour Jean Valjean, Gavroche ou Cosette. Mais Hugo mène également, au sein de la fiction, une série de réflexions, comme au livre septième, entièrement consacré à l'argot :

« Qu'est-ce que l'argot ? C'est tout à la fois la nation et l'idiome ; c'est le vol sous ses deux espèces : peuple et langue.

Lorsqu'il y a trente-quatre ans, le narrateur de cette grave et sombre histoire introduisait au milieu d'un ouvrage[1] écrit dans le même but que celui-ci, un voleur parlant argot, il y eut ébahissement et clameur. – Quoi ! comment ! l'argot ! Mais l'argot est affreux ! Mais c'est la langue des chiourmes[2], des bagnes, des prisons, de tout ce que la société a de plus abominable ! etc., etc., etc.

Nous n'avons jamais compris ce genre d'objection.

Depuis, deux puissants romanciers, dont l'un est un grand observateur du cœur humain, l'autre un intrépide ami du peuple, Balzac et Eugène Sue, ayant fait parler des bandits dans leur langue naturelle comme l'avait fait en 1828 l'auteur du *Dernier Jour d'un condamné*, les mêmes réclamations se sont élevées. On a répété : – Que nous veulent les écrivains avec ce révoltant patois ? L'argot est odieux ! l'argot fait frémir !

Lorsqu'il s'agit de sonder une plaie, un gouffre ou une société, depuis quand est-ce un tort de descendre trop avant, d'aller au fond ? (…)

Certes, aller chercher dans les bas-fonds de l'ordre social, là où la terre finit et où la boue commence, fouiller dans ces vagues épaisses, poursuivre, saisir et jeter tout palpitant sur le pavé cet idiome abject qui

1. Hugo fait allusion au *Dernier Jour d'un condamné*.
2. Chiourmes : ensemble des forçats d'un bagne ou des rameurs d'une galère.

ruisselle de fange ainsi tiré au jour, ce vocabulaire pustuleux dont chaque mot semble un anneau immonde d'un monstre de la vase et des ténèbres, ce n'est ni une tâche attrayante ni une tâche aisée. Rien n'est plus lugubre que de contempler ainsi à nu, à la lumière de la pensée, le fourmillement effroyable de l'argot. (…)

Maintenant, depuis quand l'horreur exclut-elle l'étude ? depuis quand la maladie chasse-t-elle le médecin ? Se figure-t-on un naturaliste qui refuserait d'étudier la vipère, la chauve-souris, le scorpion, la scolopendre, la tarentule[1], et qui les rejetterait dans leurs ténèbres en disant : Oh ! que c'est laid ! le penseur qui se détournerait de l'argot ressemblerait à un chirurgien qui se détournerait d'un ulcère ou d'une verrue. Ce serait un philologue hésitant à examiner un fait de langue, un philosophe hésitant à scruter un fait de l'humanité. Car, il faut bien le dire à ceux qui l'ignorent, l'argot est tout ensemble un phénomène littéraire et un résultat social. Qu'est-ce que l'argot proprement dit ? L'argot est la langue de la misère. **»**

Livre VII, *L'Argot*, 1, *Origine*.

à vous…

1 – Analyser les différents usages et fonctions des italiques dans le chapitre.

2 – Quel statut le narrateur se donne-t-il dans ce chapitre ? Quelle est cependant la fonction du dernier paragraphe du texte ? En quoi opère-t-il un ultime changement de registre ? Comment comprenez-vous le proverbe final «en close bouche, n'entre point mouche» ?

3 – L'étymologie du mot «frimousse», proposée par Mérimée, est fausse. Quelle est la véritable histoire de ce mot ?

---

1. La scolopendre, la tarentule : la scolopendre est un mille-pattes, la tarentule une grosse araignée.

4 – Les écrivains romantiques (voir Groupement de textes), pour parler de l'argot, ne cessent d'employer l'adjectif «effroyable». Quel est le sens étymologique de ce terme ? Quel est donc ici son emploi ?

5 – Comparez le chapitre 4 de la nouvelle à l'article «Romanichels» de Vidocq. Quels traits communs relevez-vous entre les deux textes ? Quelles sont leurs différences essentielles ?

6 – En quoi l'extrait des *Misérables* éclaire-t-il le chapitre 4 de *Carmen* ? Le narrateur n'est-il pas précisément défini par le dernier paragraphe du texte ?

Militona

de Théophile Gautier

1

Un lundi du mois de juin de 184., *dia de toros* [1], comme on dit en Espagne, un jeune homme de bonne mine, mais qui paraissait d'assez mauvaise humeur, se dirigeait vers une maison de la rue San-Bernardo [2], dans la très noble et très héroïque cité de Madrid.

D'une des fenêtres de cette maison s'échappait un clapotis de piano qui augmenta d'une manière sensible le mécontentement peint sur les traits du jeune homme : il s'arrêta devant la porte comme hésitant à entrer ; mais cependant il prit une détermination violente, et surmontant sa répugnance, il souleva le marteau, au fracas duquel répondit dans l'escalier le bruit des pas lourds et gauchement empressés du gallego [3] qui venait ouvrir.

On aurait pu supposer qu'une affaire désagréable, un emprunt usuraire à contracter, une dette à solder, un sermon à subir de la part de quelque vieux parent grondeur, amenait

1. *Dia de toros* : le «jour des taureaux» était en effet le lundi.
2. Rue San-Bernardo : le quartier noble de l'Hospicio s'oppose, dans le roman, à celui, populaire de Lavapiés.
3. Gallego : galicien. Nombre de domestiques étant originaires de cette province, le nom propre a pris valeur de nom commun.

ce nuage sur la physionomie naturellement joyeuse de don Andrès de Salcedo.

Il n'en était rien.

Don Andrès de Salcedo, n'ayant pas de dettes, n'avait pas besoin d'emprunter, et, comme tous ses parents étaient morts, il n'attendait pas d'héritage, et ne redoutait les remontrances d'aucune tante revêche et d'aucun oncle quinteux[1].

Bien que la chose ne soit guère à la louange de sa galanterie, don Andrès allait tout simplement rendre à doña Feliciana Vasquez de los Rios sa visite quotidienne.

Doña Feliciana Vasquez de los Rios était une jeune personne de bonne famille, assez jolie et suffisamment riche, que don Andrès devait épouser bientôt.

Certes, il n'y avait pas là de quoi assombrir le front d'un jeune homme de vingt-quatre ans, et la perspective d'une heure ou deux passées avec une *novia*[2] «qui ne comptait pas plus de seize avrils» ne devait présenter rien d'effrayant à l'imagination.

Comme la mauvaise humeur n'empêche pas la coquetterie, Andrès, qui avait jeté son cigare au bas de l'escalier, secoua, tout en montant les marches, les cendres blanches qui salissaient les parements de son habit, donna un tour à ses cheveux et releva la pointe de ses moustaches; il se défit aussi de son air contrarié, et le plus joli sourire de commande vint errer sur ses lèvres. «Pourvu, dit-il en franchissant le seuil de l'appartement, que l'idée ne lui vienne pas de me faire répéter avec elle cet exécrable duo de Bellini[3] qui n'en finit pas, et qu'il faut reprendre vingt fois.

1. Quinteux : qui se fâche facilement.
2. *Novia* : fiancée.
3. Bellini : ce compositeur italien (1801-1835) est selon Gautier «le maestro favori des Espagnols» (*Voyage en Espagne*, chap. XI, p. 269).

Je manquerai le commencement de la course et ne verrai pas la grimace de l'alguazil[1] quand on ouvrira la porte au taureau. »

Telle était la crainte qui préoccupait don Andrès, et, à vrai dire, elle était bien fondée.

Feliciana, assise sur un tabouret et légèrement penchée, déchiffrait la partition formidable[2] ouverte à l'endroit redouté ; les doigts écartés, les coudes faisant angle de chaque côté de sa taille, elle frappait des accords plaqués et recommençait un passage difficile avec une persévérance digne d'un meilleur sort.

Elle était tellement occupée de son travail, qu'elle ne s'aperçut pas de l'entrée de don Andrès, que la suivante avait laissé passer sans l'annoncer, comme familier de la maison et futur de sa maîtresse.

Andrès, dont les pas étaient amortis par la natte de paille de Manille[3] qui recouvrait les briques du plancher, parvint jusqu'au milieu de la chambre sans avoir attiré l'attention de la jeune fille.

Pendant que doña Feliciana lutte contre son piano, et que don Andrès reste debout derrière elle, ne sachant s'il doit franchement interrompre ce vacarme intime ou révéler sa présence par une toux discrète, il ne sera peut-être pas hors de propos de jeter un coup d'œil sur l'endroit où la scène se passe.

Une teinte plate à la détrempe couvrait les murs ; de fausses moulures, de feints encadrements à la grisaille entouraient les fenêtres et les portes. Quelques gravures à

1. Alguazil : selon le dictionnaire de l'Académie, personne que la police ou la justice charge de faire des arrestations.
2. Formidable : l'adjectif est ici employé dans son sens étymologique. Du latin *formidare*, craindre, redouter.
3. Cette notation de décor est extrêmement ironique, comme la description à venir de la pièce.

la manière noire, venues de Paris, *Souvenirs et Regrets, Les Petits Braconniers, Don Juan et Haydée, Mina et Brenda*, étaient suspendues, dans la plus parfaite symétrie, à des cordons de soie verte. Des canapés de crin noir, des chaises assorties au dos épanoui en lyre, une commode et une table d'acajou ornées de sphinx en cadenettes, souvenir de la conquête d'Égypte, une pendule représentant la Esméralda faisant écrire à sa chèvre le nom de Phébus[1], et flanquée de deux chandeliers sous globe, complétaient cet ameublement de bon goût.

Des rideaux de mousseline suisse à ramages prétentieusement drapés et rehaussés de toutes sortes d'estampages garnissaient les croisées et reproduisaient d'une façon désastreusement exacte les dessins que les tapisseries de Paris font paraître dans les journaux de modes ou par cahiers lithographiés.

Ces rideaux, il faut le dire, excitaient l'admiration et l'envie générales.

Il serait injuste de passer sous silence une foule de petits chiens en verre filé, de groupes en porcelaine moderne, de paniers en filigrane entremêlés de fleurs d'émail, de serre-papiers d'albâtre et de boîtes de Spa relevées de coloriages qui encombraient les étagères, brillantes superfluités destinées à trahir la passion de Feliciana pour les arts.

Car Feliciana Vasquez avait été élevée à la française et dans le respect le plus profond de la mode du jour ; aussi, sur ses instances, tous les meubles anciens avaient-ils été relégués au grenier, au grand regret du don Geronimo Vasquez, son père, homme de bon sens, mais faible.

Les lustres à dix bras, les lampes à quatre mèches, les

---

1. La Esméralda… Phébus : allusion à *Notre-Dame de Paris* de Victor Hugo.

fauteuils couverts de cuir de Russie, les draperies de damas, les tapis de Perse, les paravents de la Chine, les horloges à gaine, les meubles de velours rouge, les cabinets de marqueterie, les tableaux noirâtres d'Orrente et de Menendez, les lits immenses, les tables massives de noyer, les buffets à quatre battants, les armoires à douze tiroirs, les énormes vases à fleurs, tout le vieux luxe espagnol, avaient dû céder la place à cette moderne élégance de troisième ordre qui ravit les naïves populations éprises d'idées civilisatrices et dont une femme de chambre anglaise ne voudrait pas.

Doña Feliciana était habillée à la mode d'il y a deux ans ; il va sans dire que sa toilette n'avait rien d'espagnol : elle possédait à un haut degré cette suprême horreur de tout ce qui est pittoresque et caractéristique, qui distingue les femmes comme il faut ; sa robe, d'une couleur indécise, était semée de petits bouquets presque invisibles ; l'étoffe en avait été apportée d'Angleterre et passée en fraude par les hardis contrebandiers de Gibraltar ; la plus couperosée et la plus revêche bourgeoise n'en eût pas choisi une autre pour sa fille. Une pèlerine garnie de valenciennes[1] ombrait modestement les charmes timides que l'échancrure du corsage, commandée par la gravure de modes, eût pu laisser à découvert. Un brodequin étroit moulait un pied qui, pour la petitesse et la cambrure, ne démentait point son origine.

C'était, du reste, le seul indice de sa race qu'eût conservé doña Feliciana ; on l'eût prise d'ailleurs pour une Allemande ou une Française des provinces du Nord ; ses yeux bleus, ses cheveux blonds, son teint uniformément rosé, répondaient aussi peu que possible à l'idée que l'on

---

1. Valenciennes : dentelle fine.

se fait généralement d'une Espagnole d'après les romances et les keepsakes[1]. Elle ne portait jamais de mantille et n'avait pas le moindre stylet à sa jarretière. Le fandango et la cachucha[2] lui étaient inconnus ; mais elle excellait dans la contredanse, le rigodon[3] et la valse à deux temps ; elle n'allait jamais aux courses de taureaux, trouvant ce divertissement « barbare » ; en revanche, elle ne manquait pas d'assister aux premières représentations des vaudevilles traduits de Scribe[4], au théâtre del Principe, et de suivre les représentations des chanteurs italiens au théâtre del Circo. Le soir, elle allait faire au Prado un tour en calèche, coiffée d'un chapeau venant directement de Paris.

Vous voyez que doña Feliciana Vasquez de los Rios était de tous points une jeune personne parfaitement convenable.

C'était ce que disait don Andrès ; seulement il n'osait pas formuler vis-à-vis de lui-même le complément de cette opinion : parfaitement convenable, mais parfaitement ennuyeuse !

On demandera pourquoi don Andrès faisait la cour dans des vues conjugales à une femme qui lui plaisait médiocrement. Était-ce par avidité ? Non ; la dot de Feliciana, quoique d'un chiffre assez rond, n'avait rien qui pût tenter Andrès de Salcedo, dont la fortune était pour le moins aussi considérable : ce mariage avait été arrangé par les parents des deux jeunes gens, qui s'étaient laissé faire sans objection ; la fortune, la naissance, l'âge, les rapports d'in-

---

1. Keepsakes : recueils de poèmes et nouvelles, illustrés de gravures. Ces livres albums, dont la mode vint d'Angleterre, connurent un grand succès dans les années 1820-1850.
2. Le fandango et la cachucha : danses espagnoles.
3. Rigodon : danse française en vogue aux XVIIᵉ et XVIIIᵉ siècles.
4. Scribe : auteur dramatique français (1791-1861).

timité, l'amitié contractée dès l'enfance, tout s'y trouvait réuni. Andrès s'était habitué à considérer Feliciana comme sa femme. Aussi lui semblait-il rentrer chez lui en allant chez elle ; et que peut faire un mari chez lui, si ce n'est désirer de sortir ? Il trouvait d'ailleurs à doña Feliciana toutes les qualités essentielles ; elle était jolie, mince et blonde ; elle parlait français et anglais, faisait bien le thé. Il est vrai que don Andrès ne pouvait souffrir cette horrible mixture. Elle dansait et jouait du piano, hélas ! et lavait assez proprement l'aquarelle. Certes, l'homme le plus difficile n'aurait pu exiger davantage.

«Ah ! c'est vous, Andrès», dit sans se retourner Feliciana, qui avait reconnu la présence de son futur au craquement de ses chaussures.

Que l'on ne s'étonne pas de voir une demoiselle aussi bien élevée que Feliciana interpeller un jeune homme par son petit nom ; c'est l'usage en Espagne au bout de quelque temps d'intimité, et l'emploi du nom de baptême n'a pas la même portée amoureuse et compromettante que chez nous.

«Vous arrivez tout à propos ; j'étais en train de repasser ce duo, que nous devons chanter ce soir à la tertulia[1] de la marquise de Benavidès.

— Il me semble que je suis un peu enrhumé», répondit Andrès.

Et, comme pour justifier son assertion, il essaya de tousser ; mais sa toux n'avait rien de convaincant, et doña Feliciana, peu touchée de son excuse, lui dit d'un ton assez inhumain :

«Cela ne sera rien ; nous devrions bien le chanter

1. Tertulia : soirée mondaine.

ensemble encore une fois pour être plus sûrs de notre effet. Voulez-vous prendre ma place au piano et avoir la complaisance d'accompagner ? »

Le pauvre garçon jeta un regard mélancolique sur la pendule ; il était déjà quatre heures ; il ne put réprimer un soupir et laissa tomber ses mains désespérées sur l'ivoire du clavier.

Le duo achevé sans trop d'encombre, Andrès lança encore vers la pendule, où la Esméralda continuait d'instruire sa chèvre, un coup d'œil furtif qui fut surpris au passage par Feliciana.

« L'heure paraît vous intéresser beaucoup aujourd'hui, dit Feliciana ; vos yeux ne quittent pas le cadran.

– C'est un regard vague et machinal… Que m'importe l'heure quand je suis près de vous ? »

Et il s'inclina galamment sur la main de Feliciana pour y poser un baiser respectueux.

« Les autres jours de la semaine, je suis persuadée que la marche des aiguilles vous est fort indifférente ; mais le lundi, c'est tout autre chose…

– Et pourquoi cela, âme de ma vie ? Le temps ne coule-t-il pas toujours aussi rapide, surtout quand on a le bonheur de faire de la musique avec vous ?

– Le lundi, c'est le jour des taureaux, et mon cher don Andrès, n'essayez pas de le nier, il vous serait plus agréable d'être en ce moment-ci à la porte d'Alcala qu'assis devant mon piano. Votre passion pour cet affreux plaisir est donc incorrigible ? Oh ! quand nous serons mariés, je saurai bien vous ramener à des sentiments plus civilisés et plus humains.

– Je n'avais pas l'intention formelle d'y assister… cependant j'avoue que, si cela ne vous contrariait pas… je suis allé hier à l'Arroyo d'Abrunigal[1], et il y avait entre autres quatre taureaux de Gaviria[2]... des bêtes magnifiques, un fanon énorme, des jambes sèches et menues, des cornes comme des croissants! et si farouches, si sauvages qu'ils avaient blessé l'un des deux bœufs conducteurs! Oh! quels beaux coups il va se faire tout à l'heure dans la place, si les toreros ont le cœur et le poignet fermes!» s'écria impétueusement Andrès, emporté par son enthousiasme d'aficionado.

Feliciana, pendant cette tirade, avait pris un air suprêmement dédaigneux, et dit à don Andrès :

«Vous ne serez jamais qu'un barbare verni; vous allez me donner mal aux nerfs avec vos descriptions de bêtes féroces et vos histoires d'éventrements... et vous dites ces horreurs avec un air de jubilation, comme si c'étaient les plus belles choses du monde.»

Le pauvre Andrès baissa la tête; car il avait lu, comme les autres Espagnols, les stupides tirades philanthropiques que les poltrons et les âmes sans énergie ont débitées contre les courses des taureaux, un des plus nobles divertissements qu'il soit donné à l'homme de contempler; et il se trouvait un peu Romain de la décadence, un peu boucher, un peu belluaire[3], un peu cannibale; mais cependant il eût volontiers donné ce que sa bourse contenait de douros à celui qui lui eût fourni les moyens de faire une retraite honnête et d'arriver à temps pour l'ouverture de la course.

«Allons, mon cher Andrès, dit Feliciana avec un sourire demi-ironique, je n'ai pas la prétention de lutter contre ces terribles taureaux de Gaviria; je ne veux pas vous priver

1. Arroyo d'Abrunigal : pré, proche de Madrid, où l'on se promenait pour voir les taureaux destinés à l'arène.
2. Gaviria : éleveur dont les taureaux étaient réputés pour leur bravoure au combat.
3. Belluaire : gladiateur romain qui combattait les bêtes sauvages.

d'un plaisir si grand pour vous : votre corps est ici, mais votre âme est au cirque. Partez ; je suis clémente et vous rends votre liberté, à condition que vous viendrez de bonne heure chez la marquise de Benavidès. »

Par une délicatesse de cœur qui prouvait sa bonté, Andrès ne voulut pas profiter sur-le-champ de la permission octroyée par Feliciana ; il causa encore quelques minutes et sortit avec lenteur, comme retenu malgré lui par le charme de la conversation.

Il marcha d'un pas mesuré jusqu'à ce qu'il eût tourné l'angle de la calle ancha de San-Bernardo pour prendre la calle de la Luna : alors, sûr d'être hors de vue du balcon de sa fiancée, il prit une allure qui l'eut bientôt amené dans la rue du Desengaño.

Un étranger eût remarqué avec surprise que les passants se dirigeaient du même côté : tous allaient, aucun ne venait. Ce phénomène dans la circulation de la ville a lieu tous les lundis, de quatre à cinq heures.

En quelques minutes, Andrès se trouva près de la fontaine qui marque le carrefour où se rencontrent la red de San-Luiz, la rue Fuencarral et la rue Ortaleza.

Il approchait.

La calle del Caballero de Gracia franchie, il déboucha dans cette magnifique rue d'Alcala, qui s'élargit en descendant vers la porte de la ville, ainsi qu'un fleuve approchant de la mer, comme si elle se grossissait des affluents qui s'y dégorgent.

Malgré son immense largeur, cette belle rue, que Paris et Londres envieraient à Madrid, et dont la pente, bordée d'édifices étincelants de blancheur, se termine sur une percée d'azur, était pleine, jusqu'au bord, d'une foule compacte, bariolée, fourmillante et de plus en plus épaisse.

Les piétons, les cavaliers, les voitures se croisaient, se heurtaient, s'enchevêtraient au milieu d'un nuage de poussière, de cris joyeux et de vociférations ; les caleseros [1] juraient comme des possédés ; les bâtons résonnaient sur l'échine des rosses rétives ; les grelots, suspendus par grappes aux têtières des mules, faisaient un tintamarre assourdissant ; les deux mots sacramentels de la langue espagnole étaient renvoyés d'un groupe à l'autre comme des volants par des raquettes.

Dans cet océan humain apparaissaient de loin en loin, pareils à des cachalots, des carrosses du temps de Philippe IV, aux dorures éteintes, aux couleurs passées, traînés par quatre bêtes antédiluviennes ; des berlingots, qui avaient été fort élégants du temps de Manuel Godoï [2], s'affaissaient sur leurs ressorts énervés, plus honteusement délabrés que les coucous [3] des environs de Paris, réduits à l'inaction par la concurrence des chemins de fer.

En revanche, comme pour représenter l'époque moderne, des omnibus, attelés de six à huit mules maintenues au triple galop par une mousqueterie de coups de fouet, fendaient la foule, qui se rejetait, effarée, sous les arbres écimés et trapus dont est bordée la rue d'Alcala, à partir de la fontaine de Cybèle jusqu'à la porte triomphale élevée en l'honneur de Charles III.

Jamais chaise de poste à cinq francs de guide, au temps où la poste marchait, n'a volé d'un pareil train. Les omnibus madrilènes, ce qui explique cette vélocité phénoménale, ne vont que deux heures par semaine, l'heure qui précède la course et celle qui la suit ; la nécessité de faire

1. Caleseros : cochers.
2. (*Sic*) Manuel Godoy : homme politique qui dirigea l'Espagne de 1792 à 1798 et de 1800 à 1808.
3. Coucous : petites voitures à deux roues.

plusieurs voyages en peu de temps force les conducteurs à extraire à coups de trique de leurs mules toute la vitesse possible ; et, il faut le dire, cette nécessité s'accorde assez bien avec leur penchant.

Andrès s'avançait de ce pas alerte et vif particulier aux Espagnols, les premiers marcheurs du monde, faisant sauter joyeusement dans sa poche, parmi quelques douros et quelques piécettes, son billet de *sombra* (place à l'ombre), tout près de la barrière ; car, dédaignant l'élégance des loges, il préférait s'appuyer aux cordes qui sont censées devoir empêcher le taureau de sauter parmi les spectateurs, au risque de sentir à son coude le coude bariolé d'une veste de paysan, et dans ses cheveux la fumée de cigarette poussée par un manolo[1] ; car, de cette place, l'on ne perd pas un seul détail du combat, et l'on peut apprécier les coups à leur juste valeur.

Malgré son futur mariage, don Andrès ne se privait nullement de la distraction de regarder les jolis visages plus ou moins voilés par les mantilles de dentelles, de velours ou de taffetas. Même si quelque beauté passait, l'éventail ouvert sur le coin de la joue, en manière de parasol, pour préserver des âcres baisers du hâle la fraîche pâleur d'un teint délicat, il allongeait le pas, et, se retournant ensuite sans affectation, contemplait à loisir les traits qu'on lui avait dérobés. Ce jour-là, don Andrès faisait sa revue avec plus de soin qu'à l'ordinaire ; il ne laissait passer aucun minois vraisemblable sans lui jeter son coup d'œil inquisiteur. On eût dit qu'il cherchait quelqu'un à travers cette foule.

Un fiancé ne devrait pas, en bonne morale, s'apercevoir

---

1. Manolo : homme du peuple.

qu'il existe d'autres femmes au monde que sa novia ; mais cette fidélité scrupuleuse est rare ailleurs que dans les romans, et don Andrès, bien qu'il ne descendît ni de don Juan Tenorio ni de don Juan de Marana[1], n'était pas attiré à la place des Taureaux par le seul attrait des belles estocades de Luca Blanco et du neveu de Montès[2].

Le lundi précédent il avait entrevu à la course, sur les bancs du tendido[3], une tête de jeune fille d'une rare beauté et d'une expression étrange. Les traits de ce visage s'étaient dessinés dans sa mémoire avec une netteté extraordinaire pour le peu de temps qu'il avait pu mettre à les contempler. Ce n'était qu'une rencontre fortuite qui ne devait pas laisser plus de trace que le souvenir d'une peinture regardée en passant, puisque aucune parole, aucun signe d'intelligence n'avaient pu être échangés entre Andrès et la jeune manola (elle paraissait appartenir à cette classe), séparés qu'ils étaient l'un de l'autre par l'intervalle de plusieurs bancs. Andrès n'avait d'ailleurs aucune raison de croire que la jeune fille l'eût aperçu et eût remarqué son admiration. Ses yeux, fixés sur l'arène, ne s'étaient pas détournés un instant du spectacle, auquel elle paraissait prendre un intérêt exclusif.

C'était donc un incident qu'il eût dû oublier sur le seuil du lieu qui l'avait vu naître. Cependant, à plusieurs reprises, l'image de la jeune fille s'était retracée dans l'esprit d'Andrès avec plus de vivacité et de persistance qu'il ne l'aurait fallu.

Le soir, sans en avoir la conscience, sans doute, il pro-

1. Don Juan Tenorio : celui mis en scène par Tirso de Molina. Don Juan de Marana : autre don Juan, célébré par les écrivains romantiques, en particulier Mérimée et Dumas.
2. Luca Blanco et le neveu de Montès : deux célèbres figures de la tauromachie.
3. Tendido : places du centre des gradins.

longeait sa promenade, ordinairement bornée au salon du Prado, où s'étale sur des rangs de chaises la fashion de Madrid[1], au-delà de la fontaine d'Alcachofa, sous les allées plus ombreuses fréquentées par les manolas de la place Lavapiès. Un vague espoir de retrouver son inconnue le faisait déroger à ses habitudes élégantes.

De plus, il s'était aperçu, symptôme significatif, que les cheveux blonds de Feliciana prenaient, à contre-jour, des teintes hasardeuses, atténuées à grand-peine par les cosmétiques (jamais, jusqu'à ce jour, il n'avait fait cette remarque), et que ses yeux, bordés de cils pâles, n'avaient aucune expression, si ce n'est celle de l'ennui modeste qui sied à une jeune personne bien élevée ; et il bâillait involontairement en pensant aux douceurs que lui réservait l'hymen.

Au moment où Andrès passait sous une des trois arcades de la porte d'Alcala, un calesin[2] fendait la foule au milieu d'un concert de malédictions et de sifflets, car c'est ainsi que le peuple accueille en Espagne tout ce qui le dérange au milieu de ses plaisirs et semble porter atteinte à la souveraineté du piéton.

Ce calesin était de l'extravagance la plus réjouissante ; sa caisse, portée par deux énormes roues écarlates, disparaissait sous une foule d'amours et d'attributs anacréontiques[3], tels que lyres, tambourins, musettes, cœurs percés de flèches, colombes se becquetant, exécutés à des époques reculées par un pinceau plus hardi que correct.

La mule, rasée à mi-corps, secouait de sa tête empanachée tout un carillon de grelots et de sonnettes. Le bourre-

1. Fashion de Madrid : le beau monde, à la mode.
2. Calesin : petit cabriolet.
3. Anacréontiques : adjectif qualifiant un genre de poésie hérité d'Anacréon, célébrant les délices de l'amour et de l'ivresse.

lier qui avait confectionné son harnais s'était livré à une débauche incroyable de passementeries, de piqûres, de pompons, de houppes et de fanfreluches de toutes couleurs. De loin, sans les longues oreilles qui sortaient de ce brillant fouillis, on eût pu prendre cette tête de mule ainsi attelée pour un bouquet de fleurs ambulant.

Un calesero de mine farouche, en manches de chemise et la chamarre de peau d'Astracan au coin de l'épaule, assis de côté sur le brancard, bâtonnait à coups de manche de fouet la croupe osseuse de sa bête, qui s'écrasait sur ses jarrets et se jetait en avant avec une nouvelle furie.

Un calesin, le lundi, à la porte d'Alcala, n'a rien en soi qui mérite une description particulière et doive attirer l'attention, et si celui-là est honoré d'une mention spéciale, c'est qu'à sa vue la plus agréable surprise avait éclaté sur la figure de don Andrès.

Il n'est guère dans l'usage qu'une voiture se rende vide à la place des Taureaux ; aussi le calesin contenait-il deux personnes.

La première était une vieille, petite et grosse, vêtue de noir, à l'ancienne mode, et dont la robe, trop courte d'un doigt, laissait paraître un ourlet de jupon en drap jaune, comme en portent les paysannes en Castille ; cette vénérable créature appartenait à cette espèce de femmes qu'on appelle en Espagne la tia[1] Pelona, la tia Blasia, selon leur nom, comme on dit ici la mère Michel, la mère Godichon, dans le monde si bien décrit par Paul de Kock[2]. Sa face large, épatée, livide, aurait été des plus communes, si deux yeux charbonnés et entourés d'une large auréole de bistre,

1. Tia : tante.
2. Paul de Kock : auteur français (1793-1871) dont l'œuvre offre d'ironiques portraits de la petite-bourgeoisie.

et deux pinceaux de moustaches obombrant les commissures des lèvres n'eussent relevé cette trivialité par un certain air sauvage et féroce digne des duègnes du bon temps. Goya[1], l'inimitable auteur des *Caprices*, vous eût en deux coups de pointe gravé cette physionomie. Bien que l'âge des amours fût envolé depuis longtemps pour elle, si jamais il avait existé, elle n'en arrangeait pas moins ses coudes dans sa mantille de serge, bordée de velours, avec une certaine coquetterie, et manégeait prétentieusement un grand éventail de papier vert.

Il n'est pas probable que ce fut l'aspect de cette aimable compagnonne[2] qui amena un éclair de satisfaction sur le visage de don Andrès.

La seconde personne était une jeune fille de seize à dix-huit ans, plutôt seize que dix-huit ; une légère mantille de taffetas, posée sur la galerie d'un haut peigne d'écaille qu'entourait une large natte de cheveux tressés en corbeille, encadrait sa charmante figure d'une pâleur imperceptiblement olivâtre. Son pied, allongé sur le devant du calesin et d'une petitesse presque chinoise, montrait un mignon soulier de satin à quartier de ruban et le commencement d'un bas de soie à coins de couleur bien tiré. Une de ses mains délicates et fines, bien qu'un peu basanées, jouait avec les deux pointes de la mantille, et l'autre, repliée sur un mouchoir de batiste, faisait briller quelques bagues d'argent, le plus riche trésor de son écrin de manola ; des boutons de jais miroitaient à sa manche et complétaient ce costume rigoureusement espagnol.

---

1. Goya : peintre et graveur espagnol (1746-1828).
2. Allusion à la duègne décrite par Hugo à l'acte IV, scène 7 de *Ruy Blas* (1838) : «(...) une duègne, affreuse compagnonne, / Dont la barbe fleurit et dont le nez trognonne !... »

Andrès avait reconnu la délicieuse tête dont le souvenir le poursuivait depuis huit jours.

Il doubla le pas et arriva en même temps que le calesin à l'entrée de la place des Taureaux; le calesero avait mis le genou en terre comme pour servir de marchepied à la belle manola, qui descendit en lui appuyant légèrement le bout des doigts sur l'épaule; l'extraction de la vieille fut autrement laborieuse; mais enfin elle s'opéra heureusement, et les deux femmes, suivies d'Andrès, s'engagèrent dans l'escalier de bois qui conduit aux gradins.

Le hasard, par une galanterie de bon goût, avait distribué les numéros des stalles, de façon que don Andrès se trouvât assis précisément à côté de la jeune manola.

2

Pendant que le public envahissait tumultueusement la place, et que le vaste entonnoir des gradins se noircissait d'une foule de plus en plus compacte, les toreros arrivaient les uns après les autres par une porte de derrière dans l'endroit qui leur sert de foyer, et où ils attendent l'heure de la *funcion*[1].

C'est une grande salle blanchie à la chaux, d'un aspect triste et nu. Quelques petites bougies y font trembloter leurs étoiles d'un jaune fade devant une image enfumée de Notre-Dame, suspendue à la muraille; car, ainsi que tous les gens exposés par état à des périls de mort, les toreros sont dévots, ou tout au moins superstitieux; chacun pos-

1. *Función* : nom donné en Espagne «à tout spectacle, quel qu'il soit» (Gautier, *Voyage en Espagne*, chap. XV).

sède une amulette, à laquelle il a pleine confiance ; certains présages les abattent ou les enhardissent ; ils savent, disent-ils, les courses qui leur seront funestes. Un cierge offert et brûlé à propos peut cependant corriger le sort et prévenir le péril. Il y en avait bien, ce jour-là, une douzaine d'allumés, ce qui prouvait la justesse de la remarque de don Andrès sur la force et la férocité des taureaux de Gaviria qu'il avait vus la veille à l'Arroyo, et dont il décrivait avec tant d'enthousiasme les qualités à sa fiancée Feliciana, médiocre appréciatrice de semblables mérites.

Il vint à peu près une douzaine de toreros, chulos, banderillos, espadas [1], embossés dans leurs capes de percaline glacée. Tous, en passant devant la madone, firent une inclination de tête plus ou moins accentuée. Ce devoir accompli, ils allèrent prendre sur une table *la copa de fuego*, petite coupe à manche de bois et remplie de charbon, posée là pour la plus grande commodité des fumeurs de cigarettes et de puros [2], et se mirent à pousser des bouffées en se promenant ou campés sur les bancs de bois le long du mur.

Un seul passa devant le tableau révéré sans lui accorder cette marque de respect, et s'assit à l'écart en croisant l'une sur l'autre des jambes nerveuses que le luisant du bas de soie aurait pu faire croire de marbre. Son pouce et son index, jaunes comme de l'or, sortaient par l'hiatus [3] de son manteau, tenant serré un reste de papelito aux trois quarts consumé. Le feu s'approchait de l'épiderme de manière à brûler des doigts plus délicats ; mais le torero n'y faisait pas attention, occupé qu'il paraissait d'une pensée absorbante.

1. Chulo : un mauvais garçon. Banderillo : le torero qui pose les banderilles. Espada : synonyme de matador.
2. Puros : cigares. Le *papelito* que Juancho fume (comme don José de *Carmen*) est un cigarillo.
3. Hiatus : espace entre les deux pans du manteau.

C'était un homme de vingt-cinq à vingt-huit ans. Son teint basané, ses yeux de jais, ses cheveux crépus démontraient son origine andalouse. Il devait être de Séville, cette prunelle noire de la terre, cette patrie naturelle des vaillants garçons, des bien plantés, des bien campés, des gratteurs de guitare, des dompteurs de chevaux, des piqueurs de taureaux, des joueurs de navaja[1], de ceux du bras de fer et de la main irritée.

Il eût été difficile de voir un corps plus robuste et des membres mieux découplés. Sa force s'arrêtait juste au point où elle serait devenue de la pesanteur. Il était aussi bien taillé pour la lutte que pour la course, et, si l'on pouvait supposer à la nature l'intention expresse de faire des toreros, elle n'avait jamais aussi bien réussi qu'en modelant cet Hercule aux proportions déliées.

Par son manteau entrebâillé, on voyait pétiller dans l'ombre quelques paillettes de sa veste incarnat et argent, et le chaton de la *sortija*[2] qui retenait les bouts de sa cravate; la pierre de cet anneau était d'une assez grande valeur, et montrait, comme tout le reste du costume, que le possesseur appartenait à l'aristocratie de sa profession. Son *mono*[3] de rubans neufs, lié à la petite mèche des cheveux réservée exprès, s'épanouissait derrière sa nuque en touffe opulente; sa *montera*[4], du plus beau noir, disparaissait sous des agréments de soie de même couleur, et se nouait sous son menton par des jugulaires qui n'avaient jamais servi; ses escarpins, d'une petitesse extraordinaire, auraient fait honneur au plus habile cordonnier de Paris,

---

1. Navaja : couteau, «arme favorite des Espagnols, surtout des gens du peuple» (*Voyage en Espagne*, chap. XI).
2. *Sortija* : anneau.
3. *Mono* : catogan.
4. *Montera* : coiffure du torero.

et eussent pu servir de chaussons à une danseuse de l'Opéra.

Cependant Juancho, tel était son nom, n'avait pas l'air ouvert et franc qui convient à un beau garçon bien habillé et qui va tout à l'heure se faire applaudir par les femmes : l'appréhension de la lutte prochaine troublait-elle sa sérénité ? Les périls que courent les combattants dans l'arène, et qui sont beaucoup moins grands qu'on ne pense, ne devaient avoir rien de bien inquiétant pour un gaillard découplé comme Juancho. Avait-il vu en rêve un taureau infernal portant sur des cornes d'acier rougi un matador embroché ?

Rien de tout cela ! Telle était l'attitude habituelle de Juancho ; surtout depuis un an, et sans qu'il fût précisément en état d'hostilité avec ses camarades, il n'existait pas entre eux et lui cette familiarité insouciante et joviale de gens qui courent ensemble les mêmes chances ; il ne repoussait pas les avances, mais il n'en faisait aucune, et, quoique Andalou, il était volontiers taciturne. Cependant, quelquefois il semblait vouloir se dérober à sa mélancolie, et se livrait aux élans désordonnés d'une joie factice : il buvait outre mesure, lui si sobre ordinairement, faisait du vacarme dans les cabarets, dansait des cachuchas endiablées, et finissait par des querelles absurdes où le couteau ne tardait pas à briller ; puis, l'accès passé, il retombait dans sa taciturnité et dans sa rêverie.

Diverses conversations se tenaient simultanément parmi les groupes : on parlait d'amour, de politique et surtout de taureaux.

« Que pense Votre Grâce, disait, avec ces belles formules cérémonieuses de la langue espagnole, un torero à un autre, du taureau noir de Mazpule ? A-t-il la vue basse, comme le prétend Arjona[1] ?

— Il est myope d'un œil et presbyte de l'autre ; il ne faut pas s'y fier.

— Et le taureau de Lizaso, vous savez, celui de couleur pie, de quel côté pensez-vous qu'il donne le coup de corne ?

— Je ne saurais le dire, je ne l'ai pas vu à l'œuvre ; quel est votre avis, Juancho ?

— Du côté droit, répondit celui-ci comme réveillé d'un rêve et sans jeter les yeux sur le jeune homme arrêté devant lui.

— Pourquoi ?

— Parce qu'il remue incessamment l'oreille droite, ce qui est un signe presque infaillible. »

Cela dit, Juancho porta à ses lèvres le reste de son *papelito*, qui s'évanouit en une pincée de cendres blanches.

L'heure fixée pour l'ouverture de la course approchait ; tous les toreros, à l'exception de Juancho, s'étaient levés ; la conversation languissait, et l'on entendait des coups sourds de la lance des picadores s'exerçant contre le mur dans une cour intérieure, pour se faire la main et étudier leurs chevaux. Ceux qui n'avaient pas fini leurs cigarettes les jetèrent ; les chulos arrangèrent avec coquetterie sur leur avant-bras les plis de leurs capes de couleurs éclatantes et se mirent en rang. Le silence régnait, car c'est un moment toujours un peu solennel que celui de l'entrée dans la place, et qui rend les plus rieurs pensifs.

Juancho se leva enfin, jeta son manteau, qui s'affaissa sur le banc, prit son épée et sa muleta, et alla se mêler au groupe bigarré.

1. Tous ces noms sont attestés : le taureau fut combattu par Romero en 1846, Arjona était un torero fameux et, plus bas, Lizaso un célèbre lieu d'élevage.

Tout nuage s'était envolé de son front. Ses yeux brillaient, sa narine dilatée aspirait l'air fortement. Une singulière expression d'audace animait ses traits ennoblis. Il se carrait et cambrait comme pour se préparer à la lutte. Son talon s'appuyait énergiquement à terre, et, sous les mailles de soie, les nerfs de son cou-de-pied tressaillaient comme les cordes au manche d'une guitare. Il faisait jouer ses ressorts, et s'en assurait au moment de s'en servir, ainsi qu'un soldat fait jouer avant la bataille son épée dans le fourreau.

C'était vraiment un admirable garçon que Juancho, et son costume faisait merveilleusement ressortir ses avantages : une large *faja*[1] de soie rouge sanglait sa taille fine ; les broderies d'argent qui ruisselaient le long de sa veste formaient au collet, aux manches, aux poches, aux parements, comme des endroits stagnants où l'arabesque redoublait ses complications et s'épaississait de façon à faire disparaître l'étoffe. Ce n'était plus une veste incarnadine[2] brodée d'argent, mais une veste d'argent brodée d'incarnadin. Aux épaules papillotaient tant de torsades, de globules, de filigranes, de nœuds et d'ornements de toute sorte, que les bras semblaient jaillir de deux couronnes défoncées. La culotte de satin, enjolivée de soutaches et de paillons[3] sur les coutures, pressait, sans les gêner, les muscles de fer et des formes d'une élégance robuste. Ce costume était le chef-d'œuvre de Zapata, de Grenade, Zapata, ce Cardillac[4] des habits de majo, qui pleure toutes les fois qu'il vous rapporte un habit, et vous offre pour le

1. *Faja* : ceinture.
2. Incarnadine : d'un rouge pâle.
3. Soutaches : galons. Paillon : petite lamelle de métal.
4. Zapata : tailleur célèbre. Cardillac, personnage d'Hoffmann (*Mademoiselle de Scudéry*, 1819), vole à ses clients les bijoux qu'il a créés.

ravoir plus d'argent qu'il ne vous en a demandé pour le faire. Les connaisseurs ne croyaient pas l'estimer trop cher au prix de dix mille réaux. Porté par Juancho, il en valait vingt mille !

La dernière fanfare avait résonné ; l'arène était vide de chiens et de muchachos. C'était le moment. Les picadores, rabaissant sur l'œil droit de leur monture le mouchoir qui doit les empêcher de voir arriver le taureau, se joignaient au cortège, et la troupe déboucha en bon ordre dans la place.

Un murmure d'admiration accueillit Juancho quand il vint s'agenouiller devant la loge de la reine ; il plia le genou de si bonne grâce, d'un air à la fois si humble et si fier, et se releva si moelleusement, sans effort ni saccade, que les vieux aficionados eux-mêmes dirent : « Ni Pépé Illo, ni Romero, ni José Candido[1], ne s'en fussent mieux acquittés. »

L'alguazil à cheval, en costume noir de familier de la Sainte-Hermandad[2], alla, selon la coutume, au milieu des huées générales, porter la clef du toril au garçon de service, et, cette formalité accomplie, se sauva au plus grand galop qu'il put, chancelant sur sa selle, perdant les étriers, embrassant le col de sa monture, et donnant à la populace cette comédie de l'effroi, toujours si amusante pour les spectateurs à l'abri de tout danger.

Andrès, tout heureux de la rencontre qu'il avait faite, n'accordait pas grande attention aux préliminaires de la course, et le taureau avait déjà éventré un cheval sans qu'il eût jeté un seul regard au cirque.

1. Pépé Illo, Romero, José Candido : célèbres toreros. Goya, dans ses *Toromaquia*, a immortalisé Pépé Illo, mort dans l'arène en 1801, comme Romero.
2. Sainte-Hermandad : fédération de villes espagnoles, fondée à la fin du XVe siècle, disposant de forces armées. C'est de ce nom que l'on désigna ensuite ironiquement la police.

Il contemplait la jeune fille placée à côté de lui avec une fixité qui l'eût gênée sans doute si elle s'en fût aperçue. Elle lui sembla plus charmante encore que la première fois. Le travail d'idéalisation, qui se mêle toujours au souvenir et fait souvent éprouver des déceptions quand on se retrouve en présence de l'objet rêvé, n'avait rien pu ajouter à la beauté de l'inconnue ; il faut avouer aussi que jamais type plus parfait de la femme espagnole ne s'était assis sur les gradins de granit bleu du cirque de Madrid.

Le jeune homme, en extase, admirait ce profil si nettement découpé, ce nez mince et fier aux narines roses comme l'intérieur d'un coquillage, ces tempes pleines où, sous un léger ton d'ambre, se croisait un imperceptible lacis de veines bleues ; cette bouche fraîche comme une fleur, savoureuse comme un fruit, entrouverte par un demi-sourire et illuminée par un éclair de nacre, et surtout ces yeux d'où le regard, pressé par deux épaisses franges de cils noirs jaillissait en irrésistibles effluves.

C'était toute la pureté du type grec, mais affinée par le caractère arabe, la même perfection avec un accent plus sauvage, la même grâce, mais plus cruelle ; les sourcils dessinaient leur arc d'ébène sur le marbre doré du front d'un coup de pinceau si hardi, les prunelles étaient d'un noir si âprement noir, une pourpre si riche éclatait dans la pulpe des lèvres, qu'une pareille beauté eût eu quelque chose d'alarmant dans un salon de Paris ou de Londres ; mais elle était parfaitement à sa place à la course de taureaux, sous le ciel ardent de l'Espagne.

La vieille, qui ne donnait pas aux péripéties de l'arène la même attention que la jeune, observait le manège d'Andrès avec un regard oblique et un air de dogue flairant un voleur. Joyeuse, cette physionomie était laide ; refrognée, elle était repoussante; ses rides semblaient plus creuses, et l'auréole brune qui cernait ses yeux s'agrandissait et rappelait vaguement les cercles de plume qui entourent les prunelles des chouettes; sa dent de sanglier s'appuyait plus fortement sur sa lèvre calleuse, et des tics nerveux contractaient sa face grimaçante.

Comme Andrès persistait dans sa contemplation, la colère sourde de la vieille augmentait d'instant en instant; elle se tracassait sur son banc, faisait siffler son éventail, donnait de fréquents coups de coude à sa belle voisine, et lui adressait toutes sortes de questions pour l'obliger à tourner la tête de son côté; mais, soit que celle-ci ne comprît pas ou qu'elle ne voulût pas comprendre, elle répondait en deux ou trois mots et reprenait son attitude attentive et sérieuse.

«La peste soit de l'atroce sorcière! se disait tout bas Andrès, et quel dommage qu'on ait aboli l'inquisition! Avec une figure pareille, on vous l'eût promenée, sans enquête, à califourchon sur un âne, coiffée du san-benito[1] et vêtue de la chemise soufrée; car elle sort évidemment du séminaire de Barahona[2], et doit laver les jeunes filles pour le sabbat.»

Juancho, dont le tour de tuer n'était pas arrivé, se tenait dédaigneusement au milieu de la place, sans prendre plus souci des taureaux que s'ils eussent été des moutons; à peine faisait-il un léger mouvement de corps et se dérangeait-il de deux ou trois semelles lorsque la bête furieuse, se préoccupant de cet homme, faisait mine de fondre sur lui.

1. San-benito : vêtement jaune dont on revêtait les condamnés au bûcher, sous l'Inquisition.
2. Séminaire de Barahona : lieu légendaire de rendez-vous des sorcières, où elles tenaient leurs sabbats, assemblées nocturnes et bruyantes.

Son bel œil noir lustré faisait le tour des loges, des galeries et des gradins, où palpitaient, comme des ailes de papillons, des essaims d'éventails de toutes nuances ; on eût dit qu'il cherchait à reconnaître quelqu'un parmi ces spectateurs. Lorsque son regard, promené circulairement, arriva au gradin où la jeune fille et la vieille femme étaient assises, un éclair de joie illumina sa brune figure, et il fit un imperceptible mouvement de tête, espèce de salut d'intelligence comme s'en permettent quelquefois les acteurs en scène.

« Militona, dit la vieille à voix basse, Juancho nous a vues ; prends garde à te bien tenir ; ce jeune homme te fait les doux yeux, et Juancho est jaloux.

– Qu'est-ce que cela me fait ? répondit Militona sur le même ton.

– Tu sais qu'il est homme à faire avaler une langue de bœuf à quiconque lui déplaît.

– Je ne l'ai pas regardé, ce monsieur, et d'ailleurs, ne suis-je pas ma maîtresse ? »

En disant qu'elle n'avait pas regardé Andrès, Militona faisait un petit mensonge. Elle ne l'avait pas regardé, les femmes n'ont pas besoin de cela pour voir, mais elle aurait pu faire de sa personne la description la plus minutieuse.

En historien véridique, nous devons dire qu'elle trouvait don Andrès de Salcedo ce qu'il était en effet, un fort joli cavalier.

Andrès, pour avoir un moyen de lier conversation, fit signe à l'un de ces marchands d'oranges, de fruits confits, de pastilles et autres douceurs, qui se promènent dans le corridor de la place, et offrent au bout d'une perche leurs sucreries et leurs dragées aux spectateurs qu'ils soupçonnent de galanterie. La voisine d'Andrès était si jolie, qu'un marchand se tenait aux environs, comptant sur une vente forcée.

«Señorita, voulez-vous de ces pastilles?» dit Andrès avec un sourire engageant à sa belle voisine, en lui présentant la boîte ouverte.

La jeune fille se retourna vivement et regarda Andrès d'un air de surprise inquiète.

«Elles sont au citron et à la menthe», ajouta Andrès, comme pour la décider.

Militona, prenant tout à coup sa résolution, plongea ses doigts menus dans la boîte et en retira quelques pincées de pastilles.

«Heureusement Juancho a le dos tourné, grommela un homme du peuple qui se trouvait là, autrement il y aurait du rouge de répandu ce soir.

– Et madame, en désire-t-elle?» continua Andrès du ton le plus exquisement poli, en tendant la boîte à l'horrible vieille, que ce trait d'audace déconcerta au point qu'elle prit, dans son trouble, toutes les pastilles sans en laisser une.

Toutefois, en vidant la bonbonnière dans le creux de sa main noire comme celle d'une momie, elle jeta un coup d'œil furtif et effaré sur le cirque et poussa un énorme soupir.

En ce moment, l'orchestre sonna la mort: c'était le tour à Juancho de tuer. Il se dirigea vers la loge de l'ayuntamiento[1], fit le salut et la demande de rigueur, puis jeta en l'air sa montera avec la crânerie la plus coquette. Le silence se fit tout à coup parmi l'assemblée, ordinairement si tumultueuse; l'attente oppressait toutes les poitrines.

1. Ayuntamiento : municipalité.

Le taureau que devait tuer Juancho était des plus redoutables; pardonnez-nous si, occupé d'Andrès et de Militona, nous ne vous avons pas conté ses prouesses en détail : sept chevaux étendus, vides d'entrailles et découpant sur le sable, aux différents endroits où l'agonie les avait fait tomber, la mince silhouette de leur cadavre, témoignaient de sa force et de sa furie. Les deux picadores s'étaient retirés moulus de chutes, presque éclopés, et le *sobre-saliente* (doublure) attendait dans la coulisse, en selle et la lance au poing, prêt à remplacer ses chefs d'emploi hors de service.

Les chulos se tenaient prudemment dans le voisinage de la palissade, le pied sur l'étrier de bois qui sert à la franchir, en cas de péril; et le taureau vainqueur vaguait librement par la place, tachée çà et là de larges mares de sang sur lesquelles les garçons de combat n'osaient pas aller secouer de la poussière, donnant des coups de corne dans les portes, et jetant en l'air les chevaux morts qu'il rencontrait sur son passage.

«Fais ton fier, mon garçon, disait un aficionado du peuple en s'adressant à la bête farouche; jouis de ton reste, saute, gambade, tu ne seras pas si gai tout à l'heure : Juancho va te calmer.»

En effet, Juancho marchait vers la bête monstrueuse de ce pas ferme et délibéré qui fait rétrograder même les lions.

Le taureau, étonné de se voir encore un adversaire, s'arrêta, poussa un sourd beuglement, secoua la bave de son mufle, gratta la terre de son sabot, pencha deux ou trois fois la tête et recula de quelques pas.

Juancho était superbe à voir : sa figure exprimait la résolution immuable; ses yeux fixes, dont les prunelles entourées de blanc semblaient des étoiles de jais, dardaient d'invisibles rayons qui criblaient le taureau comme des flèches d'acier ; sans en avoir la conscience, il lui faisait subir ce magnétisme au moyen duquel le belluaire Van Amburg[1] envoyait les tigres tremblants se blottir aux angles de leur cage.

Chaque pas que l'homme faisait en avant, la bête féroce le faisait en arrière.

À ce triomphe de la force morale sur la force brute, le peuple, saisi d'enthousiasme, éclata en transports frénétiques ; c'étaient des applaudissements, des cris, des trépignements à ne pas s'entendre ; les amateurs secouaient à tour de bras les espèces de sonnettes et de tam-tam qu'ils apportent à la course pour émettre le plus de bruit possible. Les plafonds craquaient sous les admirations de l'étage supérieur, et la peinture détachée s'envolait en tourbillons de pellicules blanchâtres.

Le torero ainsi applaudi, l'éclair aux yeux, la joie au cœur, leva la tête vers la place où se trouvait Militona, comme pour lui reporter les bravos qu'on lui criait de toutes parts et lui en faire hommage.

Le moment était mal choisi. Militona avait laissé tomber son éventail, et don Andrès, qui s'était précipité pour le ramasser avec cet empressement à profiter des moindres circonstances qui caractérise les gens désireux de fortifier d'un fil de plus la chaîne frêle d'une nouvelle liaison, le lui remettait d'un air tout heureux et d'un geste le plus galant du monde.

La jeune fille ne put s'empêcher de remercier d'un joli sourire et d'une gracieuse inclination de tête l'attention polie d'Andrès.

Ce sourire fut saisi au vol par Juancho ; ses lèvres pâli-

---

1. Van Amburg : illustre dresseurs d'animaux, qui s'était produit à Paris dans les années 1838-1839.

rent, son teint verdit, les orbites de ses yeux s'empourprè-rent, sa main se contracta sur le manche de la muleta, et la pointe de son épée, qu'il tenait basse, creusa convulsive-ment trois ou quatre trous dans le sable.

Le taureau, n'étant plus dominé par l'œillade fascina-trice, se rapprocha de son adversaire sans que celui-ci son-geât à se mettre en garde. L'intervalle qui séparait la bête de l'homme diminuait affreusement.

«En voilà un gaillard qui ne s'alarme pas! dirent quelques-uns plus robustes aux émotions.

— Juancho, prends garde, disaient les autres, plus humains; Juancho de ma vie, Juancho de mon cœur, Juancho de mon âme, le taureau est presque sur toi!»

Quant à Militona, soit que l'habitude des courses eût émoussé sa sensibilité, soit qu'elle eût toute confiance dans l'habileté souveraine de Juancho ou qu'elle portât un intérêt médiocre à celui qu'elle troublait si profondément, sa figure resta calme et sereine comme s'il ne se fût rien passé; seulement une légère rougeur monta à ses pom-mettes, et son sein souleva d'un mouvement un peu plus rapide les dentelles de sa mantille.

Les cris des assistants tirèrent Juancho de sa torpeur; il fit une brusque retraite de corps et agita les plis écarlates de sa muleta devant les yeux du taureau.

L'instinct de la conservation, l'amour-propre du gladia-teur luttaient dans l'âme de Juancho avec le désir d'obser-ver ce que faisait Militona; un coup d'œil égaré, un oubli d'une seconde pouvaient mettre sa vie en péril dans ce moment suprême. Situation infernale! être jaloux, voir auprès de la femme aimée un jeune homme attentif et char-mant, et se trouver au milieu d'un cirque, sous la pression des regards de douze mille spectateurs, ayant à deux pouces de la poitrine les cornes brûlantes d'une bête farouche qu'on ne peut tuer qu'à un certain endroit et d'une certaine manière, sous peine d'être déshonoré!

Le torero, redevenu maître de la *juridiction*[1], comme on dit en argot tauromachique, s'établit solidement sur ses talons, et fit plusieurs passes avec la muleta pour forcer le taureau à baisser la tête.

«Que pouvait lui dire ce jeune homme, ce drôle, à qui elle souriait si doucement?» pensait Juancho, oubliant qu'il avait devant lui un adversaire redoutable; et involontairement, il releva les yeux.

Le taureau, profitant de cette distraction, fondit sur l'homme; celui-ci, pris de court, fit un saut en arrière, et, par un mouvement presque machinal, porta son estocade au hasard; le fer entra de quelques pouces; mais, poussé dans un endroit défavorable, il rencontra l'os et, secoué par la bête furieuse, rejaillit de la blessure avec une fusée de sang et alla retomber à quelques pas plus loin. Juancho était désarmé et le taureau plein de vie; car ce coup perdu n'avait fait qu'exaspérer sa rage. Les chulos accoururent, faisant onduler leurs capes roses et bleues.

Militona avait légèrement pâli; la vieille poussait des «Aïe!» et des «Hélas!» et gémissait comme un cachalot échoué.

Le public, à la vue de la maladresse inconcevable de Juancho, se mit à faire un de ces triomphants vacarmes dans lesquels excelle le peuple espagnol: c'était un ouragan d'épithètes outrageuses, de vociférations et de malédictions. «Fuera, fuera, criait-on de toutes parts, le chien,

---

1. *Juridiction*: portion de terrain où le torero, toujours à la portée de la corne de l'animal, peut effectuer une passe.

le voleur, l'assassin ! Aux présides ! à Ceuta[1] ! Gâter une si belle bête ! Boucher maladroit ! bourreau ! » et tout ce que peut suggérer en pareille occasion l'exubérance méridionale, toujours portée aux extrêmes.

Cependant Juancho se tenait debout sous ce déluge d'injures, se mordant les lèvres et déchirant de sa main restée libre la dentelle de son jabot. Sa manche, ouverte par la corne du taureau, laissait voir sur son bras une longue rayure violette. Un moment il chancela, et l'on put croire qu'il allait tomber suffoqué par la violence de son émotion ; mais il se remit bien vite, courut à son épée, comme ayant arrêté un projet dans son esprit, la ramassa, la fit passer sous son pied pour en redresser la lame fléchie, et se posa de manière à tourner le dos à la partie de la place où se trouvait Militona.

Sur un signe qu'il fit, les chulos lui amenèrent le taureau en l'amusant de leurs capes, et cette fois, débarrassé de toute préoccupation, il porta à l'animal une estocade de haut en bas dans toutes les règles, et que le grand Montès de Chiclana lui-même n'eût pas désavouée.

L'épée plantée au défaut de l'épaule s'élevait avec sa poignée en croix entre les cornes du taureau et rappelait ces gravures gothiques où l'on voit saint Hubert à genoux devant un cerf portant un crucifix dans ses ramures[2].

L'animal s'agenouilla pesamment devant Juancho, comme rendant hommage à sa supériorité, et après une courte convulsion, roula, les quatre sabots en l'air.

« Juancho a pris une brillante revanche ! Quelle belle estocade ! je l'aime mieux qu'Arjona et le Chiclanero ;

---

1. Ceuta : une prison s'y trouvait.
2. Saint Hubert… ramures : cette apparition fut à l'origine de sa foi. Il est le patron des chasseurs.

qu'en pensez-vous, señorita? dit Andrès tout à fait enthousiasmé à sa voisine.

– Pour Dieu, monsieur, ne m'adressez plus un mot», répondit Militona très vite, sans presque remuer les lèvres et sans détourner la tête.

Ces paroles étaient dites d'un ton si impératif et si suppliant à la fois, qu'Andrès vit bien que ce n'était pas le «finissez» d'une fillette qui meurt d'envie que l'on continue.

Ce n'était pas la pudeur de la jeune fille qui lui dictait ces paroles; les essais de conversation d'Andrès n'avaient rien qui méritât une telle rigueur, et les manolas, qui sont les grisettes de Madrid, sans vouloir en médire, ne sont pas, en général, d'une susceptibilité si farouche.

Un effroi véritable, le sentiment d'un danger qu'Andrès ne pouvait comprendre, vibraient dans cette phrase brève, décochée de côté et qui paraissait être elle-même un péril de plus.

«Serait-ce une princesse déguisée? se dit Andrès assez intrigué et incertain du parti qu'il devait prendre. Si je me tais, j'aurai l'air d'un sot ou tout au moins d'un don Juan médiocre; si je persiste, peut-être attirerai-je à cette belle enfant quelque scène désagréable. Aurait-elle peur de la duègne? Non; puisque cette aimable gaillarde a dévoré toutes mes pastilles, elle est un peu complice, et ce n'est pas elle que redoute mon infante. Y aurait-il ici autour quelque père, quelque frère, quelque mari ou quelque amant jaloux?»

Personne ne pouvait être rangé dans aucune de ces catégories parmi les gens qui entouraient Militona; ils avaient des airs effacés et des physionomies vagues; évidemment nul lien ne les rattachait à la belle manola.

Jusqu'à la fin de la course, Juancho ne regarda pas une seule fois du côté du tendido, et dépêcha les deux taureaux qui lui revenaient avec une maestria sans égale; on l'applaudit aussi furieusement qu'on l'avait sifflé.

Andrès, soit qu'il jugeât prudent de ne pas renouer l'entretien après cette phrase, dont le son alarmé et suppliant l'avait touché, soit qu'il ne trouvât pas de manière heureuse de rentrer en conversation, n'adressa plus un mot à Militona, et même il se leva quelques minutes avant la fin de la course.

En enjambant les gradins pour se retirer, il dit tout bas quelques mots à un jeune garçon à physionomie intelligente et vive et disparut.

Le petit drôle, lorsque le public sortit, eut soin de marcher dans la foule, sans affectation et de l'air le plus dégagé du monde, derrière Militona et la duègne. Il les laissa remonter toutes deux dans leur calesin, puis, ayant l'air de céder à un mouvement de gaminerie lorsque la voiture s'ébranla sur ses grandes roues écarlates, il se suspendit à la caisse des pieds et des mains, en chantant à tue-tête la chanson populaire des taureaux de Puerto.

La voiture s'éloigna dans un tourbillon de bruit et de poussière.

«Bon, se dit Andrès, qui vit d'une allée du Prado où il était déjà parvenu passer le calesin à toute vitesse avec le muchacho hissé par derrière, je saurai ce soir l'adresse de cette charmante créature, et que le duo de Bellini me soit léger!»

3

Le jeune garçon devait venir rendre compte de sa mission à don Andrès, qui l'attendait en fumant un cigare dans une allée du Prado, aux environs du monument élevé aux victimes du Deux Mai[1].

Tout en poussant devant lui les bouffées de tabac qui se dissipaient en bleuâtres spirales, Andrès faisait son examen de conscience, et ne pouvait guère s'empêcher de reconnaître qu'il était sinon amoureux, du moins très vivement préoccupé de la belle manola. Quand même la beauté de la jeune fille n'eût pas suffi pour mettre en feu le cœur le moins inflammable, l'espèce de mystère que semblait annoncer son effroi quand Andrès lui avait adressé la parole après l'accident arrivé à Juancho, ne pouvait manquer de piquer la curiosité de tout jeune homme un peu aventureux : à vingt-cinq ans, sans être don Quichotte de la Manche, l'on est toujours prêt à défendre les princesses que l'on suppose opprimées.

Feliciana, la demoiselle si bien élevée, que devenait-elle à travers tout cela ? Andrès en était assez embarrassé ; mais il se dit que son mariage avec elle ne devant avoir lieu que dans six mois, cette légère amourette aurait le temps d'être menée à bien, rompue et oubliée avant le terme fatal, et que, d'ailleurs, rien n'était si facile à cacher qu'une intrigue de ce genre, Feliciana et la jeune fille vivant dans des sphères à ne jamais se rencontrer. Ce serait sa dernière folie de garçon ; car dans le monde on appelle folie aimer une jeune fille gracieuse et charmante, et raison épouser une femme laide, revêche, et qui

---

1. Il s'agit d'un obélisque qui célèbre le soulèvement de 1808 contre Murat.

vous déplaît ; après, il vivrait en ermite, en sage, en vrai martyr conjugal.

Les choses ainsi arrangées dans sa tête, Andrès s'abandonna aux plus agréables rêveries. Il était tenu par doña Feliciana Vasquez de los Rios à un régime de bon ton et d'amusement de bon goût qui lui pesait fort, bien qu'il n'osât protester ; il lui fallait se conformer à une foule d'habitudes anglaises, au thé, au piano, aux gants jaunes, aux cravates blanches, au vernis, sans circonstance atténuante, à la danse marchée, aux conversations sur les modes nouvelles, aux grands airs italiens, toutes choses qui répugnaient à son humeur naturellement libre et gaie. Malgré lui, le vieux sang espagnol s'insurgeait dans ses veines contre l'envahissement de la civilisation du Nord.

Se supposant déjà l'amant heureux de la manola du cirque – quel homme n'est pas un peu fat, au moins en pensée ? – il se voyait dans la petite chambre de la jeune fille, débarrassé de son frac et faisant une collation de pâtisseries, d'oranges, de fruits confits, arrosée de flacons de vins de Peralta et de Pedro Jimenès plus ou moins légitimes, que la tia aurait été chercher à la boutique de vins généreux la plus proche.

Prenant un *papel de hilo*[1] teint au jus de réglisse, la belle enfant roulait dans la mince feuille quelques brins de tabac coupés d'un trabuco[2], et lui offrait une cigarette tournée avec la plus classique perfection.

Puis, repoussant la table du pied, elle allait décrocher du mur une guitare, qu'elle remettait à son galant, et une paire de castagnettes de bois de grenadier, qu'elle s'ajustait aux pouces, en serrant la ganse qui les noue de ses petites dents

1. *Papel del hilo* : papier à rouler.
2. *Trabuco* : cigare.

de nacre, et se mettait à danser, avec une souplesse et une expression admirables, une de ces vieilles danses espagnoles où l'Arabie a laissé sa langueur brûlante et sa passion mystérieuse, en murmurant d'une voix entrecoupée quelque ancien couplet de séguidille[1] incohérent et bizarre, mais d'une poésie pénétrante.

Pendant qu'Andrès s'abandonnait à ses voluptueuses rêveries avec tant de bonne foi, qu'il marquait la mesure des castagnettes en faisant craquer ses phalanges, le soleil baissait rapidement et les ombres devenaient longues. L'heure du dîner approchait ; car aujourd'hui, à Madrid, les personnes bien situées se mettent à table à l'heure de Paris ou de Londres, et le messager d'Andrès ne revenait pas ; quand même la jeune fille eût logé à l'extrémité opposée de la ville, à la porte San-Joachim ou San-Gerimon, le jeune drôle eût eu le temps, et bien au-delà, de faire deux fois la course, surtout en considérant que, dans la première partie du voyage, il était perché sur l'arrière-train de la voiture.

Ce retard étonna et contraria vivement Andrès, qui ne savait où retrouver son émissaire, et qui voyait ainsi se terminer au début une aventure qui promettait d'être piquante. Comment se remettre sur la piste une fois perdue, quand on ne possède pas le plus petit indice pour se guider, pas un détail, pas même un nom, et qu'il faut compter sur le hasard décevant des rencontres ?

« Peut-être est-il arrivé quelque incident dont je ne puis me rendre compte ; attendons encore quelques minutes », se dit Andrès.

Profitant de la permission d'ubiquité accordée aux conteurs, nous suivrons le calesin dans sa course rapide. Il

1. Séguidille : Gautier adopte la graphie espagnole. La séguedille est une danse espagnole.

avait d'abord longé le Prado, puis s'était enfoncé dans la rue de San-Juan, ayant toujours l'émissaire d'Andrès accroché des pieds et des mains à ses ressorts ; ensuite, il avait gagné la rue de los Desamparados. Au milieu à peu près de cette rue, le calesero, sentant de la surcharge, avait envoyé au pauvre Perico, avec une dextérité extrême, un coup de fouet bien sanglé à travers la figure, qui l'avait forcé à lâcher prise.

Lorsque, après s'être frotté les yeux tout pleurants de douleur, il eut recouvré la faculté de voir, le calesin était déjà au bout de la rue de la Fé, et le bruit de ses roues sur le pavé inégal allait s'affaiblissant. Perico, excellent coureur comme tous les jeunes Espagnols, et pénétré de l'importance de sa mission, avait pris ses jambes à son cou, et il eût assurément rattrapé la voiture si celle-ci eût roulé en ligne droite ; mais à l'extrémité de la rue, elle fit un coude, et Perico la perdit de vue un instant. Quand il tourna l'angle à son tour, le calesin avait disparu. Il était entré dans ce lacis de rues et de ruelles qui avoisinent la place de Lavapiès. Avait-il pris la rue del Povar ou celle de Santa-Inès, celle de las Damas ou de San-Lorenzo ? C'est ce que Perico ne put démêler ; il les parcourut toutes, en espérant voir le calesin arrêté devant quelque porte : il fut trompé dans son espoir ; seulement il rencontra sur la place la voiture qui revenait à vide et dont le conducteur, faisant claquer son fouet comme des détonations de pistolet par une sorte de menace ironique, se hâtait pour aller prendre un autre chargement.

Dépité de n'avoir pu faire ce qu'Andrès lui avait demandé, Perico s'était promené quelque temps dans les rues où il présumait que le calesin avait déposé ses deux pratiques, pensant, avec cette précoce intelligence des passions qu'ont les enfants méridionaux, qu'une si jolie fille ne pouvait manquer d'avoir un galant et de se mettre à la fenêtre pour le regarder venir, ou de sortir pour l'aller retrouver s'il ne venait pas, le jour des taureaux étant consacré, à Madrid, aux promenades, aux parties fines et aux divertissements. Ce calcul n'était pas dénué de justesse ; en effet, bien des jolies têtes souriaient, encadrées aux fenêtres, et se penchaient sur les balcons, mais aucune n'était celle de la manola qu'on l'avait chargé de suivre. De guerre lasse, après s'être lavé les yeux à la fontaine Lavapiès, il descendit vers le Prado pour rendre compte à don Andrès de sa mission. S'il ne rapportait pas l'adresse précise, il était du moins à peu près certain que la belle demeurait dans une des quatre rues dont nous avons cité les noms ; et, comme elles sont très courtes, c'était déjà moins vague que de la chercher dans tout Madrid.

S'il fût resté quelques minutes de plus, il aurait vu un second calesin s'arrêter devant une maison de la rue del Povar, et un homme, soigneusement embossé et le manteau sur les yeux, sauter légèrement à bas de la voiture et s'enfoncer dans l'allée. Le mouvement du saut dérangea les plis de la cape, qui laissa briller un éclair de paillon, et découvrit des bas de soie étoilés de quelques gouttelettes de sang et tendus par une jambe nerveuse.

Vous avez sans doute déjà reconnu Juancho. En effet, c'était lui. Mais pour Perico, aucun lien ne rattachait Juancho à Militona, et sa présence n'eût pas été un indice de l'endroit où demeurait la jeune fille. D'ailleurs, Juancho pouvait rentrer chez lui. C'était même la version la plus vraisemblable. Après une course aussi dramatique que celle-là, il devait avoir besoin de repos et d'appliquer quelques compresses sur l'égratignure de son bras, car les cornes du taureau sont venimeuses et font des blessures lentes à guérir.

Perico se dirigea d'un pas allongé du côté de l'obélisque du Deux-Mai, où Andrès lui avait donné rendez-vous. Autre anicroche. Andrès n'était pas seul. Doña Feliciana, qui était sortie pour quelque emplette avec une de ses amies qu'elle reconduisait, avait aperçu de sa voiture son fiancé se promenant avec une impatience nerveuse ; elle était descendue, ainsi que son amie, et, s'approchant d'Andrès, elle lui avait demandé si c'était pour composer un sonnet ou un madrigal qu'il errait ainsi sous les arbres à l'heure où les mortels moins poétiques se livrent à leur nourriture. Le malheureux Andrès, pris en flagrant délit de commencement d'intrigue, ne put s'empêcher de rougir un peu et balbutia quelques galanteries banales ; il enrageait dans son âme, bien que sa bouche sourît. Perico, incertain, décrivait autour du groupe des cercles embarrassés ; tout jeune qu'il était, il avait compris qu'il ne fallait pas donner à un jeune homme l'adresse d'une manola devant une jeune personne si bien habillée à la française. Seulement il s'étonnait en lui-même qu'un cavalier qui connaissait de si belles dames à chapeaux prît intérêt à une manola en mantille.

« Que nous veut donc ce garçon qui vous regarde avec ses grands yeux noirs comme s'il voulait nous avaler ?

– Il attend sans doute que je lui jette le bout de ce cigare éteint », répondit Andrès en joignant l'action à la parole et en faisant un imperceptible signe qui voulait dire : « Reviens, quand je serai débarrassé. »

L'enfant s'éloigna, et, tirant un briquet de sa poche, fit du feu et se mit à humer le havane avec la componction d'un fumeur accompli.

Mais Andrès n'était pas au bout de ses peines. Feliciana se frappa le front de sa main étroitement gantée, et dit, comme sortant d'un rêve : «Mon Dieu, j'étais si préoccupée tantôt de notre duo de Bellini, que j'ai oublié de vous dire que mon père, don Geronimo, vous attend à dîner. Il voulait vous écrire ce matin ; mais comme je devais vous voir dans l'après-midi, je lui ai dit que ce n'était pas la peine. Il est déjà bien tard, dit-elle en consultant une petite montre grande comme l'ongle ; montez en voiture avec nous, nous mettrons Rosa chez elle et nous retournerons à la maison ensemble.»

Si l'on s'étonne de voir une jeune personne si bien élevée prendre un jeune homme dans sa voiture, nous ferons observer que, sur le devant de la calèche était assise une gouvernante anglaise, roide comme un pieu, rouge comme une écrevisse, et ficelée dans le plus long des corsets, dont l'aspect suffisait pour mettre en fuite les amours et les médisances.

Il n'y avait pas moyen de reculer ; après avoir présenté la main à Feliciana et à son amie pour les aider à monter, il prit place sur le devant de la calèche à côté de Miss Sarah, furieux de n'avoir pu entendre le rapport de Perico, qu'il croyait mieux renseigné, et avec la perspective d'une soirée musicale indéfiniment prolongée.

Comme nous pensons que la description d'un dîner bourgeois n'aurait rien d'intéressant pour vous, nous irons à la recherche de Militona, espérant être plus heureux dans nos investigations que Perico.

Militona demeurait, en effet, dans une des rues soupçonnées par le jeune espion d'Andrès. Vous dire le genre d'architecture auquel appartenait la maison qu'elle habitait avec beaucoup d'autres serait fort difficile, à moins que ce ne fût à l'ordre composite. La plus grande fantaisie avait présidé au percement des baies, dont pas une n'était pareille. Le constructeur semblait s'être donné pour but la symétrie inverse, car rien ne se correspondait dans cette façade désordonnée : les murailles, presque toutes hors d'aplomb, faisaient ventre et paraissaient s'affaisser sous leur poids : des S et des croix de fer les contenaient à peine, et sans les deux maisons voisines, un peu plus solides, où elle s'épaulait, elle serait tombée infailliblement au travers de la rue ; au bas, le plâtre, écaillé par larges plaques, laissait voir le pisé[1] des murs ; le haut, mieux conservé, offrait des traces d'ancienne peinture rose, qui paraissait comme la rougeur de cette pauvre maison honteuse de sa misère.

Près d'un toit de tuiles tumultueux et découpant sur l'azur du ciel un feston brun, édenté çà et là, souriait une petite fenêtre encadrée d'un récent crépi de chaux ; une cage, à droite, contenait une caille, une autre, à gauche, d'une dimension presque imperceptible, ornée de perles de verre rouge et jaune, servait de palais et de cellule à un grillon ; car les Espagnols, à qui les Arabes ont laissé le goût des rythmes persistants, aiment beaucoup les chants monotones, frappés à temps égaux, de la caille et du grillon. Une jarre de terre poreuse, suspendue par les anses à une ficelle et couverte d'une sueur perlée, rafraîchissait l'eau à la brise naissante du soir, et laissait tomber quelques gouttes sur deux pots de basilic placés au-dessous. Cette fenêtre, c'était celle de la chambre de Militona. De la rue un observateur eût deviné tout de suite que ce nid était habité par un jeune oiseau ; la jeunesse et la beauté exercent leur empire même sur les choses inanimées, et y posent involontairement leur cachet. Si vous ne craignez

1. Pisé : mélange d'argile, de cailloux et de paille servant en maçonnerie.

pas de vous engager avec nous dans cet escalier aux marches calleuses, à la rampe miroitée, nous y suivrons Militona, qui monte en sautillant les degrés rompus avec toute l'élasticité d'un jarret de dix-huit ans; elle nage déjà dans la lumière des étages supérieurs, tandis que la tia Aldonza, retenue dans les limbes obscurs des premières marches, pousse des «han!» de saint Joseph et se pend désespérément des deux mains à la corde grasse.

La belle fille, soulevant un bout de sparterie[1] jetée devant une de ces portes de sapin à petits panneaux multipliés si communes à Madrid, prit sa clef et ouvrit.

Une si pauvre chambre ne pouvait guère tenter les voleurs et n'exigeait pas de grandes précautions de fermeture : absente, Militona la laissait ouverte; mais, quand elle y était, elle la fermait soigneusement. Il y avait alors un trésor dans ce mince taudis, sinon pour les voleurs, du moins pour les amoureux.

Une simple couche de chaux remplaçait, sur la muraille, le papier et la tenture; un miroir dont l'étamage rayé ne réflétait que fort imparfaitement la charmante figure qui le consultait; une statuette en plâtre de saint Antoine, accompagnée de deux vases de verre bleu contenant des fleurs artificielles; une table de sapin, deux chaises et un petit lit recouvert d'une courtepointe de mousseline avec des volants découpés en dents de loup, formaient tout l'ameublement. N'oublions pas quelques images de Notre-Dame et des saints, peintes et dorées sur verre avec une naïveté byzantine ou russe, une gravure du Deux Mai, l'enterrement de Daoiz et Vélarde[2], un picador à cheval d'après Goya, plus un tambour de basque faisant pendant à une

1. Sparterie : natte de jonc ou de crin.
2. Daoiz et Vélarde : héros de l'insurrection du 2 Mai.

guitare ; par un mélange du sacré et du profane, dont l'ardente foi des pays vraiment catholiques ne s'alarme pas, entre ces deux instruments de joie et de plaisir s'élevait une longue palme tirebouchonnée, rapportée de l'église le jour de Pâques fleuries.

Telle était la chambre de Militona, et, bien qu'elle ne renfermât que les choses strictement nécessaires à la vie, elle n'avait pas l'aspect aride et froid de la misère ; un rayon joyeux l'illuminait ; le rouge vif des briques du plancher était gai à l'œil ; aucune ombre difforme ne trouvait à s'accrocher, avec ses ongles de chauve-souris, dans ces angles d'une blancheur éclatante ; aucune araignée ne tendait sa toile entre les solives du plafond ; tout était frais, souriant et clair dans cette pièce meublée de quatre murs. En Angleterre, c'eût été le dénuement le plus profond ; en Espagne, c'était presque l'aisance, et plus qu'il n'en fallait pour être aussi heureux qu'en paradis.

La vieille était enfin parvenue à se hisser jusqu'au bout de l'escalier ; elle entra dans le charmant réduit et s'affaissa sur une des deux chaises, que son poids fit craquer d'une manière alarmante.

« Je t'en prie, Militona, décroche-moi la jarre, que je boive un coup ; j'étouffe, j'étrangle ; la poussière de la place et ces damnées pastilles de menthe m'ont mis le feu au gosier.

– Il ne fallait pas les manger à poignées, tia », répondit la jeune fille avec un sourire en inclinant le vase sur les lèvres de la vieille.

Aldonza but trois ou quatre gorgées, passe le dos de sa main sur sa bouche et s'éventa en silence sur un rythme rapide.

« À propos de pastilles, dit-elle après un soupir, quels

regards furieux lançait Juancho de notre côté! je suis sûre qu'il a manqué le taureau parce que ce joli monsieur te parlait; il est jaloux comme un tigre, ce Juancho, et, s'il a pu le retrouver, il lui aura fait passer un mauvais quart d'heure. Je ne donnerais pas beaucoup d'argent de la peau de ce jeune homme, car elle court risque d'être fendue par de fameuses estafilades. Te rappelles-tu la belle aiguillette qu'il a levée sur ce Luca, qui voulait t'offrir un bouquet à la remeria de San-Isidoro[1]?

– J'espère que Juancho ne se portera à aucune de ces fâcheuses extrémités; j'ai prié ce jeune homme de ne plus m'adresser la parole, d'un ton si suppliant et si absolu, qu'il n'a plus rien dit à dater de ce moment; il a compris mon effroi et en a eu pitié. Mais quelle affreuse tyrannie d'être ainsi poursuivie de cet amour féroce!

– C'est ta faute, dit la vieille; pourquoi es-tu si jolie?»

Un coup sec, frappé à la porte comme par un doigt de fer, interrompit la conversation des deux femmes.

La vieille se leva et alla regarder par le petit judas grillé et fermé d'un volet, pratiqué dans la porte, à hauteur d'homme, selon l'usage espagnol.

À l'ouverture parut la tête de Juancho, pâle sous la teinte bronzée dont le soleil de l'arène l'avait revêtue.

Aldonza entrebâilla la porte et Juancho entra. Son visage trahissait les violentes émotions qui l'avaient agité dans le cirque; on y lisait une rage concentrée; car, pour cette âme entichée d'un grossier point d'honneur, les bravos n'effaçaient pas les sifflets; il se regardait comme déshonoré et obligé aux plus téméraires prouesses pour se réhabiliter dans l'opinion publique et vis-à-vis de lui-même.

---

1. San Isidoro : saint patron de Madrid. Sa fête est célébrée le 10 mai.

Mais ce qui l'occupait surtout, et ce qui portait sa fureur au plus haut degré, c'était de n'avoir pu quitter l'arène assez tôt pour rejoindre le jeune homme qui paraissait si galant auprès de Militona ; où le retrouver maintenant ? Sans doute il avait suivi la jeune fille, il lui avait parlé encore.

À cette idée, sa main tâtait machinalement sa ceinture pour y chercher son couteau.

Il s'assit sur l'autre chaise ; Militona, appuyée à la fenêtre, déchiquetait la capsule d'un œillet rouge effeuillé ; la vieille s'éventait par contenance ; un silence général régnait entre les trois personnages ; ce fut la vieille qui le rompit.

« Juancho, dit-elle, votre bras vous fait-il toujours souffrir ?

— Non, répondit le torero en attachant son regard profond sur Militona.

— Il faudrait y mettre des compresses d'eau et de sel », continua la vieille, pour ne pas laisser tomber aussitôt la conversation.

Mais Juancho ne fit aucune réponse, et, comme dominé par une idée fixe, il dit à Militona : « Quel était ce jeune homme placé à côté de vous à la course de taureaux ?

— C'est la première fois que je le rencontre ; je ne le connais pas.

— Mais vous voudriez le connaître ?

— La supposition est polie. Eh bien ! quand cela serait ?

— Si cela était, je le tuerais, ce charmant garçon en bottes vernies, en gants blancs et en frac.

— Juancho, vous parlez comme un insensé ; vous ai-je donné le droit d'être jaloux de moi ? Vous m'aimez, dites-vous ; est-ce ma faute, et faut-il, parce qu'il vous a pris fantaisie de me trouver jolie, que je me mette à vous adorer sur-le-champ?

– Ça, c'est vrai, elle n'y est pas forcée, dit la vieille; mais pourtant, à vous deux vous feriez un beau couple! Jamais main plus fine ne se serait posée sur un bras plus vigoureux, et, si vous dansiez ensemble une cachucha au jardin de Las Delicias[1], ce serait à monter sur les chaises.

– Ai-je fait la coquette avec vous, Juancho? vous ai-je attiré par des œillades, des sourires et des mines penchées?

– Non, répondit le torero d'une voix creuse.

– Je ne vous ai jamais fait de promesses ni permis de concevoir d'espérances; je vous ai toujours dit : "Oubliez-moi." Pourquoi me tourmenter et m'offenser par vos violences que rien ne justifie? Faudra-t-il donc, parce que je vous ai plu, que je ne puisse laisser tomber un regard qui ne soit un arrêt de mort? Ferez-vous toujours la solitude autour de moi? Vous avez estropié ce pauvre Luca, un brave garçon qui m'amusait et me faisait rire, et blessé grièvement Ginès, votre ami, parce qu'il m'avait effleuré la main; croyez-vous que tout cela arrange beaucoup vos affaires? Aujourd'hui, vous faites des extravagances dans le cirque; pendant que vous m'espionnez, vous laissez arriver les taureaux sur vous, et donnez une pitoyable estocade!

– Mais c'est que je t'aime, Militona, de toutes les forces de mon âme, avec toute la fougue de ce sang qui calcine mes veines; c'est que je ne vois que toi au monde, et que la corne d'un taureau m'entrant dans la poitrine ne me ferait pas détourner la tête quand tu souris à un autre homme. Je n'ai pas les manières douces, c'est vrai, car j'ai passé ma

1. Jardin de Las Delicias : lieu où se donnaient de grands bals populaires.

jeunesse à lutter corps à corps avec les bêtes farouches ; tous les jours je tue et m'expose à être tué ; je ne puis pas avoir la douceur de ces petits jeunes gens délicats et minces comme des femmes, qui perdent leur temps à se faire friser et à lire les journaux ! Au moins, si tu n'es pas à moi, tu ne seras pas à d'autres ! » reprit Juancho après une pause, en frappant la table avec force, et comme résumant par ce coup de poing son monologue intérieur.

Et, là-dessus, il se leva brusquement et sortit en grommelant :

« Je saurai bien le trouver et lui mettre trois pouces de fer dans le ventre. »

Retournons maintenant auprès d'Andrès, qui, piteusement planté devant le piano, fait sa partie dans le duo de Bellini avec un luxe de notes fausses à désespérer Feliciana. Jamais soirée élégante ne lui avait inspiré plus d'ennui, il donnait à tous les diables la marquise de Benavidès et sa tertulia.

Le profil si pur et si fin de la jeune manola, ses cheveux de jais, son œil arabe, sa grâce sauvage, son costume pittoresque, lui faisaient prendre un plaisir médiocre aux douairières en turban qui garnissaient le salon de la marquise. Il trouva sa fiancée décidément laide, et sortit tout à fait amoureux de Militona.

Comme il descendait la rue d'Alcala pour retourner chez lui, il se sentit tirer par la basque de son habit ; c'était Perico qui, ayant fait de nouvelles découvertes, tenait à lui rendre compte de sa mission, et aussi peut-être à toucher le douro promis.

« Cavalier, dit l'enfant, elle demeure dans la rue del Povar, la troisième maison à droite. Je l'ai vue tantôt à sa fenêtre, qui prenait la jarre à rafraîchir l'eau. »

4

« Ce n'est pas le tout de connaître le nid de la colombe, se dit don Andrès en s'éveillant après un sommeil que l'image de Militona avait traversé plus d'une fois de sa gracieuse apparition, il faut encore arriver jusqu'à elle. Comment s'y prendre? Je ne vois guère d'autre moyen que de m'aller établir en croisière devant sa maison, et d'observer les tenants et les aboutissants. Mais si je vais dans ce quartier, habillé comme je suis, c'est-à-dire comme la dernière gravure de mode de Paris, j'attirerai l'attention et cela me gênerait dans mes opérations de reconnaissance. Dans un temps donné, elle doit sortir ou rentrer; car je ne suppose pas qu'elle ait sa chambrette approvisionnée pour six mois de dragées et de noisettes; je l'accosterai au passage avec quelque phrase galamment tournée, et je verrai bien si elle est aussi farouche à la conversation qu'elle l'était à la place des Taureaux. Allons au Rastro acheter de quoi nous transformer de fashionable en manolo; ainsi déguisé, je n'éveillerai les soupçons d'aucun jaloux et d'aucun frère féroce, et je pourrai, sans faire semblant de rien, prendre des informations sur ma belle. »

Ce projet arrêté, Andrès se leva, avala à la hâte une tasse de chocolat à l'eau, et se dirigea vers le Rastro, qui est, comme le Temple de Madrid, l'endroit où l'on trouve tout, excepté une chose neuve. Il se sentait tout heureux et tout gai; l'idée que la jeune fille ne pouvait pas l'aimer ou en aimer un autre ne lui était pas venue : il avait cette confiance qui trompe rarement, car elle est comme la divination de la sympathie; l'ancien esprit d'aventure espagnol se réveillait en lui. Ce travestissement l'amusait, et, quoique l'infante à conquérir ne fût qu'une manola, il se promettait du plaisir à se promener sous sa fenêtre en manteau couleur de muraille ; le danger que l'effroi de la jeune fille faisait pressentir ôtait à cette conquête ce qu'elle pouvait avoir de vulgaire.

Tout en forgeant dans sa tête ces mille et mille stratagèmes qui s'écroulent les uns sur les autres et dont aucun ne peut servir à l'occasion, Andrès arriva au Rastro.

C'est un assez curieux endroit que le Rastro. Figurez-vous un plateau montueux, une espèce de butte entourée de maisons chétives et malsaines, où se pratiquent toutes sortes d'industries suspectes.

Sur ce tertre et dans les rues adjacentes se tiennent des marchands de bric-à-brac de bas aloi, fripiers, marchands de ferraille, de chiffons, de verres cassés, de tout ce qui est vieux, sale, déchiré, hors de service. Les taches et les trous, les fragments méconnaissables, le tesson de la borne, le clou du ruisseau trouvent là des acheteurs. C'est un singulier mélange où les haillons de tous les états ont des rencontres philosophiques : le vieil habit de cour dont on a décousu les galons coudoie la veste du paysan aux parements multicolores ; la jupe à paillettes désargentées de la danseuse est pendue à côté d'une soutane élimée et rapiécée. Des étriers de picador sont mêlés à des fleurs fausses, à des livres dépareillés, à des tableaux noirs et jaunes, à des portraits qui n'intéressent plus personne. Rabelais et Balzac vous feraient là-dessus une énumération de quatre pages.

Cependant, en remontant vers la place, il y a quelques boutiques un peu plus relevées où l'on trouve des habits qui, sans être neufs, sont encore propres et peuvent être portés par d'autres que des sujets du royaume picaresque*.

Ce fut dans une de ces boutiques qu'Andrès entra.

Il y choisit un costume de manolo assez frais, et qui avait dû, dans sa primeur, procurer à son heureux possesseur bien des conquêtes dans la red San-Luis, la rue del Barquillo et la place Santa-Ana : ce costume se composait d'un chapeau à cime tronquée, à bords évasés en turban et garnis de velours, d'une veste ronde tabac d'Espagne, à petits boutons, de pantalons larges, d'une grande ceinture de soie et d'un manteau de couleur sombre. Tout cela était usé juste à point pour avoir perdu son lustre, mais ne manquait pas d'une certaine élégance.

Andrès s'étant contemplé dans une grande glace de Venise à biseau, entourée d'un cadre magnifique et venue là on ne sait d'où, se trouva à son gré. En effet, il avait ainsi une tournure délibérée, svelte, faite pour les cœurs sensibles de Lavapiès.

Après avoir payé et fait mettre les habits à part, il dit au marchand qu'il reviendrait le soir se costumer dans sa boutique, ne voulant pas qu'on le vît sortir de chez lui travesti.

En revenant, il passa par la rue del Povar ; il reconnut tout de suite la fenêtre entourée de blanc et la jarre suspendue dont Perico lui avait parlé ; mais rien ne semblait lui indiquer la présence de quelqu'un dans la chambre : un rideau de mousseline soigneusement fermé rendait la vitre opaque au dehors.

«Elle est sans doute sortie pour aller vaquer à quelque ouvrage ; elle ne rentrera que la journée finie, car elle doit être couturière, cigarera, brodeuse ou quelque chose approchant», se dit Andrès, et il continua sa route.

Militona n'était pas sortie, et, penchée sur la table, elle ajustait les différentes pièces d'un corsage de robe étalées sous ses yeux. Quoiqu'elle ne fît rien de mystérieux, le verrou de sa porte était poussé, sans doute dans la crainte de quelque invasion subite de Juancho, que l'absence de la tia Aldonza aurait rendue plus dangereuse.

Tout en travaillant, elle pensait au jeune homme qui la regardait la veille, au Cirque, avec un œil si ardent et si velouté, et lui avait dit quelques mots d'une voix qui résonnait encore doucement à son oreille.

« Pourvu qu'il ne cherche pas à me revoir ! Et pourtant cela me ferait plaisir qu'il le cherchât. Juancho engagerait avec lui quelque affreuse querelle, il le tuerait peut-être ou le blesserait dangereusement comme tous ceux qui ont voulu me plaire ; et même, quand je pourrais me soustraire à la tyrannie de Juancho, qui m'a suivie de Grenade à Séville, de Séville à Madrid, et qui me poursuivrait jusqu'au bout du monde pour m'empêcher de donner à un autre le cœur que je lui refuse, à quoi cela m'avancerait-il ? Ce jeune homme n'est pas de ma classe ; à ses habits l'on voit qu'il est noble et riche ; il ne peut avoir pour moi qu'un caprice passager : il m'a déjà oubliée sans doute. »

Ici, la vérité nous oblige à confesser qu'un léger nuage passa sur le front de la jeune fille, et qu'une respiration prolongée, qui pouvait se prendre pour un soupir, gonfla sa poitrine oppressée.

« Il doit sans doute avoir quelque maîtresse, quelque fiancée, jeune, belle, élégante, avec de beaux chapeaux et de grands châles. Comme il serait bien avec une veste brodée en soie de couleur, à boutons de filigrane d'argent, des bottes piquées de Ronda, et un petit chapeau andalous ! Quelle taille fine il aurait, serré par une belle ceinture de soie de Gibraltar ! » se disait Militona continuant son monologue, où, par un innocent subterfuge du cœur, elle revêtait Andrès d'un costume qui le rapprochait d'elle.

Elle en était là de sa rêverie, lorsque Aldonza, qui habitait la même maison, heurta à la porte.

«Tu ne sais pas, ma chère? dit-elle à Militona; cet enragé de Juancho, au lieu d'aller panser son bras, s'est promené toute la nuit devant ta fenêtre, sans doute pour voir si le jeune homme du Cirque rôdait par là : il s'était fourré dans la tête que tu lui avais donné rendez-vous. Si cela avait été vrai, cependant? comme ce serait commode! Aussi, pourquoi ne l'aimes-tu pas, ce pauvre Juancho? il te laisserait tranquille.

– Ne parlons pas de cela; je ne suis pas responsable de l'amour que je n'ai provoqué en rien.

– Ce n'est pas, poursuivit la vieille, que le jeune cavalier de la place des Taureaux ne soit très bien de sa personne, et très galant; il m'a offert la boîte de pastilles avec beaucoup de grâce et tous les égards dus à mon sexe; mais Juancho m'intéresse, et j'en ai une peur de tous les diables! Il me regarde un peu comme ton chaperon, et serait capable de me rendre responsable de ta préférence pour un autre. Il te surveille de si près, qu'il serait bien difficile de lui cacher la moindre chose.

– À vous entendre, on croirait que j'ai déjà une affaire réglée avec ce monsieur, dont je me rappelle à peine les traits, répondit Militona en rougissant un peu.

– Si tu l'as oublié, il se souvient de toi, lui, je t'en réponds; il pourrait faire ton portrait de mémoire; il n'a pas cessé de te regarder tout le temps de la course; on eût dit qu'il était en extase devant une Notre-Dame.»

En entendant ces témoignages qui confirmaient l'amour d'Andrès, Militona se pencha sur son ouvrage sans rien répondre; un bonheur inconnu lui dilatait le cœur.

Juancho, lui, était bien loin de ces sentiments tendres;

enfermé dans sa chambre garnie d'épées et de devises de taureaux qu'il avait enlevées au péril de sa vie pour les offrir à Militona, qui n'en avait pas voulu, il se laissait aller à ce rabâchage intérieur des amants malheureux : il ne pouvait comprendre que Militona ne l'aimât point ; cette aversion lui semblait un problème insoluble et dont il cherchait en vain l'inconnue. N'était-il pas jeune, beau, vigoureux, plein d'ardeur et de courage ? les plus blanches mains de l'Espagne ne l'avaient-elles pas applaudi mille fois ? ses costumes n'étaient-ils pas brodés d'autant d'or, enjolivés d'autant d'ornements que ceux des plus galants toreros ? son portrait ne se vendait-il pas partout lithographié, imprimé dans les foulards avec une auréole de couplets laudatifs, comme celui des maîtres de l'art ? Qui, Montès excepté, poussait plus bravement une estocade et faisait agenouiller plus vite un taureau ? Personne. L'or, prix de son sang, roulait entre ses doigts comme le vif-argent. Que lui manquait-il donc ? Et il se cherchait avec bonne foi un défaut qu'il ne se trouvait pas ; et il ne pouvait s'expliquer cette antipathie, ou tout au moins cette froideur, que par un amour pour un autre. Cet autre, il le poursuivait partout ; le plus frivole motif excitait sa jalousie et sa rage ; lui qui faisait reculer les bêtes farouches, il se brisait contre la persistance glacée de cette jeune fille. L'idée de la tuer pour faire cesser le charme lui était venue plus d'une fois. Cette frénésie durait depuis plus d'un an, c'est-à-dire depuis le jour où il avait vu Militona, car son amour, comme toutes les fortes passions, avait acquis tout de suite son développement : l'immensité ne peut grandir.

Pour rencontrer Andrès, il s'était dit qu'il fallait fréquenter le salon du Prado, les théâtres del Circo et del Principe, les cafés élégants et les autres lieux de réunion de gens comme il faut ; et, bien qu'il professât un profond dédain pour les habits bourgeois, et fût ordinairement vêtu en majo, une redingote, un pantalon noir et un chapeau rond étaient posés sur une chaise : il était allé les acheter le matin sous les piliers de la Calle-Mayor, précisément à l'heure où Andrès faisait son emplette au Rastro ; l'un, pour arriver à l'objet de sa haine, l'autre, pour arriver à l'objet de son amour, avaient pris le même moyen.

Feliciana, à qui don Andrès ne manqua pas d'aller faire sa visite à l'heure ordinaire avec l'exactitude d'un amant criminel, lui fit d'amers reproches sur les notes fausses et les distractions sans nombre dont il s'était rendu coupable la veille chez la marquise de Benavidès. C'était bien la peine de répéter si soigneusement ce duo, de le chanter tous les jours, pour faire un fiasco à la soirée solennelle. Andrès s'excusa de son mieux. Ses fautes avaient fait briller d'un éclat plus vif l'imperturbable talent de Feliciana, qui n'avait jamais été mieux en voix, et qui avait chanté à rendre jalouse la Ronconi du théâtre del Circo ; et il n'eut guère de peine à la calmer ; ils se séparèrent fort bons amis.

Le soir était venu, et Juancho, revêtu de ses habits modernes qui le rendaient méconnaissable, parcourait d'un pas saccadé et fiévreux les avenues du Prado, regardant chaque homme au visage, allant, venant, tâchant d'être partout à la fois ; il entra dans tous les théâtres, fouilla de son œil d'aigle l'orchestre, les avant-scènes et les loges ; il avala toutes sortes de glaces dans les cafés, se mêla à tous les groupes de politiqueurs et de poètes dissertant sur la pièce nouvelle, sans pouvoir découvrir rien qui ressemblât à ce jeune homme qui parlait d'un air si tendre à Militona le jour des taureaux, par l'excellente raison qu'Andrès, qui était allé se costumer chez le marchand, prenait le plus posément du monde, à cette heure-là, un verre de limonade glacée dans une *orchateria de chufas* (boutique d'orgeat), située presque vis-à-vis la maison de Militona, où il avait établi son quartier d'observation, avec Perico pour éclaireur. Au reste, Juancho aurait passé devant lui sans le regarder ; l'idée ne lui serait pas venue d'aller chercher son rival sous la veste ronde et le sombrero de calaña[1] d'un manolo. Militona, cachée dans l'angle de la fenêtre, ne s'y était pas trompée une minute ; mais l'amour est plus clairvoyant que la haine. En proie à la plus vive anxiété, elle se demandait quels étaient les projets du jeune homme en s'établissant ainsi dans cette boutique, et redoutait la scène terrible qui ne saurait manquer de résulter d'une rencontre entre Juancho et lui.

Andrès, accoudé sur la table, examinait avec une attention de mouchard épiant un complot les gens qui entraient dans la maison. Il passa des femmes, des hommes, des enfants, des gens de tout âge, d'abord en grand nombre, car la maison était peuplée de beaucoup de familles, et puis à intervalles plus éloignés ; peu à peu, la nuit était venue, et il n'y avait plus à rentrer que quelques retardataires. Militona n'avait point paru.

Andrès commençait à douter de la bonté des renseignements de son émissaire, lorsque la fenêtre obscure s'éclaira et fit voir que la chambre était habitée.

Il avait la certitude que Militona était bien dans sa chambre, mais cela ne l'avançait pas à grand'chose ; il écrivit quelques mots au crayon sur un papier, et, appelant Perico qui rôdait aux alentours, lui dit de l'aller porter à la belle manola.

---

1. Calaña : cannage très grossier.

Perico, se glissant sur les pas d'un locataire qui rentrait, s'engagea dans l'escalier noir, et, tâtant les murs, finit par arriver au palier supérieur. La lueur qui filtrait par les interstices des ais[1] lui fit découvrir la porte qui devait être celle de Militona ; il frappa deux coups discrètement ; la jeune fille entrebâilla le guichet, prit la lettre et referma le petit volet.

«Pourvu qu'elle sache lire», dit Andrès en achevant sa boisson glacée et en payant sa dépense au Valencien, maître de l'orchateria.

Il se leva et marcha lentement sous la fenêtre. Voici ce que la lettre contenait :

Un homme qui ne peut vous oublier, et qui ne le voudrait pas, cherche à vous revoir ; mais, d'après les quelques mots que vous lui avez dits au Cirque, et ne sachant pas votre vie, il aurait peur, en l'essayant, de vous causer quelque contrariété. Le péril qui ne serait que pour lui ne l'arrêterait pas. Éteignez votre lampe et jetez-lui votre réponse par la fenêtre.

Au bout de quelques minutes la lampe disparut, la fenêtre s'ouvrit, et Militona, en prenant sa jarre, fit tomber un des pots de basilic qui vint se briser en éclats à quelque distance de don Andrès.

Dans la terre brune qui s'était répandue sur le pavé, brillait quelque chose de blanc ; c'était la réponse de Militona.

Andrès appela un sereno (garde de nuit) qui passait avec son falot[2] au bout de sa lance, et le pria de baisser sa lan-

1. Ais : planches.
2. Falot : grande lanterne.

terne, à la lueur de laquelle il lut ce qui suit, écrit d'une main tremblante et en grosses lettres désordonnées :

Éloignez-vous... je n'ai pas le temps de vous en écrire plus long. Demain, je serai à dix heures dans l'église de San-Isidro. Mais, de grâce, partez : il y va de votre vie.

«Merci, brave homme, dit Andrès en mettant un réal dans la main du sereno, vous pouvez continuer votre route.»

La rue était tout à fait déserte, et Andrès se retirait à pas lents, lorsque l'apparition d'un homme enveloppé dans un manteau, sous lequel le manche d'une guitare dessinait un angle aigu, éveilla sa curiosité et le fit se blottir dans un coin obscur.

L'homme rejeta les pans de son manteau sur ses épaules, ramena sa guitare par-devant, et commença à tirer des cordes ce bourdonnement rythmé qui sert de basse et d'accompagnement aux mélodies des sérénades et des séguidilles.

Il était évident que ces préludes bruyants avaient pour but d'éveiller la belle en l'honneur de qui ce bruit se commettait ; et, comme la fenêtre de Militona restait fermée, l'homme, réduit à se contenter d'un auditoire invisible, malgré ce dicton espagnol qui prétend qu'il n'est pas de femme si bien endormie à qui le frémissement d'une guitare ne fasse mettre le nez à la fenêtre, après deux «hum ! hum !» profondément sonores, commença à chanter les couplets suivants, avec un fort accent andalou :

Enfant aux airs d'impératrice,
Colombe au regard de faucon,
Tu me hais, mais c'est mon caprice
De me planter sous ton balcon.

Là, je veux, le pied sur la borne,
Pinçant les nerfs, tapant le bois,
Faire luire à ton carreau morne
Ta lampe et ton front à la fois.

Je défends à toute guitare
De bourdonner aux alentours.
Ta rue est à moi. Je la barre
Pour y chanter seul mes amours.

Et je coupe les deux oreilles
Au premier racleur de jambon
Qui, devant la chambre où tu veilles,
Braille un couplet mauvais ou bon.

Dans sa gaine, mon couteau bouge;
Allons! qui veut de l'incarnat?
À son jabot qui veut du rouge
Pour faire un bouton de grenat?

Le sang dans les veines s'ennuie,
Car il est fait pour se montrer;
Le temps est noir, gare la pluie!
Poltrons, hâtez-vous de rentrer.

Sortez, vaillants, sortez, bravaches,
L'avant-bras couvert du manteau.

Que sur vos faces de gavaches[1]
J'écrive des croix au couteau!

Qu'ils s'avancent! Seuls ou par bande,
De pied ferme je les attends.
À ta gloire il faut que je fende
Les naseaux de ces capitans[2].

Au ruisseau qui gêne ta marche
Et pourrait salir tes pieds blancs,
Corps du Christ! je veux faire une arche
Avec les côtes des galants.

Pour te prouver combien je t'aime,
Dis, je tuerai qui tu voudras;
J'attaquerai Satan lui-même,
Si pour linceul j'ai tes deux draps.

Porte sourde! Fenêtre aveugle!
Tu dois pourtant ouïr ma voix;
Comme un taureau blessé je beugle,
Des chiens excitant les abois!

Au moins plante un clou dans ta porte :
Un clou pour accrocher mon cœur.
À quoi sert que je le remporte
Fou de rage, mort de langueur?[3]

---

1. *Gavaches* : d'où qu'il soit employé, le terme désigne celui qui vient de plus au nord. Pour les Espagnols, *los gavachos* sont les Français.
2. *Capitans* : personnage ridicule et fanfaron.
3. Gautier publiera cette sérénade, sous le titre «Rondalla», dans *Émaux et Camées*, en 1852.

« Peste, quelle poésie farouche ! pensa Andrès, voilà de petits couplets qui ne pèchent pas par la fadeur. Voyons si Militona, car c'est en son honneur qu'a lieu ce tapage nocturne, est sensible à ces vers élégiaques, composés par Matamore, don Spavento, Fracasse ou Tranchemontagne[1]. C'est probablement là le terrible galant qui lui inspire tant de peur. On s'effrayerait à moins. »

Don Andrès, ayant un peu avancé la tête hors de l'ombre où il s'abritait, fut atteint par un rayon de lune et dénoncé aux regards vigilants de Juancho.

« Bon ! je suis pris, dit Andrès ; faisons bonne contenance. »

Juancho, jetant à terre sa guitare, qui résonna lugubrement sur le pavé, courut et s'avança sur Andrès, dont la figure était éclairée et qu'il reconnut aussitôt.

« Que venez-vous faire ici à cette heure ? dit-il d'une voix tremblante de colère.

– J'écoute votre musique : c'est un plaisir délicat.

– Si vous l'avez bien écoutée, vous avez dû entendre que je défends à qui que ce soit de se trouver dans cette rue quand j'y chante.

– Je suis très désobéissant de ma nature, répondit Andrès avec un flegme parfait.

– Tu changeras de caractère aujourd'hui.

– Pas le moins du monde, j'aime mes habitudes.

– Eh bien ! défends-toi ou meurs comme un chien », cria Juancho en tirant sa *navaja* et en roulant son manteau sur son bras.

Ces mouvements furent imités par Andrès, qui se trouva en garde avec une promptitude qui démontrait une bonne

1. Matamore, don Spavento, Fracasse ou Tranchemontagne : noms de soldats fanfarons. Fracasse sera le héros éponyme* d'un roman de Gautier, Spavento de Vall'Inferno est l'un des *capitans* de la *Commedia dell'arte*.

méthode et qui surprit un peu le torero, car Andrès avait longtemps travaillé sous un des plus habiles maîtres de Séville, de même qu'on voit à Paris de jeunes élégants étudier la canne, le bâton et la savate, réduits en principes mathématiques par Lecour et Boucher[1].

Juancho tournait autour de son adversaire, avançant comme un bouclier son bras gauche défendu par plusieurs épaisseurs d'étoffe, le bras droit retiré en arrière pour donner plus de jet et de détente au coup ; tour à tour, il se relevait et s'affaissait sur ses jarrets pliés, se grandissant comme un géant, se rapetissant comme un nain ; mais la pointe de son couteau rencontrait toujours la cape roulée d'Andrès prêt à la parade.

Tantôt il faisait une brusque retraite, tantôt une attaque impétueuse ; il sautait à droite et à gauche, balançant sa lame comme un javelot, et faisant mine de la lancer.

Andrès, à plusieurs reprises, répondit à ces attaques par des ripostes si vives, si bien dirigées, que tout autre que Juancho n'eût pu les parer. C'était vraiment un beau combat et digne d'une galerie de spectateurs érudits ; mais, par malheur, toutes les fenêtres dormaient et la rue était complètement déserte. Académiciens de la plage de San-Lucar, du Potro de Cordoue, de l'Albaycin de Grenade et du barrio de Triana, que n'étiez-vous là pour juger ces beaux coups !

Les deux adversaires, tout vigoureux qu'ils étaient, commençaient à se fatiguer ; la sueur ruisselait de leurs tempes, leurs poitrines haletaient comme des soufflets de forge, leurs pieds trépignaient la terre plus lourdement, leurs sauts avaient moins d'élasticité.

1. Lecour et Boucher : professeurs de combat, en vogue à l'époque.

Juancho avait senti la pointe du couteau d'Andrès pénétrer dans sa manche, et sa rage s'en était accrue ; tentant un suprême effort, au risque de se faire tuer, il s'élança comme un tigre sur son ennemi.

Andrès tomba à la renverse, et sa chute fit ouvrir la porte mal fermée de la maison de Militona, devant laquelle avait lieu la bataille. Juancho s'éloigna d'un pas tranquille. Le sereno qui passait au coin de la rue cria : « Rien de nouveau, onze heures et demie, temps étoilé et serein. »

5

Juancho s'était éloigné, à la voix du garde de nuit, sans s'assurer si Andrès était mort ou seulement blessé ; il croyait l'avoir tué, tant il était sûr de ce coup pour ainsi dire infaillible. La lutte avait été loyale, et il ne se sentait aucun remords ; le sombre plaisir d'être débarrassé de son rival dominait chez lui toute autre considération.

L'anxiété de Militona pendant cette lutte, dont le bruit sourd l'avait attirée à la fenêtre, ne saurait se peindre ; elle voulait crier, mais sa langue s'attachait à son palais, la terreur lui serrait la gorge de sa main de fer ; chancelante, éperdue, à demi folle, elle descendit l'escalier au hasard, ou plutôt elle se laissa glisser sur la rampe comme un corps inerte. Elle arriva juste au moment où Andrès tombait et repoussait par sa chute le battant mal clos de la porte.

Heureusement, Juancho ne vit pas le mouvement plein de désespoir et de passion avec lequel la jeune fille s'était précipitée sur le corps d'Andrès ; car, au lieu d'un meurtre, il en aurait commis deux.

Elle mit la main sur le cœur d'Andrès et crut sentir qu'il battait faiblement ; le sereno passait, répétant son refrain monotone ; Militona l'appela à son secours. L'honnête gallego accourut, et, mettant sa lanterne au visage du blessé, il dit : «Eh! tiens, c'est le jeune homme à qui j'ai prêté mon fanal pour lire une lettre» ; et il se pencha pour reconnaître s'il était mort ou vivant.

Ce sereno aux traits fortement caractérisés, à la physionomie rude, mais bonne ; cette jeune fille, d'une blancheur de cire et dont les sourcils noirs faisaient encore ressortir la mortelle pâleur ; ce corps inanimé, dont elle soutenait la tête sur ses genoux, formaient un groupe à tenter la brosse de Rembrandt. La lumière jaune de la lanterne frappait ces trois figures de reflets bizarres, et formait au centre de la scène cette étoile scintillante que le peintre hollandais aime à faire briller dans ses rousses ténèbres ; mais peut-être aurait-il fallu un pinceau plus pur et plus correct que le sien pour rendre la suprême beauté de Militona, qui semblait une statue de la Douleur agenouillée près d'un tombeau.

«Il respire, dit le sereno après quelques minutes d'examen ; voyons sa blessure.» Et il écarta les habits d'Andrès toujours évanoui. «Ah! voilà un fier coup, s'écria-t-il avec une sorte d'étonnement respectueux, porté de bas en haut, selon toutes les règles : c'est bien travaillé. Si je ne me trompe, ce doit être l'ouvrage d'une main sévillane. Je me connais en coups de couteau ; j'en ai vu tant! Mais qu'allons-nous faire de ce jeune homme? il n'est pas transportable, et d'ailleurs, où le porterions-nous? Il ne peut pas nous dire son adresse.

— Montons-le chez moi, dit Militona ; puisque je suis venue la première à son secours… il m'appartient.»

Le sereno appela, en poussant le cri de ralliement, un

confrère à son aide, et tous deux se mirent à gravir avec précaution le rude escalier. Militona les suivait, soutenant le corps de sa petite main, et tâchant d'épargner les secousses au pauvre blessé, qui fut posé doucement sur le petit lit virginal, à la couverture de mousseline dentelée.

L'un des serenos alla chercher un chirurgien, et l'autre, pendant que Militona déchirait quelque linge pour faire des bandelettes et de la charpie, tâtait les poches d'Andrès pour voir s'il ne s'y trouvait pas quelque carte ou quelque lettre qui pût servir à constater son identité. Il ne trouva rien. Le chiffon de papier sur lequel Militona prévenait Andrès du danger qu'il courait était tombé de sa poche pendant la lutte, et le vent l'avait emporté bien loin; ainsi, jusqu'au retour du blessé à la vie, nulle indication ne pouvait mettre la police sur la voie.

Militona raconta qu'elle avait entendu le bruit d'une querelle, puis un homme tomber, et ne dit pas autre chose. Bien qu'elle n'aimât pas Juancho, elle ne l'aurait pas dénoncé pour un crime dont elle était la cause involontaire. Les violences du torero, quoiqu'elles l'effrayassent, prouvaient une passion sans bornes, et, même lorsqu'on ne la partage pas, on est toujours secrètement flatté de l'inspirer.

Enfin, le chirurgien arriva et visita la blessure, qui n'avait rien de très grave : la lame du couteau avait glissé sur une côte. La force du coup et la rudesse de la chute, jointes à la perte de sang, avaient étourdi Andrès, qui revint à lui dès que la sonde toucha les bords de la plaie. Le premier objet qu'il aperçut en ouvrant les yeux, ce fut Militona qui tendait une bandelette au chirurgien. La tia Aldonza, accourue au bruit, se tenait debout de l'autre côté du chevet et marmottait à demi-voix des phrases de condoléances.

Le chirurgien, ayant achevé le pansement, se retira et dit qu'il reviendrait le lendemain.

Andrès, dont les idées commençaient à se débrouiller, promenait un regard encore vague sur ce qui l'entourait ; il s'étonnait de se trouver dans cette chambre blanche, sur ce chaste petit lit, entre un ange et une sorcière ; son évanouissement formait une lacune dans ses souvenirs, et il ne s'expliquait pas la transition qui l'avait amené de la rue, où tout à l'heure il se défendait contre la navaja de Juancho, dans le frais paradis habité par Militona.

« Je t'avais bien dit que Juancho ferait quelque malheur. Quel regard furieux il nous lançait ! ça ne pouvait manquer. Nous voilà dans de beaux draps ! Et quand il apprendra que tu as recueilli ce jeune homme dans ta chambre !

— Pouvais-je le laisser mourir sur ma porte, répondit Militona, moi qui suis cause de son malheur ? Et, d'ailleurs, Juancho ne dira rien ; il aura fort à faire pour échapper au châtiment qu'il mérite.

— Ah ! voilà le malade qui revient à lui, fit la vieille ; regarde, ses yeux s'entrouvrent, un peu de couleur reparaît aux joues.

— N'essayez pas de parler, le chirurgien l'a défendu », dit la jeune fille en voyant qu'Andrès essayait de balbutier quelques mots ; et, avec ce petit air d'autorité que prennent les gardes-malades, elle posa sa main sur les lèvres pâles du jeune homme.

Quand l'aurore, saluée par le chant de la caille et du grillon, fit pénétrer sa lueur rose dans la chambrette, elle éclaira un tableau qui eût fait rugir Juancho de colère : Militona, qui avait veillé jusqu'au matin au chevet du lit du blessé, brisée par la fatigue et les émotions de la nuit, s'était endormie, et sa tête flottante de sommeil, avait cherché, à son insu, un point d'appui au coin de l'oreiller sur lequel reposait Andrès. Ses beaux cheveux s'étaient dénoués et se répandaient en noires ondes sur la blancheur des draps, et Andrès, qui ne dormait pas, en enroulait une boucle autour de ses doigts.

Il est vrai que la blessure du jeune homme et la présence de tia Aldonza, qui ronflait à l'autre bout de la chambre à faire envie à la pédale de l'orgue de Notre-Dame de Séville, empêchaient toute mauvaise interprétation.

Si Juancho avait pu se douter qu'au lieu de tuer son rival il lui avait procuré un moyen d'entrer chez Militona, d'être déposé sur ce lit qu'il ne regardait qu'avec des frissons et des pâleurs, lui, l'homme au cœur d'acier et au bras de fer, de passer la nuit dans cette chambre où il était à peine admis le jour et devant laquelle il errait à travers l'ombre, irrité et grondant, il se serait roulé par terre de rage, et déchiré la poitrine avec ses ongles.

Andrès, qui cherchait à se rapprocher de Militona, n'avait pas pensé à ce moyen dans tous ses stratagèmes.

La jeune fille se réveilla, renoua ses cheveux toute honteuse, et demanda au malade comment il se trouvait :

« Bien », répondit celui-ci en attachant sur la belle enfant un regard plein d'amour et de reconnaissance.

Les domestiques d'Andrès, voyant qu'il n'était pas rentré, crurent qu'il avait fait quelque souper joyeux ou qu'il était allé à la campagne, et ne s'inquiétèrent pas autrement.

Feliciana attendit vainement la visite accoutumée. Andrès ne parut pas. Le piano en souffrit. Feliciana, contrariée de cette absence, frappait les touches avec des mouvements saccadés et nerveux ; car, en Espagne, ne pas aller voir sa novia à l'heure dite est une faute grave qui vous fait appeler ingrat et perfide. Ce n'est pas que Feliciana fût éprise bien violemment de don Andrès; la passion n'était pas dans sa nature et lui eût paru une chose inconvenante : mais elle avait l'habitude de le voir, et, à titre de future épouse, le regardait déjà comme sa propriété. Elle alla vingt fois du piano au balcon, et contrairement à la mode anglaise, qui ne veut pas qu'une femme regarde par la fenêtre, elle se pencha dans la rue pour voir si don Andrès n'arrivait pas.

«Je le verrai sans doute au Prado ce soir, se dit Feliciana par manière de consolation, et je lui ferai une verte semonce.»

Le Prado, à sept heures du soir, en été, est assurément une des plus belles promenades du monde : non qu'on ne puisse trouver ailleurs des ombrages plus frais, un site plus pittoresque; mais nulle part il n'existe une animation plus vive, un mouvement plus gai de la population.

Le Prado s'étend de la porte des Récollets à la porte d'Atocha, mais il n'est guère fréquenté que dans la portion comprise entre la rue d'Alcala et la rue de San-Geronimo. Cet endroit s'appelle le Salon, nom assez peu champêtre pour une promenade. Des rangées d'arbres trapus, qu'on écime pour forcer le feuillage à s'étendre, versent une ombre avare sur les promeneurs.

La chaussée réservée aux voitures est bordée de chaises comme le boulevard de Gand[1], et de candélabres dans le goût de ceux de la place de la Concorde, qui ont remplacé les jolies potences de fer, à volutes élégamment enroulées qui naguère encore supportaient les lanternes.

Sur cette chaussée se pavanent les voitures de Londres et de Bruxelles, les tilburys, les calèches, les landaus aux por-

---

1. Boulevard de Gand : boulevard des Italiens, haut lieu de l'élégance parisienne, ironiquement rebaptisé par les adversaires de Louis XVIII. Ses partisans s'y retrouvaient, en effet, lors de l'exil du roi à Gand, durant les Cent-Jours.

tières armoriées, et quelquefois aussi le vieux carrosse espagnol traîné par quatre mules rebondies et luisantes.

Les élégants se penchent sur leurs trotteurs anglais ou font piaffer leurs jolis chevaux andalous à la crinière nattée de rouge, au col arrondi en gorge de pigeon, aux mouvements onduleux comme les hanches d'une danseuse arabe. De temps en temps passe au galop un magnifique barbe de Cordoue, noir comme l'ébène et digne de manger de l'orge mondé dans une auge d'albâtre aux écuries des califes, ou quelque prodige de beauté, une vierge de Murillo[1] détachée de son cadre et trônant dans sa voiture avec un chapeau de Beaudrand[2] pour auréole.

Dans le Salon proprement dit fourmille une foule incessamment renouvelée, une rivière vivante avec des courants en sens contraires, des remous et des tourbillons, qui se meut entre des quais de gens assis.

Les mantilles de dentelles blanches ou noires encadrent de leurs plis légers les plus célestes visages qu'on puisse voir. La laideur est un accident rare. Au Prado, les laides ne sont que jolies; les éventails s'ouvrent et se ferment avec un sifflement rapide, et les *agurs* (bonjours) jetés au passage sont accompagnés de gracieux sourires ou de petits signes de main; c'est comme le foyer de l'Opéra au carnaval, comme un bal masqué à visage découvert.

De l'autre côté, sous les allées qui longent le parc d'artillerie et le musée de peinture, à peine flânent quelques fumeurs misanthropiques qui préfèrent à la chaleur et au tumulte de la foule la fraîcheur et la rêverie du soir.

Feliciana, qui se promenait en voiture découverte à côté de don Geronimo, son père, cherchait vainement des yeux

1. Murillo : peintre espagnol (1618-1682).
2. Beaudrand : célèbre marchand de chapeaux de l'époque.

son fiancé parmi les groupes de jeunes cavaliers ; il ne vint pas, selon son habitude, caracoler près de la voiture. Et les observateurs s'étonnèrent de voir la calèche de doña Feliciana Vasquez de los Rios faire quatre fois la longueur de la chaussée sans son escorte ordinaire.

Au bout de quelque temps, Feliciana, ne voyant pas Andrès à l'état équestre, pensa qu'il se promenait peut-être pédestrement dans le Salon, et dit à son père qu'elle avait envie de marcher.

Trois ou quatre tours faits dans le Salon et l'allée latérale la convainquirent de l'absence d'Andrès.

Un jeune Anglais recommandé à don Geronimo vint le saluer et commença une de ces conversations laborieuses que les habitants de la Grande-Bretagne ont seuls la persévérance de poursuivre, avec les gloussements et les intonations les plus bizarres, à travers les langues qu'ils ne savent pas.

Feliciana, qui entendait assez couramment *Le Vicaire de Wakefield* [1], venait au secours du jeune insulaire avec une obligeance charmante, et prodiguait les plus doux sourires à ses affreux piaulements. Au théâtre del Circo, où ils se rendirent ensuite, elle lui expliqua le ballet et lui fit la nomenclature des loges... Andrès ne se montra pas encore.

En rentrant, Feliciana dit à son père :

« On n'a pas vu Andrès aujourd'hui.

– C'est vrai, dit Geronimo, je vais envoyer chez lui. Il faut qu'il soit malade. »

Le domestique revint au bout d'une demi-heure et dit :

« M. Andrès de Salcedo n'a pas paru chez lui depuis hier. »

---

1. *Le Vicaire de Wakefield* : roman édifiant (1766) d'Olivier Goldsmith, lecture des jeunes filles de bonne famille du XIXᵉ siècle.

6

Le lendemain se passa sans apporter de nouvelles d'Andrès. On alla chez tous ses amis. Personne ne l'avait vu depuis deux jours.

Cela commençait à devenir étrange. On supposa quelque voyage subit pour affaire d'importance. Les domestiques, interrogés par don Geronimo, répondirent que leur jeune maître était sorti l'avant-veille, à six heures du soir, après avoir dîné comme à l'ordinaire, sans avoir fait aucun pré-paratif, ni rien dit qui pût faire soupçonner un départ. Il était habillé d'une redingote noire, d'un gilet jaune de piqué anglais, et d'un pantalon blanc, comme pour aller au Prado.

Don Geronimo, fort perplexe, dit qu'il fallait visiter la chambre d'Andrès pour voir s'il n'avait pas laissé sur quelque meuble une lettre explicative de sa disparition.

Il n'y avait chez Andrès d'autre papier que du papier à cigarette.

Comment justifier cette absence incompréhensible?

Par un suicide?

Andrès n'avait ni chagrins d'amour, ni chagrins d'argent, puisqu'il devait épouser bientôt celle qu'il aimait, et jouissait de cent mille réaux de rente parfaitement assurés. D'ailleurs, comment se noyer au mois de juin dans le Manzanarès[1], à moins d'y creuser un puits?

Par un guet-apens?

Andrès n'avait pas d'ennemis, ou du moins on ne lui en connaissait pas. Sa douceur et sa modération écartaient l'idée d'un duel ou d'une rixe où il aurait succombé;

---

1. Manzanarès : rivière arrosant Madrid.

ensuite l'événement eût été connu, et, mort ou vivant, Andrès eût été rapporté chez lui.

Il y avait donc là-dessous quelque mystère que la police seule pouvait éclaircir.

Geronimo, avec la naïveté des honnêtes gens, croyait à l'omniscience et à l'infaillibilité de la police; il eut recours à elle.

La police, personnifiée par l'alcade du quartier, mit ses lunettes sur son nez, consulta ses registres, et n'y trouva rien, à dater du soir de la disparition d'Andrès, qui pût se rapporter à lui. La nuit avait été des plus calmes dans la très noble et très héroïque cité de Madrid : sauf quelques vols avec effraction ou escalade, quelque tapage dans les mauvais lieux, quelques rixes d'ivrognes dans les cabarets, tout avait été le mieux du monde.

«Il y a bien, dit le grave magistrat avant de refermer son livre, un petit cas de tentative de meurtre aux environs de la place de Lavapiès.

— Oh! monsieur, répondit Geronimo déjà tout alarmé, pouvez-vous me donner quelques détails?

— Quels vêtements portait don Andrès de Salcedo la dernière fois qu'il est sorti de chez lui? demanda l'officier de police avec un air de réflexion profonde.

— Une redingote noire, répondit Geronimo plein d'anxiété.

— Pourriez-vous affirmer, continua l'alcade, qu'elle fût précisément noire, et non pas tête-de-nègre, vert bronze, solitaire, ou marron, par exemple? la nuance est très importante.

— Elle était noire, j'en suis sûr, je l'affirmerais sur l'honneur. Oui, devant Dieu et les hommes, la redingote de mon gendre futur était de cette couleur… distinguée, comme dit ma fille Feliciana.

– Vos réponses dénotent une éducation soignée, ajouta le magistrat en manière de parenthèse. Ainsi, vous êtes sûr que la redingote était noire ?

– Oui, digne magistrat, noire ; telle est ma conviction, et personne ne m'en fera changer.

– La victime portait une veste ronde, dite marseillaise et de couleur de tabac d'Espagne. À la rigueur, la nuit, une redingote noire pourrait passer pour une veste brune, se disait le magistrat paraissant se consulter lui-même. Don Geronimo, vos souvenirs vont-ils jusqu'à se rappeler le gilet que don Andrès avait ce soir-là ?

– Un gilet de piqué anglais jaune.

– Le blessé portait un gilet bleu à boutons de filigrane ; le jaune et le bleu n'ont pas beaucoup de rapport ; cela ne concorde pas très bien. Et le pantalon, monsieur, s'il vous plaît ?

– Blanc, monsieur, de coutil de fil, à sous-pied, ajusté sur la botte. Je tiens ces détails du valet de chambre qui a aidé Andrès dans sa toilette le jour fatal.

– Le procès-verbal marque pantalon large de drap gris, souliers blancs de peau de veau. Ce n'est pas cela. Ce costume est celui d'un majo, d'un petit-maître de la classe du peuple qui aura reçu ce mauvais coup à la suite de quelque bataille en l'honneur d'une donzelle à jupon court. Malgré toute la bonne volonté du monde, nous ne saurions reconnaître M. de Salcedo dans ce personnage. Voici, du reste, le signalement du blessé, relevé avec beaucoup de soin par le sereno : figure ovale, menton rond, front ordinaire, nez moyen, pas de signes particuliers. Reconnaissez-vous M. de Salcedo à ce portrait ?

– Pas le moins du monde, répondit avec conviction don Geronimo… Mais comment retrouver la trace d'Andrès?…

– Ne vous inquiétez pas, la police veille sur les citoyens ; elle voit tout, elle entend tout, elle est partout ; rien ne lui échappe ; Argus[1] n'avait que cent yeux, elle en a mille, et qui ne se laissent pas endormir par des airs de flûte. Nous retrouverons don Andrès, fût-il au fond des Enfers. Je vais mettre deux agents en route, les plus fines mouches qui aient jamais existé, Argamasilla et Covachuelo, et dans vingt-quatre heures nous saurons à quoi nous en tenir.»

Don Geronimo remercia, salua et sortit plein de confiance. Il retourna chez lui et fit le récit de la conversation qu'il avait eue avec la police à sa fille, qui n'eut pas un instant l'idée que le manolo blessé rue del Povar pût être son fiancé.

Feliciana pleurait la perte de son novio avec la réserve d'une demoiselle bien née ; car il serait indécent à une jeune personne de paraître regretter trop vivement un homme. De temps à autre, elle portait à ses yeux son mouchoir bordé de dentelles, pour essuyer une larme qui germait péniblement dans le coin de sa paupière. Les duos délaissés traînaient mélancoliquement sur le piano fermé : signe de grande prostration morale chez Feliciana. Don Geronimo attendait avec impatience que les vingt-quatre heures fussent écoulées pour voir le triomphant rapport de Covachuelo et d'Argamasilla.

Les deux spirituels agents allèrent d'abord à la maison d'Andrès, et firent causer adroitement les valets sur les habitudes de leur maître. Ils apprirent que don Andrès pre-

---

1. Argus : géant aux cent yeux de la mythologie, dont cinquante restaient toujours ouverts. Chargé par Héra de surveiller Io, il s'endormit au son de la flûte d'Hermès qui lui trancha la tête.

nait du chocolat le matin, faisait la sieste à midi, s'habillait sur les trois heures, allait chez doña Feliciana Vasquez de los Rios, dînait à six heures et rentrait se coucher vers minuit, après la promenade ou le spectacle, ce qui donna profondément à réfléchir aux deux agents. Ils surent aussi qu'en sortant de chez lui, Andrès avait descendu la rue d'Alcala jusqu'à la calle ancha de Peligros : ce détail précieux leur fut donné par un portefaix asturien qui se tenait habituellement devant la porte.

Ils se transportèrent rue de Peligros, et parvinrent à découvrir qu'Andrès y avait effectivement passé l'avant-veille, à six heures et quelques minutes ; de fortes présomptions pouvaient faire croire qu'il avait suivi son chemin par la rue de la Cruz.

Ce résultat important obtenu, fatigués par la violente contention d'esprit qu'il avait fallu pour y parvenir, ils entrèrent dans un ermitage, c'est ainsi qu'on appelle les cabarets à Madrid, et se mirent à jouer aux cartes en sablant une bouteille de vin de Manzanilla. La partie dura jusqu'au matin.

Après un court sommeil, ils reprirent leurs recherches et parvinrent à suivre rétrospectivement Andrès jusqu'aux environs du Rastro ; là, ils perdirent ses traces : personne ne pouvait plus leur donner de nouvelles du jeune homme en redingote noire, en gilet de piqué jaune, en pantalon blanc. Évaporation complète ! Tous l'avaient vu aller, nul ne l'avait vu revenir... Ils ne savaient que penser. Andrès ne pouvait cependant avoir été escamoté en plein jour dans un des quartiers les plus populeux de Madrid ; à moins qu'une trappe ne se fût ouverte sous ses pieds et refermée aussitôt, il n'y avait pas moyen d'expliquer cette suppression de personne.

Ils errèrent longtemps aux alentours du Rastro, interrogèrent quelques marchands, et n'en purent tirer rien autre chose. Ils s'adressèrent même à la boutique où Andrès s'était travesti; mais c'était la femme qui les reçut, et c'était le mari qui avait vendu les habits : elle ne put donc leur donner aucun renseignement, et d'ailleurs ne comprit rien aux questions ambiguës qu'ils lui firent; sur leur mauvaise mine, elle les prit même pour des voleurs, quoiqu'ils fussent précisément le contraire, et leur ferma la porte au nez d'assez mauvaise humeur, tout en regardant s'il ne lui manquait rien.

Tel fut le résultat de la journée. Don Geronimo retourna à la police, qui lui répondit gravement qu'on était sur la trace des coupables, mais qu'il ne fallait rien compromettre par trop de précipitation. Le brave homme, émerveillé, répéta la réponse de la police à Feliciana, qui leva les yeux au ciel, poussa un soupir et ne crut pas se permettre une exclamation trop forte pour la circonstance en disant : «Pauvre Andrès!»

Un fait bizarre vint compliquer cette ténébreuse affaire[1]. Un jeune drôle d'une quinzaine d'années environ avait déposé dans la maison d'Andrès un paquet assez gros, et s'était précipitamment retiré en jetant cette phrase : «Pour remettre à M. Salcedo.»

Cette phrase, si simple en apparence, parut une infernale ironie lorsqu'on ouvrit le paquet.

Il renfermait, devinez quoi? la redingote noire, le gilet de piqué jaune, le pantalon blanc de l'infortuné Andrès, et ses jolies bottes vernies à la tige de maroquin rouge. On

---

1. Référence ironique au roman de Balzac (1845), mettant réellement en scène une intrigue criminelle.

avait poussé le sarcasme jusqu'à rouler ses gants de Paris l'un dans l'autre avec beaucoup de soin.

À ce fait étrange et sans exemple dans les annales du crime, Argamasilla et Covachuelo restèrent frappés de stupeur : l'un leva les bras au ciel, l'autre les laissa pendre flasquement le long de ses hanches, dans une attitude découragée ; le premier dit : « *O tempora !* » et le second : « *O mores !* »[1]

Qu'on ne s'étonne pas d'entendre deux alguazils parler latin : Argamasilla avait étudié la théologie, et Covachuelo le droit ; mais ils avaient eu des malheurs. Qui n'en a pas eu ?

Renvoyer les habits de la victime à son domicile, fort proprement pliés et ficelés, n'était-ce pas un raffinement de perversité rare ? Joindre la raillerie au crime, quel beau texte pour le discours du fiscal[2] !

Cependant, l'examen des habits envoyés rendit encore les dignes agents plus perplexes.

Le drap de la redingote était parfaitement intact ; aucun trou triangulaire ou rond, accusant le passage d'une lame ou d'une balle, ne s'y montrait. Peut-être la victime avait-elle été étouffée. Alors il y aurait eu lutte ; le gilet et le pantalon n'auraient pas eu cette fraîcheur : ils seraient tordus, fripés, déchirés ; on ne pouvait supposer qu'Andrès de Salcedo se fût déshabillé lui-même avec précaution avant la perpétration du crime et livré tout nu aux poignards de ses assassins pour ménager ses hardes : c'eût été une petitesse !

Il y avait vraiment de quoi casser contre les murs des têtes plus fortes que celles d'Argamasilla et de Covachuelo.

---

1. « *O tempora !* » « *O mores !* » : « Ô temps, Ô mœurs ! », Cicéron, *Catilinaires*, I, 1.
2. Fiscal : magistrat des tribunaux espagnols.

Covachuelo, qui était le plus logicien des deux, après s'être tenu pendant un quart d'heure les tempes à deux mains pour empêcher l'intensité de la méditation de faire éclater son front de génie, émit cette idée triomphante :

« Si le seigneur Andrès de Salcedo n'est pas mort, il doit être vivant, car ce sont les deux manières d'être de l'homme ; je n'en connais pas une troisième. »

Argamasilla fit un signe de tête en manière d'adhésion.

« S'il vit, ce dont j'ai la persuasion, il ne doit pas aller sans vêtement, *more ferarum* [1]. Il n'avait aucun paquet en sortant de chez lui ; et, comme voilà ses habits, il doit en avoir acheté d'autres nécessairement, car il n'est pas supposable que dans cette civilisation avancée un homme se contente du vêtement adamique [2]. »

Les yeux d'Argamasilla lui sortaient des orbites, tant il écoutait, avec une attention profonde, le raisonnement de son ami Covachuelo.

« Je ne pense pas que don Andrès eût fait préparer d'avance les habits dont il se serait revêtu plus tard dans une maison du quartier où nous avons perdu ses traces ; il doit avoir acheté des nippes chez quelque fripier, après avoir renvoyé ses propres vêtements.

– Tu es un génie, un dieu, dit Argamasilla en serrant Covachuelo sur son cœur ; permets que je t'embrasse : à dater de ce jour, je ne suis plus ton ami, mais ton séide, ton chien, ton mameluk [3]. Dispose de moi, grand homme, je te suivrai partout. Ah ! si le gouvernement était juste, au lieu d'être simple agent de police, tu serais chef politique dans

---

1. *More ferarum* : à la manière des bêtes (Lucrèce, *De natura rerum*, V, 925).
2. Le vêtement adamique : la nudité.
3. Ton séide, ton chien, ton mameluk : exécutants aveugles des volontés d'un maître, esclaves.

les plus importantes villes du royaume. Mais les gouvernements ne sont jamais justes !

– Nous allons fouiller toutes les boutiques des fripiers et des marchands d'habits tout faits de la ville ; nous examinerons leurs registres de vente, et nous aurons, de cette manière, le nouveau signalement du seigneur Salcedo. Si le portier avait eu l'idée d'arrêter ou de faire arrêter le muchacho qui a remis le paquet, nous aurions su par lui qui l'envoyait, et d'où il venait. Mais les gens qui ne sont pas de la partie ne pensent à rien, et nul ne pouvait prévoir cet incident. Allons, en route, Argamasilla : tu vas visiter les tailleurs de la Calle-Mayor ; moi, je confesserai les fripiers du Rastro. »

Au bout de quelques heures, les deux amis faisaient leur rapport à l'alcade.

Argamasilla raconta minutieusement et compendieusement le résultat de ses recherches. Un individu revêtu du costume de *majo*, paraissant fort agité, avait acheté et payé, sans faire d'observation sur le prix (signe d'une grande préoccupation morale), un frac et un pantalon noirs, chez un des principaux maîtres tailleurs établis sous les piliers de la Calle-Mayor.

Covachuelo dit qu'un marchand du Rastro avait vendu une veste, un gilet et une ceinture de manolo à un homme en redingote noire et en pantalon blanc, qui, selon toute probabilité, n'était autre que don Andrès de Salcedo en personne.

Tous deux s'étaient déshabillés dans l'arrière-boutique et étaient sortis revêtus de leurs nouveaux costumes, qui, vu la classe de la société à laquelle ceux qui les portaient semblaient appartenir, étaient à coup sûr des déguisements. Dans quel but, le même jour, et presque à la même heure, un homme du monde avait-il pris la veste de *majo*, et un *majo* le frac d'un homme du monde? C'est ce que les faibles moyens d'agents subalternes comme les pauvres Argamasilla et Covachuelo ne sauraient décider, mais que devinerait infailliblement la haute perspicacité du magistrat devant lequel ils avaient l'honneur de parler.

Quant à eux, sauf meilleur avis, ils pensaient que cette disparition mystérieuse, cette coïncidence singulière de travestissements, ces habits renvoyés par manière de défi, toutes ces choses d'une étrangeté inexplicable, devaient se rattacher à quelque grande conspiration ayant pour but de mettre sur le trône Espartero ou le comte de Montemolin[1]. Sous ces habits d'emprunt, les coupables étaient sans doute partis pour aller rejoindre, dans l'Aragon ou la Catalogne, quelque noyau carliste[2], quelque reste de guérilla cherchant à se réorganiser. L'Espagne dansait sur un volcan; mais, si l'on voulait bien leur accorder une gratification, ils se chargeaient, à eux deux, Argamasilla et Covachuelo, d'éteindre ce volcan, d'empêcher les coupables de rejoindre leurs complices, et promettaient, sous huit jours, de livrer la liste des conjurés et les plans du complot.

L'alcade écouta ce rapport remarquable avec toute l'attention qu'il méritait, et dit aux deux agents :

« Avez-vous quelques renseignements sur les démarches faites par ces deux individus après leur travestissement réciproque?

– Le majo, habillé en homme du monde, est allé se promener dans le salon du Prado, est entré au théâtre del

---

1. Espartero ou le comte de Montemolin : chefs de partis d'opposition au gouvernement espagnol de l'époque.
2. Carliste : mouvement politique, soutien de la politique absolutiste de Carlos Luis de Borbón, comte de Montemolin, prétendant au trône d'Espagne.

Circo, et a pris une glace au café de la Bourse, répondit Argamasilla.

– L'homme du monde, habillé en majo, a fait plusieurs tours sur la place de Lavapiès et dans les rues adjacentes, flânant, lorgnant les manolas aux fenêtres ; ensuite il a bu une limonade à la neige, dans une *orchateria de chufas*, déposa Covachuelo.

– Chacun a pris le caractère de son costume, dissimulation profonde, infernale habileté, dit l'alcade ; l'un voulait se populariser et sonder les sentiments de la classe basse ; l'autre voulait assurer la haute de la sympathie et de la coopération populaires. Mais nous sommes là, nous veillons au grain ! Nous vous prendrons la main dans le sac, messieurs les conspirateurs, carlistes ou ayacuchos [1], progressistes ou retardataires. Ha ! ha ! Argus avait cent yeux, mais la police en a mille qui ne dorment pas. »

Cette phrase était le refrain du digne homme, son dada, son Lilla Burello [2]. Il trouvait avec raison qu'elle remplaçait fort majestueusement une idée, quand l'idée lui manquait.

« Argamasilla et Covachuelo, vous aurez votre gratification. Mais ne savez-vous pas ce que sont devenus vos deux criminels (car ils le sont), après les allées et les venues exigées par leurs funestes projets ?

– Nous l'ignorons ; car il faisait déjà sombre, et, comme nous ne pouvons obtenir sur des démarches extérieures et passées que des témoignages oculaires et peu détaillés, nous avons perdu leurs traces à dater de la nuit.

– Diable ! c'est fâcheux, reprit l'alcade.

---

1. Ayacuchos : partisans de Baldomero Espartero.
2. Lilla Burello : refrain d'une chanson irlandaise par laquelle l'oncle Toby, personnage du *Tristram Shandy* de Sterne, répond aux questions absurdes.

– Oh! nous les retrouverons», s'écrièrent les deux amis avec enthousiasme.

Don Geronimo revint dans la journée pour savoir s'il y avait des nouvelles.

Le magistrat le reçut assez sèchement; et, comme don Geronimo Vasquez se confondait en excuses et demandait pardon d'avoir été sans doute importun, il lui dit :

« Vous devriez bien ne pas vous intéresser si ostensiblement à don Andrès de Salcedo; il est impliqué dans une vaste conspiration dont nous sommes à la veille de saisir tous les fils.

– Andrès conspire! s'écria don Geronimo; lui!

– Lui, répéta d'un ton péremptoire l'officier de police.

– Un garçon si doux, si tranquille, si gai, si inoffensif!

– Il feignait la douceur comme Brutus[1] contrefaisait la folie; moyen de cacher son jeu et de détourner l'attention. Nous connaissons cela, nous autres vieux renards. Ce qui pourrait lui arriver de mieux, c'est qu'on ne le retrouvât pas. Souhaitez-le pour lui.»

Le pauvre Geronimo se retira très penaud et très honteux de son peu de perspicacité. Lui qui connaissait Andrès depuis l'enfance et l'avait fait sauter tout petit sur ses genoux, il ne se doutait pas le moins du monde qu'il avait recueilli dans sa maison un conspirateur d'une espèce si dangereuse. Il admirait avec terreur la sagacité effrayante de la police, qui, en si peu de temps, avait découvert un secret qu'il n'avait jamais soupçonné, lui qui pourtant voyait tous les jours le criminel, et l'avait méconnu au point de vouloir en faire son gendre.

L'étonnement de Feliciana fut au comble lorsqu'elle

---

1. Brutus : en latin, stupide; craignant les violences de Tarquin le Superbe, se faisait passer pour fou.

apprit qu'elle avait été courtisée avec tant d'assiduité par le chef d'un complot carliste aux immenses ramifications. Quelle force d'âme il fallait qu'eût don Andrès pour ne rien laisser transparaître de ses hautes préoccupations politiques, et répéter avec tant de flegme des duos de Bellini! Fiez-vous donc après cela aux airs reposés, aux mines tranquilles, aux yeux sereins, aux bouches souriantes! Qui eût dit qu'Andrès, qui ne prenait feu que pour les courses de taureaux et ne paraissait avoir d'autre opinion que de préférer Sevilla à Rodrigues, le Chiclanero à Arjona[1], cachait de si vastes pensées sous cette frivolité apparente?

Les deux agents se livrèrent à de nouvelles recherches et découvrirent que le jeune homme blessé et recueilli par Militona était le même qui avait acheté des habits au Rastro. Le rapport du sereno et celui du fripier concordaient parfaitement. Veste chocolat, gilet bleu, ceinture rouge, il n'y avait pas à s'y tromper.

Cette circonstance dérangeait un peu les espérances d'Argamasilla et de Covachuelo relativement à la conspiration. La disparition d'Andrès leur eût été plus commode. La chose avait l'air de se réduire à une simple intrigue amoureuse, à une innocente querelle de rivaux, à un meurtre pur et simple, ce qu'il y a au monde de plus insignifiant. Les voisins avaient entendu la sérénade, tout s'expliquait.

Covachuelo dit en soupirant:

« Je n'ai jamais eu de bonheur. »

Argamasilla répondit d'un ton larmoyant:

« Je suis né sous une étoile enragée. »

Pauvres amis! flairer une conspiration et mettre la main

---

1. Sevilla à Rodrigues, le Chiclanero à Arjona : célèbres picadors et toreros.

sur une méchante petite rixe suivie seulement de blessures graves! C'était navrant.

Retournons à Juancho, que nous avons abandonné depuis son combat au couteau contre Andrès. Une heure après il était retourné, à pas de loup, sur le théâtre de la lutte, et, à sa grande surprise, il n'avait pas retrouvé le corps à la place où il était certain de l'avoir vu tomber. Son adversaire s'était-il relevé et traîné plus loin dans les convulsions de l'agonie? avait-il été ramassé par les sere-nos? C'est ce qu'il ne pouvait savoir. Devait-il, lui Juancho, rester ou s'enfuir? Sa fuite le dénoncerait, et d'ailleurs l'idée de s'éloigner de Militona, de la laisser libre d'agir à son caprice, était insupportable à sa jalousie. La nuit était obscure, la rue déserte, personne ne l'avait vu. Qui pourrait l'accuser?

Cependant le combat avait duré assez longtemps pour que son adversaire le reconnût; car les toreros, comme les acteurs, ont des figures notoires et, s'il n'était pas mort sur le coup, comme l'on pouvait le supposer, peut-être l'avait-il dénoncé. Juancho, qui était en délicatesse avec la police pour ses vivacités de couteau, courrait risque, s'il était pris, d'aller passer quelques étés dans les possessions espa-gnoles en Afrique, à Ceuta ou à Melilla[1].

Il s'en alla donc chez lui, fit sortir dans la cour son che-val de Cordoue, lui jeta une couverture bariolée sur le dos et partit au galop.

Si un peintre eût vu passer dans les rues ce robuste cava-lier pressant des jambes ce grand cheval noir, à la crinière échevelée, à la queue flamboyante, qui arrachait des aigrettes d'étincelles au pavé inégal, et filait le long des

1. À Ceuta ou à Melilla : villes portuaires des côtes marocaines, aujourd'hui encore enclaves espagnoles.

murailles blanchâtres sur lesquelles son ombre avait de la peine à le suivre, il eût fait une figure d'un effet puissant ; car ce galop bruyant à travers la ville silencieuse, cette hâte à travers la nuit paisible, étaient tout un drame ; mais les peintres étaient couchés.

Il eut bientôt atteint la route Caravanchel, dépassé le pont de Ségovie, et s'élança à fond de train dans la campagne sombre et morne.

Déjà il était à plus de quatre lieues de Madrid, lorsque la pensée de Militona se présenta si vivement à son esprit, qu'il se sentit incapable d'aller plus loin. Il crut que son coup n'avait pas été bien porté, et que son rival n'avait peut-être qu'une légère blessure ; il se le figura guéri, aux genoux de Militona souriante.

Une sueur froide lui baigna le front ; ses dents s'engrenèrent les unes dans les autres sans qu'il pût les desserrer ; ses genoux convulsifs serrèrent si violemment les flancs de son cheval, que la noble bête, les côtes ployées, manquant de respiration, s'arrêta court. Juancho souffrait comme si on lui eût plongé dans le cœur des aiguilles rougies au feu.

Il tourna bride et revint vers la ville comme un ouragan. Quand il arriva, son cheval noir était blanc d'écume. Trois heures du matin venaient de sonner ; Juancho courut à la rue del Povar. La lampe de Militona brillait encore, chaste et tremblante étoile, à l'angle d'un vieux mur. Le torero essaya d'enfoncer la porte de l'allée ; mais, en dépit de sa force prodigieuse, il ne put en venir à bout. Militona avait soigneusement baissé les barres de fer à l'intérieur. Juancho rentra chez lui, brisé, malheureux à faire pitié, et dans l'incertitude la plus horrible ; car il avait vu deux ombres sur le rideau de Militona. S'était-il donc trompé de victime ?

Quand il fit grand jour, le torero, embossé dans sa cape et le chapeau sur les yeux, vint écouter les différentes versions qui circulaient dans le voisinage sur l'événement de la nuit ; il apprit que le jeune homme n'était pas mort, et que, déclaré non transportable, il occupait la chambre de Militona, qui l'avait recueilli, action charitable dont les commères du quartier la louaient fort. Malgré sa vigueur, il sentit ses genoux chanceler, fut forcé de s'appuyer à la muraille ; son rival dans la chambre et sur le lit de Militona ! Le neuvième cercle d'enfer[1] n'aurait pu inventer pour lui une torture plus horrible.

Prenant une résolution suprême, il entra dans la maison et commença à gravir l'escalier d'un pas lourd et plus sinistrement sonore que celui de la statue du commandeur[2].

7

Arrivé au palier du premier étage, Juancho, chancelant, éperdu, s'arrêta et demeura comme pétrifié ; il avait peur de lui-même et des choses terribles qui allaient se passer. Cent mille idées lui traversèrent la tête en une minute. Se contenterait-il de trépigner son rival et de lui faire rendre ce qui lui restait de son souffle abhorré ? Tuerait-il Militona ou mettrait-il le feu à la maison ? Il flottait dans un océan de projets horribles, insensés, tumultueux. Pendant un court éclair de raison, il fut sur le point de descendre, et

1. Neuvième cercle d'enfer : le dernier cercle de *L'Enfer* de Dante (chants XXII et XXIII) regroupe tous les traîtres.
2. Allusion à *Dom Juan* de Molière.

avait même déjà fait une demi-conversion de corps ; mais la jalousie lui enfonça de nouveau son épine empoisonnée dans le cœur, et il recommença à gravir la rude échelle.

Certes, il eût été difficile de trouver une nature plus robuste que celle de Juancho : un col rond comme une colonne et fort comme une tour, rattachait sa tête puissante à ses épaules athlétiques ; des nerfs d'acier s'entrecroisaient sur ses bras invincibles ; sa poitrine eût défié les pectoraux de marbre des gladiateurs antiques ; d'une main il aurait arraché la corne d'un taureau ; et pourtant la violence de la douleur morale brisait toute cette force physique. La sueur baignait ses tempes, ses jambes se dérobaient sous lui, le sang montait à sa tête par folles vagues, et il lui passait des flammes dans les yeux. À plusieurs reprises, il fut obligé de s'accrocher à la rampe pour ne pas tomber et rouler comme un corps inerte à travers l'escalier, tant il souffrait atrocement de l'âme.

À chaque degré, il répétait, en grinçant comme une bête fauve :

« Dans sa chambre !… dans sa chambre !… » Et machinalement il ouvrait et il fermait son long couteau d'Albacète[1], qu'il avait tiré de sa ceinture.

Il arriva enfin devant la porte, et là, retenant sa respiration, il écouta.

Tout était tranquille dans l'intérieur de la chambre, et Juancho n'entendit plus que le sifflement de ses artères et les battements sourds de son cœur.

Que se passait-il dans cette chambre silencieuse, derrière cette porte, faible rempart qui le séparait de son ennemi ? Militona, compatissante et tendrement inquiète, se pen-

1. Albacète : ville d'Espagne célèbre pour sa coutellerie.

chait sans doute vers la couche du blessé pour épier son sommeil et calmer ses souffrances.

«Oh! se dit-il, si j'avais su qu'il ne fallait qu'un coup de couteau dans la poitrine pour te plaire et t'attendrir, ce n'est pas à lui, mais à moi, que je l'aurais donné; dans ce funeste combat, je me serais découvert exprès pour tomber mourant devant ta maison. Mais tu m'aurais laissé me tordre sur le pavé sans secourir mon agonie : car je ne suis pas un joli monsieur à gants blancs et à redingote pincée, moi!»

Cette idée réveillant sa fureur, il heurta violemment.

Andrès tressaillit sur sa couche de douleur; Militona, qui était assise près de son lit, se leva droite et pâle, comme poussée par un ressort; la tia Aldonza devint verte, et fit un signe de croix en baisant son pouce.

Le coup était si bref, si fort, si impératif, qu'il n'y avait pas moyen de ne pas ouvrir. Un autre coup pareil à celui-là, et la porte tombait en dedans.

C'est ainsi que frappent les convives de marbre, les spectres qu'on ne peut chasser, tous les êtres fatals qui surviennent aux dénouements : la Vengeance avec son poignard, la Justice avec son glaive.

La tia Aldonza ouvrit le judas d'une main tremblante, et, par le trou carré, aperçut la tête de Juancho.

Le masque de Méduse[1], blafard au milieu de sa chevelure vipérine et verdâtre, n'eût pas produit un effet plus terrible sur la pauvre vieille; elle voulut appeler, mais aucun son ne put s'exhaler de sa gorge aride; elle resta les doigts écartés, les prunelles fixes, la bouche ouverte avec son cri figé, comme si elle eût été changée en pierre.

---

1. Méduse : une des Gorgones, qui pétrifiait de son regard quiconque osait la regardait.

Il est vrai que la tête du torero, ainsi encadrée, n'avait rien de rassurant : une auréole rouge cernait ses yeux ; il était livide, et ses pommettes, abandonnées par le sang, faisaient deux taches blanches dans sa pâleur ; ses narines dilatées palpitaient comme celles des bêtes féroces flairant une proie ; ses dents mordaient sa lèvre toute gonflée de leurs empreintes. La jalousie, la fureur et la vengeance combattaient sur cette physionomie bouleversée.

«Notre-Dame d'Almudena, marmotta la vieille, si vous nous sauvez de ce péril, je vous dirai une neuvaine et vous donnerai un cierge à festons et à poignée de velours.»

Tout courageux qu'il fût, Andrès éprouva ce sentiment de malaise que les hommes les plus braves ressentent en face d'un péril contre lequel ils sont sans défense ; il étendit machinalement la main comme pour chercher quelque arme.

Voyant qu'on n'ouvrait pas, Juancho appuya son épaule et fit une pesée ; les ais crièrent et le plâtre commença à se détacher autour des gonds et de la serrure.

Militona, se posant devant Andrès, dit d'une voix ferme et calme à la vieille, folle de terreur :

« Aldonza, ouvrez, je le veux.»

Aldonza tira le verrou, et, se rangeant contre le mur, elle renversa le battant de la porte sur elle pour se couvrir, comme le belluaire qui lâche un tigre dans l'arène, ou le garçon de toril donnant la liberté à une bête de Gaviria ou de Colmenar[1].

Juancho, qui s'attendait à plus de résistance, entra lentement, un peu déconcerté de n'avoir pas trouvé d'obstacles. Mais un regard jeté sur Andrès, couché sur le lit de Militona, lui rendit toute sa colère.

---

1. De Gaviria ou de Colmenar : élevages réputés de taureaux.

Il saisit le battant de la porte, auquel se cramponnait de toute sa force la tia Aldonza, qui croyait sa dernière heure arrivée, et la referma malgré tous les efforts de la pauvre femme ; puis il s'appuya le dos à la porte et croisa les bras sur sa poitrine.

« Grand Dieu ! murmura la vieille, claquant des dents, il va nous massacrer ici tous les trois. Si j'appelais au secours par la fenêtre ? »

Et elle fit un pas de ce côté. Mais Juancho, devinant son intention, la rattrapa par un pan de sa robe, et, d'un mouvement brusque, la replaqua au mur avec un morceau de jupe de moins.

« Sorcière, n'essaye pas de crier, ou je te tords le col comme à un poulet, et je te fais rendre ta vieille âme au diable ! Ne te mets pas entre moi et l'objet de ma colère, ou je t'écraserai en allant à lui. »

Et, en disant cela, il montrait Andrès faible et pâle et tâchant de soulever un peu sa tête de dessus l'oreiller.

La situation était horrible ; cette scène n'avait fait aucun bruit qui pût alarmer les voisins. Et d'ailleurs les voisins, retenus par la terreur qu'inspirait Juancho, se seraient plutôt enfermés chez eux qu'ils n'auraient eu l'idée d'intervenir dans un semblable débat ; aller chercher la police ou la force armée demandait beaucoup de temps, et il aurait fallu que quelqu'un du dehors fût prévenu, car il n'y avait pas moyen de songer à s'échapper de la chambre fatale.

Aussi le pauvre Andrès, déjà frappé d'un coup de couteau, affaibli par la perte de son sang, n'ayant pas d'armes et hors d'état d'en faire usage quand il en aurait eu, embarrassé de linges et de couvertures, se trouvait à la merci d'un brutal ivre de jalousie et de rage, sans qu'aucun moyen humain pût le défendre : tout cela parce qu'il avait regardé le profil d'une jolie manola à la course de taureaux. Il est permis de croire qu'en ce moment il regrettait le piano, le thé et les mœurs prosaïques de la civilisation. Cependant il jeta un regard suppliant sur Militona, comme pour la prier de ne pas essayer une lutte inutile, et il la trouva si radieusement belle dans la blancheur de son épouvante, qu'il ne fut pas fâché de l'avoir connue même à ce prix.

Elle était là, debout, une main appuyée sur le bord du lit d'Andrès, qu'elle semblait vouloir défendre, et l'autre étendue vers la porte avec un geste de suprême majesté :

« Que venez-vous faire ici, meurtrier ? dit-elle à Juancho d'une voix vibrante, il n'y a qu'un blessé dans cette chambre où vous cherchez un amant ! retirez-vous sur-le-champ. N'avez-vous pas peur que la plaie ne se mette à saigner en votre présence ? N'est-ce pas assez de tuer ? faut-il encore *assassiner* ? »

La jeune fille accentua ce mot d'une façon singulière et l'accompagna d'un regard si profond, que Juancho se troubla, rougit, pâlit, et sa physionomie de féroce devint inquiète. Après un silence, il dit d'une voix entrecoupée :

« Jure-moi sur les reliques de Monte-Sagrado et sur l'image de Notre-Dame del Pilar, par ton père qui fut un héros, par ta mère qui fut une sainte, que tu n'aimes pas ce jeune homme, et je me retire aussitôt ! »

Andrès attendit avec anxiété la réponse de Militona.

Elle ne répondit pas.

Ses longs cils noirs s'abaissèrent sur ses joues que colorait une imperceptible rougeur.

Bien que ce silence pût être un arrêt de mort pour lui, Andrès, qui avait attendu la réponse de Militona avec anxiété, se sentit le cœur inondé d'une satisfaction indicible.

« Si tu ne veux pas jurer, continua Juancho, affirme-le-moi simplement. Je te croirai ; tu n'as jamais menti ; mais tu gardes le silence, il faut que je le tue… » Et il s'avança vers le lit, son couteau ouvert… « Tu l'aimes !

— Eh bien ! oui, s'écria la jeune fille avec des yeux étincelants et la voix tremblante d'une colère sublime. S'il doit mourir à cause de moi, qu'il sache du moins qu'il est aimé ; qu'il emporte dans la tombe ce mot, qui sera sa récompense et ton supplice. »

Juancho, d'un bond, fut à côté de Militona, dont il saisit vivement le bras.

« Ne répète pas ce que tu viens de dire, ou je ne réponds plus de moi, et je te jette, avec ma navaja dans le cœur, sur le corps de ce mignon.

— Que m'importe ? dit la courageuse enfant. Crois-tu que je vivrai, s'il meurt ? »

Andrès, par un effort suprême, essaya de se relever sur son séant. Il voulut crier : une écume rose monta à ses lèvres ; sa plaie s'était rouverte. Il retomba évanoui sur son oreiller.

« Si tu ne sors pas d'ici, dit Militona en voyant Andrès en cet état, je croirai que tu es vil, infâme et lâche ; je croirai que tu aurais pu sauver Dominguez, lorsque le taureau s'est agenouillé sur sa poitrine, et que tu ne l'as pas fait parce que tu étais bassement jaloux.

— Militona ! Militona ! vous avez le droit de me haïr, quoique jamais femme n'ait été aimée par un homme comme vous par moi ; mais vous n'avez pas le droit de me mépriser. Rien ne pouvait arracher Dominguez à la mort !

— Si vous ne voulez pas que je vous regarde comme un assassin, retirez-vous tout de suite.

— Oui, j'attendrai qu'il soit guéri, répondit Juancho d'un

ton sombre ; soignez-le bien !... J'ai juré que, moi vivant, vous ne seriez à personne. »

Pendant ce débat, la vieille, entrebâillant la porte, avait été sonner l'alarme dans le voisinage et requérir main-forte.

Cinq ou six hommes se précipitèrent sur Juancho, qui sortit de la chambre avec une grappe de *muchachos* suspendue après lui ; il les secoua et les jeta contre les murs, comme le taureau fait des chiens, sans qu'aucun pût mordre et l'arrêter.

Puis il s'enfonça d'un pas tranquille dans le dédale des rues qui entourent la place Lavapiès.

Cette scène aggrava l'état d'Andrès, qui fut pris d'une fièvre violente et délira toute la journée, toute la nuit et le jour suivant. Militona le veilla avec la plus délicate et la plus amoureuse sollicitude.

Pendant ce temps-là, Argamasilla et Covachuelo, comme nous l'avons raconté à nos lecteurs, par leurs industrieuses démarches, étaient parvenus à découvrir que le manolo blessé rue del Povar n'était autre que M. de Salcedo, et l'alcade du quartier avait écrit à don Geronimo que le jeune homme auquel il s'intéressait avait été retrouvé chez une manola de Lavapiès, qui l'avait recueilli à moitié mort devant sa porte et couvert, on ne savait pourquoi, d'un vêtement de *majo*.

Feliciana, à cette nouvelle, se posa cette question, à savoir si une jeune fiancée peut aller voir, en compagnie de son père ou d'une parente respectable, son fiancé dangereusement blessé. N'y a-t-il pas quelque chose de choquant à ce qu'une demoiselle bien élevée voie prématurément un homme dans un lit ? Ce spectacle, quoique rendu chaste par la sainteté de la maladie, n'est-il pas de ceux que doit se

refuser une vierge pudique? Mais cependant, si Andrès
allait se croire abandonné et mourait de chagrin! Ce serait
bien triste.

«Mon père, dit Feliciana, il faudra que nous allions voir
ce pauvre Andrès.

– Volontiers, ma fille, répondit le bonhomme; j'allais te
le proposer.»

8

Grâce à la force de sa constitution et aux bons soins de
Militona, Andrès fut bientôt en voie de guérison; il put parler et s'asseoir un peu sur son séant; le sentiment de sa
situation lui revint : elle était assez embarrassante.

Il présumait bien que sa disparition devait avoir jeté
Feliciana, don Geronimo et ses autres amis dans une
inquiétude qu'il se reprochait de ne pas faire cesser; et
pourtant il ne se souciait guère de faire savoir à sa novia
qu'il était dans la chambre d'une jolie fille, pour le compte
de laquelle il avait reçu un coup de navaja. Cette confession était difficile, et cependant, il était impossible de ne
pas la faire.

L'aventure avait pris des proportions toutes différentes de
celles qu'il avait voulu d'abord lui donner; il ne s'agissait
plus d'une intrigue légère avec une fillette sans consé-
quence. Le dévouement et le courage de Militona la pla-
çaient sur une tout autre ligne. Que dirait-elle lorsqu'elle
apprendrait qu'Andrès avait engagé sa foi? L'idée du cour-
roux de Feliciana touchait moins le jeune blessé que celle
de la douleur de Militona. Pour l'une, il s'agissait d'une

impropriété[1], pour l'autre d'un désespoir. Cet aveu d'amour si noblement jeté en face d'un danger suprême devait-il avoir une telle récompense ? Ne fallait-il pas qu'il protégeât désormais la jeune fille contre les fureurs de Juancho, qui pouvait revenir à la charge et recommencer ses violences ?

Andrès faisait tous ces raisonnements, et bien d'autres ; tout en réfléchissant il regardait Militona, qui, assise près de la fenêtre, tenait en main quelque ouvrage : car, une fois le trouble des premiers moments passé, elle avait repris sa vie laborieuse.

Une lumière tiède et pure l'enveloppait comme d'une caresse et glissait avec des frissons bleuâtres sur les bandeaux de ses magnifiques cheveux roulés en natte derrière sa tête ; un œillet placé près de la tempe piquait cette ébène d'une étincelle rouge. Elle était charmante ainsi. Un coin de ciel bleu, sur lequel se dessinait le feuillage du pot de basilic, veuf de son pendant lancé à la rue le soir du billet, servait de fond à sa délicieuse figure.

Le grillon et la caille jetaient leur note alternée, et une vague brise, se parfumant sur la plante odorante, apportait dans la chambre un arôme faible et doux.

Cet intérieur aux murailles blanches garnies de quelques gravures populaires grossièrement coloriées, illuminé par la présence de Militona, avait un charme qui agissait sur Andrès. Cette chaste indigence, cette nudité virginale plaisaient à l'âme ; la pauvreté innocente et fière a sa poésie. Il faut donc réellement si peu de chose pour la vie d'un être charmant !

En comparant cette chambre si simple à l'appartement

---

1. *Impropriété* : incorrection, faute de goût. Les italiques viennent souligner l'anglicisme (*improper*, incorrect).

prétentieux et de mauvais goût de doña Feliciana, Andrès trouva la pendule, les rideaux, les statuettes et les petits chiens de verre filé de sa fiancée encore plus ridicules.

Un tintement argentin se fit entendre dans la rue.

C'était le troupeau des chèvres laitières qui passaient en agitant leurs sonnettes.

« Voilà mon déjeuner qui arrive, dit gaiement Militona en posant son ouvrage sur la table, il faut que je descende pour l'arrêter au passage ; je vais aujourd'hui prendre un pot plus grand, puisque nous sommes deux et que le médecin vous a permis de manger quelque chose.

— Vous n'aurez pas en moi un convive difficile à nourrir, répondit Andrès en souriant.

— Bah ! l'appétit vient en mangeant, lorsque le pain est blanc et le lait pur, et mon fournisseur ne me trompe pas. »

En disant ces mots, elle disparut en fredonnant à mi-voix un couplet de vieille chanson. Au bout de quelques minutes elle revint, les joues roses, la respiration haute d'avoir monté si vite les marches du roide escalier, tenant sur la paume de sa main le vase plein d'un lait écumant.

« J'espère, monsieur, que je ne vous ai pas laissé longtemps seul. Quatre-vingts marches à descendre et surtout à monter !

— Vous êtes vive et preste comme un oiseau. Tout à l'heure, ce noir escalier devait ressembler à l'échelle de Jacob[1].

— Pourquoi ? demanda Militona avec la plus parfaite naïveté, ne se doutant pas qu'on lui tendait un madrigal.

— Parce qu'il en descendait un ange, répondit Andrès en

---

1. L'échelle de Jacob : Jacob « eut un songe : voici qu'était dressée sur terre une échelle dont le sommet touchait le ciel ; des anges de Dieu y montaient et y descendaient » (*Genèse*, 28-10).

attirant à ses lèvres une des mains de Militona, qui venait de faire deux parts du lait.

– Allons, flatteur, mangez et buvez ce qui vous revient ; vous m'appelleriez archange que vous n'en auriez pas davantage. »

Elle lui tendit une tasse brune, à demi pleine, avec un petit quartier de ce délicieux pain mat et serré, d'une blancheur éblouissante, particulier à l'Espagne.

« Vous faites maigre chère, mon pauvre ami ; mais, puisque vous avez pris un habit d'enfant du peuple, il faut vous résoudre aussi au déjeuner qu'aurait fait celui dont vous avez revêtu le costume : cela vous apprendra à vous déguiser. »

En disant cela elle soufflait la mousse légère qui couronnait sa tasse, et buvait à petites gorgées. Une jolie raie blanche marquait au-dessus de sa lèvre rouge la hauteur atteinte par le lait.

« À propos, dit-elle, vous allez m'expliquer, maintenant que vous pouvez parler, pourquoi vous, que j'ai rencontré à la place des Taureaux, pincé dans une jolie redingote, habillé à la dernière mode de Paris, je vous ai retrouvé devant ma porte vêtu en manolo. Quand étiez-vous déguisé ? Ici ou là-bas ? Bien que je n'aie pas grand usage du monde, je crois que la première forme sous laquelle je vous ai vu était la vraie. Vos petites mains blanches qui n'ont jamais travaillé le prouveraient.

– Vous avez raison, Militona ; le désir de vous revoir et la crainte d'attirer sur vous quelque danger, m'avaient fait prendre cette veste, cette ceinture et ce chapeau ; mes vêtements habituels auraient trop vite appelé l'attention sur moi dans ce quartier. Avec les autres, je n'étais qu'une ombre dans la foule, où nul ne pouvait me reconnaître que l'œil de la jalousie.

– Et celui de l'amour, reprit Militona en rougissant. Votre travestissement ne m'a pas trompée une minute : j'aurais cru que la phrase que je vous avais dite au Cirque vous aurait arrêté ; je le désirais, car je prévoyais ce qui n'a pas manqué d'arriver, et pourtant j'eusse été fâchée d'être trop bien obéie.

– Et ce terrible Juancho, me permettez-vous quelques questions sur son compte ?

– Ne vous ai-je pas dit, sous la pointe de son couteau, que je vous aimais ? N'ai-je pas ainsi répondu d'avance à tout ? » répliqua la jeune fille en tournant vers Andrès ses yeux illuminés d'innocence, son front radieux de sincérité.

Tous les doutes qui avaient pu s'élever dans son esprit à l'endroit de la liaison du torero et de la jeune fille s'évanouirent comme une vaine fumée.

« Du reste, si cela peut vous faire plaisir, cher malade, je vous raconterai mon histoire et la sienne en quatre mots. Commençons par moi. Mon père, obscur soldat, a été tué pendant la guerre civile en combattant comme un héros pour la cause qu'il croyait la meilleure. Ses hauts faits seraient chantés par les poètes, si, au lieu d'avoir eu pour théâtre quelque gorge étroite de montagne dans une sierra de l'Aragon, ils avaient été accomplis sur quelque champ de bataille illustre. Ma digne mère ne put survivre à la perte d'un époux adoré, et je restai orpheline à treize ans, sans autres parents au monde qu'Aldonza, pauvre elle-même, et qui ne pouvait m'être d'un grand secours.

« Cependant, comme il me faut bien peu, j'ai vécu du travail de mes mains sous ce ciel indulgent de l'Espagne, qui nourrit ses enfants de soleil et de lumière ; ma plus grande

dépense, c'était d'aller voir les lundis la course de taureaux; car nous autres, qui n'avons pas, comme les demoiselles du monde, la lecture, le piano, le théâtre et les
soirées, nous aimons ces spectacles simples et grandioses
où le courage de l'homme l'emporte sur l'impétuosité
aveugle de la brute. Là, Juancho me vit et conçut pour moi
un amour insensé, une passion frénétique. Malgré sa mâle
beauté, ses costumes brillants, ses exploits surhumains, il
ne m'inspira jamais rien... Tout ce qu'il faisait, et qui
aurait dû me toucher, augmentait mon aversion pour lui.

« Cependant il avait une telle adoration pour moi que
souvent je me trouvais ingrate de ne pas y répondre; mais
l'amour est indépendant de notre volonté : Dieu nous l'envoie quand il lui plaît. Voyant que je ne l'aimais pas,
Juancho tomba dans la méfiance et la jalousie, il m'entoura
de ses obsessions, il me surveilla, m'épia et chercha partout des rivaux imaginaires. Il me fallut veiller sur mes
yeux et sur mes lèvres; un regard, une parole, devenaient
pour Juancho le prétexte de quelque affreuse querelle; il
faisait la solitude autour de moi et m'entourait d'un cercle
d'épouvante que bientôt nul n'eût osé franchir.

— Et que j'ai rompu à jamais, je l'espère; car je ne pense
pas que Juancho revienne à présent.

— Pas de sitôt du moins; car il doit se cacher pour éviter
les poursuites jusqu'à ce que vous soyez guéri. Mais vous,
qui êtes-vous? il est bien temps de le demander, n'est-ce
pas?

— Andrès de Salcedo est mon nom. J'ai assez de fortune
pour ne faire que ce qui me paraît honorable, et je ne
dépends de personne au monde.

— Et vous n'avez pas quelque novia bien belle, bien parée,
bien riche?» dit Militona avec une curiosité inquiète.

Andrès aurait bien voulu ne pas mentir; mais la vérité n'était pas aisée à dire. Il fit une réponse vague.

Militona n'insista pas, mais elle pâlit un peu et devint rêveuse.

«Pourriez-vous me faire donner un bout de plume et un carré de papier? je voudrais écrire à quelques amis qui doivent être inquiets de ma disparition, et les rassurer sur mon sort.»

La jeune fille finit par trouver, au fond de son tiroir, une vieille feuille de papier à lettres, une plume tordue, une écritoire où l'encre desséchée formait comme un enduit de laque.

Quelques gouttes d'eau rendirent à la noire bourbe sa fluidité primitive, et Andrès put griffonner sur ses genoux le billet suivant, adressé à don Geronimo Vasquez de los Rios :

Mon futur beau-père,

Ne soyez pas inquiet de ma disparition; un accident qui n'aura pas de suites graves me retient pour quelque temps dans la maison où l'on m'a recueilli. J'espère, dans quelques jours, pouvoir aller mettre mes hommages aux pieds de doña Feliciana.

ANDRÈS DE SALCEDO.

Cette lettre, passablement machiavélique, n'indiquait pas l'adresse de la maison, ne précisait rien, et laissait à celui qui l'avait écrite la latitude de colorer plus tard les circonstances de la teinte nécessaire; elle devait suffire pour calmer les craintes du bonhomme et de Feliciana et faire gagner du temps à Andrès, qui ne savait pas Geronimo si bien instruit, grâce à la sagacité d'Argamasilla et de Covachuelo.

La tia Aldonza porta la missive à la poste, et Andrès, tranquille de ce côté-là, s'abandonna sans réserve aux sensations poétiques et douces que lui inspirait cette pauvre chambre rendue si riche par la présence de Militona.

Il éprouvait cette joie immense et pure de l'amour vrai qui ne résulte d'aucune convention sociale, où n'entrent pour rien les flatteries de l'amour-propre, l'orgueil de la conquête et les chimères de l'imagination, de cet amour qui naît de l'accord heureux de la jeunesse, de la beauté et de l'innocence : sublime trinité !

Le brusque aveu de Militona, au dire des raffinés qui dégustent l'amour, comme une glace par petites cuillerées, et attendent pour le mieux savourer... qu'il soit fondu, aurait dû enlever à Andrès bien des nuances, bien des gradations charmantes par sa soudaineté sauvage. Une femme du monde eût préparé six mois l'effet de ce mot ; mais Militona n'était pas du monde.

Don Geronimo, ayant reçu la lettre d'Andrès, la porta à sa fille, et lui dit d'un air de jubilation :

« Tiens, Feliciana, une lettre de ton fiancé. »

9

Feliciana prit d'un air assez dédaigneux le papier que lui tendait son père, fit la remarque qu'il n'était nullement glacé et dit :

« Une lettre sans enveloppe et fermée avec un pain à cacheter ! Quelle faute de savoir-vivre ! mais il faut pardonner quelque chose à la rigueur de la situation. Pauvre Andrès! quoi! pas même un cahier de papier à lettres Victoria[1]! pas même un bâton de cire d'Alcroft Regents'-quadrant! Qu'il doit être malheureux! A-t-on idée d'une feuille de chou pareille, sir Edwards? ajouta-t-elle en passant, après l'avoir lue, la lettre au jeune gentleman du Prado, fort assidu dans la maison depuis l'absence d'Andrès.

– Ho! gloussa péniblement l'aimable insulaire, les sauvages en Australie font mieux que cela! c'est l'enfance de l'industrie; à Londres, on ne voudrait pas de ce chiffon pour envelopper les bougies de suif.

– Parlez anglais, sir Edwards, dit Feliciana, vous savez que j'entends cette langue.

– *No*! je aime mieux perfectionner moi dans l'espagnol, langage qui est le vôtre.»

Cette galanterie fit sourire Feliciana. Sir Edwards lui plaisait assez. Il réalisait bien mieux qu'Andrès son idéal d'élégance et de confortable[2]. C'était, sinon le plus civil, du moins le plus civilisé des hommes. Tout ce qu'il portait était fait d'après les procédés les plus nouveaux et les plus perfectionnés. Chaque pièce de ses vêtements relevait d'un brevet d'invention et était taillée dans une étoffe patentée imperméable à l'eau et au feu. Il avait des canifs qui étaient en même temps des rasoirs, des tire-bouchons, des cuillers, des fourchettes et des gobelets; des briquets se compliquant de bougies, d'encriers, de cachets et de bâtons de cire; des cannes dont on pouvait faire une chaise, un parasol, un pieu pour une tente et même une pirogue en cas de besoin, et mille autres inventions de ce genre, enfermées

1. Papier à lettres Victoria : papier anglais, ainsi dénommé en raison d'une vogue anglaise depuis la visite en France de la reine Victoria.
2. Confortable : nouvel anglicisme ironique.

dans une quantité innombrable de ces boîtes à compartiments que charrient avec eux, du pôle arctique à l'équateur, les fils de la perfide Albion, les hommes du monde à qui il faut le plus d'outils pour vivre.

Si Feliciana avait pu voir la table-toilette du jeune lord, elle eût été subjuguée tout à fait. Les trousses réunies du chirurgien, du dentiste et du pédicure ne comptent pas plus d'aciers de formes alarmantes et singulières. Andrès, malgré ses essais de *high life*[1], avait toujours été bien loin de cette sublimité.

«Mon père, si nous allions faire une visite à notre cher Andrès, Sir Edwards nous accompagnerait; cela serait moins formel: car, j'ai beau être sa fiancée, l'action d'aller voir un jeune homme blesse toujours les convenances ou tout au moins les froisse.

– Puisque je serai là avec Sir Edwards, quel mal peut-il y avoir? répondit Geronimo, qui ne pouvait s'empêcher de trouver sa fille un peu bégueule. Si d'ailleurs tu penses qu'il ne soit pas régulier d'aller voir toi-même don Andrès, j'irai seul, et te rapporterai fidèlement de ses nouvelles.

– Il faut bien faire quelque sacrifice à ceux qu'on aime», reprit Feliciana, qui n'était pas fâchée de voir les choses par ses propres yeux.

Mlle Vasquez, quelque bien élevée qu'elle fût, n'en était pas moins femme, et l'idée de savoir son fiancé, pour lequel elle n'avait du reste qu'une passion très modérée, chez une manola qu'on disait jolie, l'inquiétait plus qu'elle n'aurait voulu en convenir vis-à-vis d'elle-même. L'âme féminine la plus sèche a toujours quelque fibre qui palpite, pincée par l'amour-propre et la jalousie.

1. *High life*: grande vie, élégance.

Sans trop savoir pourquoi, Feliciana fit une toilette exorbitante et tout à fait déplacée pour la circonstance : pressentant une lutte, ele se revêtit de pied en cap de la plus solide armure qu'elle put trouver dans l'arsenal de sa garde-robe, non que, dans son dédain de bourgeoise riche, elle crût pouvoir être battue par une simple manola, mais instinctivement elle voulait l'écraser par l'étalage de ses splendeurs, et frapper Andrès d'une amoureuse admiration. Elle choisit un chapeau de gros de Naples[1] couleur paille, qui faisait paraître encore plus mornes ses cheveux blonds et sa figure fade ; un mantelet vert pomme garni de dentelles blanches sur une robe bleu de ciel ; des bottines lilas et des gants de filet noir brodés de bleu. Une ombrelle rose entourée de dentelles et un sac alourdi de perles d'acier complétaient l'équipement.

Toutes les couturières et toutes les femmes de chambre du monde lui eussent dit : «Mademoiselle, vous êtes mise à ravir!»

Aussi, lorsqu'elle donna un dernier coup d'œil à la glace de sa psyché[2], sourit-elle d'un air fort satisfait ; jamais elle n'avait ressemblé davantage à la poupée d'un journal de modes sans abonnés.

Sir Edwards, qui donnait le bras à Feliciana, n'était pas ajusté dans un style moins précieux : son chapeau presque sans bord, son habit aux basques rognées, son gilet quadrillé bizarrement, son col de chemise triangulaire, sa cravate de satin *improved Moreen foundation*, faisaient un digne pendant aux magnificences étalées par la fille de don Geronimo.

Jamais couple mieux assorti n'avait cheminé côte à côte ;

1. Gros de Naples : étoffe de soie de gros grain, fabriquée à Naples.
2. Glace de sa psyché : grand miroir inclinable.

ils étaient faits l'un pour l'autre et s'admiraient réciproquement.

On arriva à la rue del Povar, non sans de nombreuses plaintes de Feliciana sur le mauvais état des pavés, sur l'étroitesse des rues, l'aspect maussade des bâtisses, lamentations auxquelles le jeune Anglais faisait chorus en vantant les larges trottoirs de dalles ou de bitume, les immenses rues et les constructions correctes de sa ville natale.

«Quoi! c'est devant cette masure que l'on a ramassé M. de Salcedo déguisé et blessé? Que pouvait-il venir faire dans cet affreux quartier? dit Feliciana d'un air de dégoût.

– Étudier philosophiquement les mœurs du peuple ou essayer sa force au couteau, comme à Londres je me fais, pour placer des coups de poing nouveaux, des querelles dans le Temple et Cheapside[1], répondit le jeune lord dans son jargon hispano-britannique.

– Nous allons bientôt savoir ce qui en est», ajouta don Geronimo.

Les trois personnages s'engouffrèrent dans l'allée de la pauvre maison si fort méprisée par la superbe[2] Feliciana, et qui pourtant renfermait un trésor qu'on chercherait souvent en vain dans les hôtels magnifiques.

Feliciana, pour franchir l'allée, tenait sa jupe précieusement ramassée dans sa main. Si elle eût connu l'agrafepage, elle eût en ce moment apprécié tout le mérite de cette invention.

Arrivée à la rampe, elle frémit à l'idée de poser sur cette corde huileuse son gant d'une fraîcheur idéale, et pria sir Edwards de lui prêter de nouveau l'appui de son bras.

---

1. Cheapside : quartiers de Londres.
2. Superbe : l'adjectif est ici ironiquement employé dans son sens étymologique : orgueilleux (*superbus*).

Une voisine officieuse ouvrait la marche. La périlleuse ascension commença.

Lorsque don Geronimo eût répondu : *Gente de paz* (gens tranquilles) au qui-vive effrayé de la tia Aldonza, toujours en transes depuis l'algarade[1] de Juancho, la porte s'ouvrit, et Andrès, déjà troublé par l'accent de cette voix connue, vit entrer d'abord sir Edwards, qui formait l'avant-garde, puis don Geronimo, et enfin Feliciana, dans l'état fabuleux de sa toilette supercoquentieuse[2].

Elle s'était réservée pour le bouquet de ce feu d'artifice de surprise, soit par instinct de la gradation des effets, soit qu'elle craignit d'inonder trop subitement l'âme d'Andrès d'un bonheur au-dessus de ses forces, ou bien encore parce qu'il n'eût pas été convenable d'entrer la première dans une chambre où se trouvait un jeune homme couché.

Son entrée ne produisit pas le coup de théâtre qu'elle en attendait. Non seulement Andrès ne fut pas ébloui, il n'eut pas l'air inondé de la félicité la plus pure, il ne versa pas de larmes d'attendrissement à l'idée du sacrifice surhumain de monter trois étages, que venait de faire en sa faveur une jeune personne si habillée ; mais encore un sentiment assez visible de contrariété se peignit sur sa figure.

L'effet avait été raté aussi complètement que possible.

À l'aspect de ces trois personnes, Militona s'était levée, avait offert une de ses chaises à don Geronimo, avec la déférence respectueuse qu'une jeune fille modeste a toujours pour un vieillard, et fait signe à la tia Aldonza de présenter l'autre à Mlle Vasquez.

Celle-ci, après avoir écarté la jupe de sa mirifique robe

1. Algarade : querelle, attaque inattendue.
2. Supercoquentieuse : « Super-coquelicantieux » est un adjectif dû à Rabelais (mirifique, étonnant).

bleu de ciel, comme si elle eût craint de la salir, se laissa tomber sur le siège de joncs en poussant un soupir d'essoufflement et en s'éventant avec son mouchoir.

«Comme c'est haut! j'ai cru que je n'aurais jamais assez de respiration pour arriver.

– La señora était sans doute trop serrée», dit Militona d'un air de naïveté parfaite.

Feliciana, qui, bien que maigre, se laçait au cabestan[1], répondit de ce ton aigre-doux que les femmes savent prendre en pareille circonstance :

« Je ne me serre jamais.»

Décidément, l'affaire s'engageait mal. La jeune fille du monde n'avait pas l'avantage.

Militona, avec sa robe de soie noire à la mode espagnole, ses jolis bras découverts, sa fleur posée sur l'oreille, faisait paraître encore plus ridicules la recherche et le luxe de mauvais goût de la toilette de Feliciana.

La señora Feliciana Vasquez de los Rios avait l'air d'une femme de chambre anglaise endimanchée; Militona d'une duchesse qui veut garder l'incognito.

Pour réparer son échec, la fille de Geronimo essaya de déconcerter la manola en faisant peser sur elle un regard suprêmement dédaigneux; mais elle en fut pour ses peines, et finit par baisser les yeux devant le regard clair et modeste de l'ouvrière.

«Quelle est cette femme? se dit Militona : la sœur d'Andrès? oh! non; elle lui ressemblerait; elle n'aurait pas cet air insolent.»

«Eh bien! Andrès, dit Géronimo d'une voix affectueuse,

---

1. Se laçait au cabestan : expression ironique; le cabestan est un treuil, servant à tracter de lourds fardeaux.

en s'approchant du lit, vous l'avez échappé belle ! Comment vous trouvez-vous maintenant ?

– Assez bien, répondit Andrès, grâce aux bons soins de mademoiselle.

– Que nous récompenserons convenablement de ses peines, interrompit Feliciana, par quelque cadeau, une montre d'or, une bague ou tout autre bijou à son choix. »

Cette phrase bénigne avait pour but de faire descendre la charmante créature du piédestal où la posait sa beauté.

Militona ainsi attaquée prit un air si naturellement royal et eut une telle fulguration de majesté, que Mlle Vasquez demeura toute interdite.

Edwards ne put s'empêcher de murmurer : «*It is a very pretty girl*[1]», oubliant que Feliciana comprenait l'anglais.

Andrès répondit d'un ton sec :

« De pareils services ne se payent pas.

– Oh ! sans doute, reprit Geronimo. Qui parle de payer ? c'est un simple témoignage de gratitude, un souvenir de reconnaissance, voilà tout.

– Vous devez être bien mal ici, cher Andrès, continua Mlle Vasquez, en détaillant de l'œil tout ce qui manquait au pauvre logis.

– Monsieur a eu la bonté de ne pas se plaindre », dit Militona en se retirant du côté de la fenêtre, comme pour laisser le champ libre à l'impertinence de Feliciana et lui dire tacitement : « Vous êtes chez moi, je ne vous chasse pas, je ne le puis ; mais je trace une ligne de démarcation entre vos insultes et ma patience d'hôtesse. »

Commençant à être assez embarrassée de sa contenance,

1. *It is a very pretty girl* : c'est une très jolie fille.

Feliciana fouettait la pointe de sa bottine avec le bout d'ivoire de son ombrelle.

Il se fit un moment de silence.

Don Geronimo rechercha à l'angle de sa tabatière une pincée de *polvo sevillano* (tabac jaune) qu'il porta à son nez vénérable avec un geste d'aisance qui sentait le bon vieux temps.

Sir Edwards, pour ne pas se compromettre, prit un air bête si parfaitement imité, qu'on aurait pu le croire véritable.

La tia Aldonza, les yeux écarquillés, la lèvre tombante, admirait dévotement la vertigineuse toilette de Feliciana : ce tapage de bleu de ciel, de jaune, de rose, de vert pomme, de lilas, la faisait tomber dans un ébahissement naïf. Jamais elle ne s'était trouvée face à face avec de pareilles splendeurs.

Quant à Andrès, il enveloppait d'un long regard de protection et d'amour Militona, qui, placée à l'autre bout de la chambre, rayonnait de beauté, et il s'étonnait d'avoir jamais eu l'idée d'épouser Feliciana, qu'il trouvait ce qu'elle était réellement : le produit artificiel d'une maîtresse de pension et d'une marchande de modes.

Militona se disait à elle-même :

« C'est singulier ! moi qui n'ai jamais haï personne, dès le premier pas que cette femme a fait dans cette chambre, j'ai senti un tressaillement comme à l'approche d'un ennemi inconnu. Qu'ai-je à craindre ? Andrès ne l'aime pas, j'en suis sûre ; je l'ai bien vu à ses yeux. Elle n'est pas jolie, et c'est une sotte ; autrement serait-elle venue ainsi attifée voir un malade dans une pauvre maison ? Une robe bleu de ciel et un mantelet vert pomme, quel manque de sensibilité ! Je la déteste, cette grande perche... Que vient-elle faire ici ?

Repêcher son novio ; car c'est sans doute quelque fiancée. Andrès ne m'avait pas parlé de cela… Oh ! s'il l'épousait, je serais bien malheureuse ! Mais il ne l'épousera pas ; c'est impossible. Elle a de vilains cheveux blonds et des taches de rousseur, et Andrès m'a dit qu'il n'aimait que les cheveux noirs et les teints d'une pâleur unie. »

Pendant ce monologue, Feliciana en faisait un autre de son côté. Elle analysait la beauté de Militona avec le violent désir de la trouver en défaut sur quelque point. À son grand regret, elle n'y trouva rien à redire. Les femmes, comme les poètes, s'apprécient à leur juste valeur et connaissent leur force véritable, sauf à n'en convenir jamais. Sa mauvaise humeur s'en augmenta, et elle dit d'un ton assez aigre au pauvre Andrès :

« Si votre médecin ne vous a pas défendu de parler, racontez-nous donc un peu votre aventure ; car c'est une aventure que nous ne savons que d'une manière fort embrouillée.

— Ho ! tâchez de raconter l'histoire romanesque, ajouta l'Anglais.

— Tu veux le faire bavarder et tu vois bien qu'il est encore très faible, interrompit Geronimo avec une bonhomie paternelle.

— Cela ne le fatiguera pas beaucoup, et, au besoin, mademoiselle pourra venir à son aide ; elle doit savoir toutes les circonstances. »

Ainsi interpellée, Militona se rapprocha du groupe.

« J'avais eu la fantaisie, dit Andrès, de me déguiser en manolo, pour courir dans les anciens quartiers et jouir de l'aspect animé des cabarets et des bals populaires ; car, vous le savez, Feliciana, j'aime, tout en admirant la civilisation, les vieilles coutumes espagnoles. En passant par cette rue, j'ai rencontré un farouche donneur de sérénades, qui m'a cherché querelle et m'a blessé dans un combat au couteau, loyalement et dans toutes les règles. Je suis tombé, et mademoiselle m'a recueilli demi-mort sur le seuil de sa maison.

– Mais savez-vous bien, Andrès, que cela est fort romantique et ferait un sujet de complainte admirable, en poétisant un peu les choses ? Deux farouches rivaux se rencontrent sous le balcon d'une beauté… » Et en disant cela elle regardait Militona, et riait d'un méchant sourire forcé… « Ils se cassent leur guitare sur la tête et se tracent des croix sur la figure. Cette scène, gravée sur bois et placée en tête de la romance, produirait le plus bel effet ; ce serait à faire la fortune d'un aveugle[1].

– Mademoiselle, dit gravement Militona, deux lignes plus bas et la lame entrait dans le cœur.

– Certainement ; mais, comme toujours, elle a glissé de manière à ne faire qu'une blessure intéressante…

– Qui ne vous intéresse guère, en tous les cas, répondit la jeune fille.

– Elle n'a pas été reçue en mon honneur, et je ne puis y prendre un si vif intérêt que vous ; cependant, vous voyez que je viens rendre visite à votre blessé. Si vous voulez, nous veillerons chacune notre tour : ce sera charmant.

– Jusqu'à présent je l'ai veillé seule, et je continuerai, répondit Militona.

– Je sens qu'à côté de vous, je puis paraître froide ; mais il n'est pas dans mes mœurs de recueillir des jeunes gens chez moi, même pour une légère égratignure à la poitrine.

– Vous l'auriez laissé mourir dans la rue de peur de vous compromettre ?

1. Les faits-divers criminels alimentaient des journaux populaires de l'époque, comme *La Gazette des tribunaux*, et étaient l'objet de complaintes versifiées imprimées et vendues dans les rues.

– Tout le monde n'est pas libre comme vous ; on a des ménagements à garder ; celles qui ont une réputation ne sont pas bien aises de la perdre.

– Allons, Feliciana, tu dis des choses qui n'ont pas le sens commun ; tu t'emportes à propos de rien, dit le conciliant Geronimo. Tout cela est purement fortuit ; Andrès n'avait jamais vu mademoiselle avant l'accident ; ne va pas prendre de la jalousie et te mettre martel en tête sans le moindre motif.

– Une fiancée n'est pas une maîtresse », continua majestueusement Feliciana, sans prendre garde à l'interruption de son père.

Militona pâlit sous cette dernière insulte. Un lustre humide illumina ses yeux, son sein se gonfla, ses lèvres tremblèrent, un sanglot fut près de jaillir de sa gorge ; mais elle se contint, et ne répondit que par un regard chargé d'un mépris écrasant.

« Allons-nous-en, mon père, ma place n'est pas ici ; je ne puis m'arrêter plus longtemps chez une fille perdue.

– Si ce n'est que cela qui vous fait sortir, restez, mademoiselle, dit Andrès en prenant Militona par la main. Doña Feliciana Vasquez de los Rios peut prolonger sa visite à Mme Andrès de Salcedo, que je vous présente ; je serais désolé de vous avoir fait commettre une inconvenance.

– Comment ! s'écria Geronimo ; que dis-tu, Andrès ? Un mariage arrangé depuis dix ans ! es-tu fou ?

– Au contraire, je suis raisonnable, répondit le jeune homme ; je sais je n'aurais pu faire le bonheur de votre fille.

– Chimères, fantaisie d'écervelé. Tu es malade, tu as la fièvre, continua Geronimo, qui s'était habitué à l'idée d'avoir Andrès pour gendre.

– Ho! ne vous inquiétez pas, dit l'Anglais en tirant Geronimo par la manche. Vous ne manquerez pas de gendre : votre fille est si belle et s'habille d'une façon si superbe !

– Vos fortunes se convenaient si bien, poursuivit Geronimo...

– Mieux que nos cœurs, répondit Andrès. Je ne pense pas que ma perte soit bien vivement sentie par Mlle Vasquez.

– Vous êtes modeste, répliqua Feliciana; mais, pour vous ôter tout remords, je veux vous laisser cette persuasion. Adieu, soyez heureux en ménage. Madame, je vous salue.»

Militona répondit par une révérence pleine de dignité à l'inclination de tête ironique de Feliciana.

«Venez, mon père; sir Edwards, donnez-moi le bras.»

L'Anglais, interpellé, arrondit gracieusement son bras en anse d'amphore, et ils sortirent très majestueusement.

Le jeune insulaire rayonnait. Cette scène avait fait naître dans son esprit des espérances qui jusqu'alors n'avaient pu ouvrir leurs ailes. Feliciana, pour laquelle il brûlait d'une flamme discrète, était libre ! Ce mariage projeté depuis si longtemps venait de se rompre : «Oh! se disait-il en sentant sur sa manche le gant étroit de la jeune fille, épouser une Espagnole, c'était mon rêve ! une Espagnole à l'âme passionnée, au cœur de flamme et qui fasse le thé dans mes idées... Je suis de l'avis de lord Byron : arrière les pâles beautés du Nord[1]; j'ai juré à moi-même de ne me marier

---

1. «Les jeunes filles de l'Espagne [...] furent créées pour l'amour et ses enchantements. [...] En douceur et en énergie, l'Espagnole surpasse de beaucoup les femmes de certains pays [...]. Qui pourrait, après l'avoir vue, rechercher les fades beautés du Nord?» (Byron, *Le Pèlerinage de Childe Harold*, 1812, chant 1, LVII et LVIII.) Cette réflexion de Sir Edwards rappelle celle de Rodolphe dans *Les Jeunes-France* de Gautier (1833), il «résolut que la femme qu'il aimerait serait exclusivement espagnole ou italienne, les Anglaises, Françaises et Allemandes étant infiniment trop froides pour fournir un motif de passion poétique» (*Celle-ci et celle-là*).

qu'avec une Indienne, une Italienne ou une Espagnole. J'aime mieux l'Espagnole à cause du romancero[1] et de la guerre de l'Indépendance ; j'en ai vu beaucoup qui étaient passionnées, mais elles ne faisaient pas le thé selon mes principes, commettant des impropriétés vraiment choquantes ; au lieu que Feliciana est si bien élevée ! Quel effet elle fera à Londres, aux bals d'Almack[2] et dans les raouts fashionables[3] ! Personne ne voudra croire qu'elle est de Madrid. Oh ! que je serai heureux ! Nous irons passer les étés avec notre petite famille à Calcutta ou au cap de Bonne-Espérance, où j'ai un cottage. Quelle félicité ! »

Tels étaient les songes d'or que faisait tout éveillé Sir Edwards en reconduisant Mlle Vasquez chez elle.

De son côté, Feliciana se livrait à des rêveries analogues ; sans doute, elle éprouvait un assez vif dépit de la scène qui venait de se passer, non qu'elle regrettât beaucoup Andrès, mais elle était piquée d'avoir été prévenue. Il y a toujours quelque chose de désagréable à être quittée même par un homme à qui l'on ne tient pas, et, depuis qu'elle connaissait Sir Edwards, Feliciana avait envisagé sous un jour beaucoup moins favorable l'engagement qui la liait à Andrès.

La rencontre de son idéal personnifié dans Sir Edwards lui avait fait comprendre qu'elle n'avait jamais aimé don Andrès !

Sir Edwards était si bien l'Anglais de ses rêves ! l'Anglais rasé de frais, vermeil, luisant, brossé, peigné, poncé, en cravate blanche dès l'aurore, l'Anglais waterproof en mackintosh[4] ! l'expression suprême de la civilisation !

---

1. Romancero : recueil de poèmes épiques espagnols.
2. Bals d'Almack : grands bals de l'aristocratie anglaise.
3. Raouts fashionables : redondance ironique ; soirées mondaines à la mode.
4. Waterproof désigne, de manière générique, un tissu imperméable, dont la marque la plus célèbre est Mackintosh, du nom de son inventeur.

Et puis, il était si ponctuel! si précis, si mathématiquement exact au rendez-vous! Il en aurait remontré aux plus fidèles chronomètres! «Quelle vie heureuse une femme mènerait avec un être pareil! se disait tout bas Mlle Feliciana Vasquez de los Rios. J'aurais de l'argenterie anglaise, des porcelaines de Wegwood, des tapis dans toute la maison, des domestiques poudrés; j'irais me promener à Hyde-Park, à côté de mon mari conduisant son *four in hand*[1]. Le soir, au théâtre de la Reine, j'entendrais la musique italienne dans ma loge tendue de damas boutond'or. Des daims familiers joueraient sur la pelouse verte de mon château, et peut-être aussi quelques enfants blonds et roses : des enfants font si bien sur le devant d'une calèche, à côté d'un king-charles[2] authentique!»

Laissons ces deux êtres si bien faits pour s'entendre continuer leur route, et revenons rue del Povar retrouver Andrès et Militona.

La jeune fille, après le départ de Feliciana, de don Geronimo et de Sir Edwards, s'était jetée au cou d'Andrès avec une effusion de sanglots et de larmes; mais c'étaient des larmes de joie et de bonheur qui ruisselaient doucement en perles transparentes sur le duvet de ses belles joues sans rougir ses divines paupières.

Le jour baissait, les jolis nuages roses du couchant pommelaient le ciel. Dans le lointain l'on entendait bourdonner les guitares, ronfler les panderos[3] sous les pouces des danseuses, frissonner les plaques de cuivre des tambours de basque, et babiller les castagnettes. Les «ay!» et les

---

1. *Four in hand* : cabriolet tiré par quatre chevaux.
2. King-charles : épagneul nain, chien de compagnie extrêmement cher à l'époque.
3. Panderos : instruments de musique.

«ola!» des couplets de fandango[1] jaillissaient par bouffées harmonieuses du coin des rues et des carrefours, et tous ces bruits joyeux et nationaux formaient comme un vague épithalame[2] au bonheur des deux amants. La nuit était venue tout à fait, et la tête de Militona reposait toujours sur l'épaule d'Andrès.

10

Nous avons un peu perdu de vue notre ami Juancho. Il serait convenable d'aller à sa recherche, car il était sorti de la chambre de Militona dans un état d'exaspération qui touchait à la démence. En grommelant des malédictions et en faisant des gestes insensés, il avait gagné, sans savoir où il allait, la porte de Hierro, et ses pieds l'avaient mené au hasard à travers la campagne.

Les environs de Madrid sont arides et désolés, une couleur terreuse revêt les murailles des misérables constructions clairsemées le long des routes, et qui servent à ces industries suspectes et malsaines que les grandes villes rejettent hors de leur sein. Ces terrains décharnés sont constellés de pierres bleuâtres qui grossissent à mesure qu'on approche du pied de la Sierra de Guadarrama, dont les cimes, neigeuses encore au commencement de l'été, apparaissaient à l'horizon comme de petits nuages blancs pelotonnés. À peine voit-on çà et là quelque trace de végétation. Les torrents desséchés rayent le sol d'affreuses cicatrices; les pentes et les collines n'offrent aucune verdure et

1. Fandango : danse espagnole.
2. Épithalame : chant ou poème en l'honneur de jeunes mariés.

forment un paysage en harmonie avec tous les sentiments tristes. La gaieté s'y éteindrait, mais au moins le désespoir ne s'y sent raillé par rien.

Au bout d'une heure ou deux de marche, Juancho, ployant sous le poids de sa pensée, lui que n'eussent pas courbé les portes de Gaza enlevées par Samson[1], se laissa tomber à plat ventre sur le revers d'un fossé, s'appuya sur les coudes en se tenant le menton et les joues avec les mains, et demeura ainsi immobile, dans un état de prostration complète.

Il regardait défiler, sans les voir, les chariots, dont les bœufs, effrayés de voir ce corps couché sur le bord de la route, faisaient, en passant près de lui, un écart qui leur attirait un coup d'aiguillon de la part de leurs conducteurs; les ânes chargés de paille hachée et retenue par des cordelettes de jonc; le paysan à physionomie de bandit, fièrement campé sur son cheval, la main sur la cuisse et la carabine à l'arçon de la selle; la paysanne à l'air farouche, traînant après soi un marmot en pleurs; le vieux Castillan, coiffé de son casque de peau de loup; le Manchègue, avec sa culotte noire et ses bas drapés, et toute cette population errante qui apporte de dix lieues au marché trois pommes vertes ou une botte de piment.

Il souffrait atrocement, et des larmes, les premières qu'il eût versées, tombaient de ses joues brunes sur la terre indifférente, qui les buvait comme de simples gouttes de pluie. Sa robuste poitrine, gonflée par des soupirs profonds, soulevait son corps. Jamais il n'avait été si malheureux; le monde lui semblait près de finir; il ne

---

1. Samson «se leva et, saisissant les battants de la porte de la ville et les deux poteaux, il les arracha avec la barre, les mit sur ses épaules et les porta sur le sommet de la montagne qui regarde Hébron» (*Juges*, 16, 1-4).

voyait plus de but à la création et à la vie. Qu'allait-il faire désormais ?

« Elle ne m'aime pas, elle en aime un autre, se répétait Juancho, pour se démontrer cette vérité fatale que son cœur refusait d'admettre. Est-ce possible ? est-ce croyable ? Elle si fière, si sauvage, avoir pris tout à coup une passion pour un inconnu, tandis que moi, qui ne vivais que pour elle, qui la suivais depuis deux ans comme son ombre, je n'ai pu obtenir un mot de pitié, un sourire indulgent ! Je me trouvais à plaindre alors ; mais c'était le paradis à côté de ce que je souffre aujourd'hui. Si elle ne m'aimait pas, au moins elle n'aimait personne.

« Je pouvais la voir ; elle me disait de m'en aller, de ne plus revenir, que je l'ennuyais, que je la fatiguais, que je l'obsédais, qu'elle ne pouvait souffrir plus longtemps ma tyrannie ; mais au moins, quand je m'en allais, elle restait seule ; la nuit, j'errais sous sa fenêtre, fou d'amour, ivre de désirs ; je savais qu'elle reposait chastement sur son petit lit virginal ; je n'avais pas la crainte de voir deux ombres sur son rideau ; malheureux, je savourais cette douceur amère, que nul n'était mieux partagé que moi. Je ne possédais pas le trésor, mais aucun autre n'en avait la clef.

« Et maintenant, c'est fini, plus d'espoir ! Si elle me repoussait quand elle n'aimait personne, que sera-ce à présent que sa répulsion contre moi s'augmente de toute sa sympathie pour un autre ! Oh ! je le sentais bien ! Aussi comme j'écartais tous ceux qu'attirait sa beauté ! comme je faisais bonne garde autour d'elle ! Ce pauvre Luca et ce pauvre Ginès, comme je vous les ai arrangés, et cela pour rien ! et j'ai laissé passer l'autre, le vrai, le dangereux, celui qu'il fallait tuer ! Main maladroite, esclave imbécile qui n'a pas su faire ton devoir, sois punie ! »

En disant cela, Juancho mordit sa main droite si cruellement que le sang fut près de jaillir.

«Quand il sera guéri, je le provoquerai une seconde fois, et je ne le manquerai plus. Mais si je le tue, jamais Militona ne voudra me revoir; de toute façon, elle est perdue pour moi. C'est à en devenir fou; il n'y a aucun moyen. S'il pouvait mourir naturellement par quelque catastrophe soudaine, un incendie, un écroulement de maison, un tremblement de terre, une peste. Oh! je n'aurai pas ce bonheur-là. Démons et furies! Quand je pense que cette âme charmante, ce corps si parfait, ces beaux yeux, ce divin sourire, ce cou rond et souple, cette taille si mince, ce pied d'enfant, tout cela c'est à lui! Il peut lui prendre la main, et elle ne la retire pas; faire pencher vers lui sa tête adorée, qu'elle ne détourne pas avec dédain. Quel crime ai-je commis pour être puni de la sorte? Il y a tant de belles filles en Espagne qui ne demanderaient pas mieux que de me voir à leurs genoux! Quand je parais dans l'arène, plus d'un cœur palpite sous une jolie gorge; plus d'une main blanche me salue d'un signe amical. Que de Sévillanes, de Madrilènes et de Grenadines m'ont jeté leur éventail, leur mouchoir, la fleur de leurs cheveux, la chaîne d'or de leur cou, transportées d'admiration pour mon courage et ma bonne mine! Eh bien! je les ai dédaignées; je n'ai voulu que celle qui ne voulait pas de moi; entre ces mille amours j'ai choisi une haine! Entraînement invincible! destin fatal! Pauvre Rosaura, toi qui avais pour moi une si naïve tendresse à laquelle je n'ai pas répondu, insensé que j'étais, comme tu as dû souffrir! Sans doute je porte aujourd'hui la peine du chagrin que je t'ai fait. Le monde est mal arrangé: il faudrait que tout amour fît naître son pareil; alors on n'éprouverait pas de pareils désespoirs. Dieu est méchant! C'est peut-être parce que je n'ai pas fait brûler de cierges devant l'image de Notre-Dame, que j'ai éprouvé de telles disgrâces. Ah! mon Dieu! mon Dieu! que faire? Jamais je ne pourrai vivre une minute tranquille sur cette terre! Dominguez est bien heureux que le taureau l'ait tué, lui qui aimait aussi Militona! J'ai pourtant fait ce que j'ai pu pour le sauver! Et elle qui m'accusait de l'avoir abandonné dans le péril! car non seulement elle me hait, mais encore elle me méprise. Ô ciel! c'est à devenir fou de rage!»

Et, en disant ces mots, il se leva d'un bond et reprit sa course à travers les champs.

Il erra ainsi tout le jour, la tête perdue, l'œil hagard, les poings contractés; des hallucinations cruelles lui représentaient Andrès et Militona se promenant ensemble, se tenant la main, s'embrassant, se regardant d'un air de langueur, sous les aspects les plus poignants pour un cœur jaloux! Toutes ces scènes se peignaient de couleurs si vives, s'imprégnaient d'une réalité si frappante, qu'il s'élança plus d'une fois en avant comme pour percer Andrès; mais il n'atteignait que l'air et se réveillait tout surpris de sa vision.

Les formes des objets commençaient à se confondre à sa vue; il se sentait les tempes serrées; un cercle de fer lui pressait la tête, ses yeux brûlaient, et, malgré la sueur qui ruisselait sur sa figure et les rayons d'un soleil de juin, il avait froid.

Un bouvier dont la charrette avait versé, la roue ayant passé sur une grosse pierre, vint lui taper sur l'épaule et lui dit:

« Homme, vous me paraissez avoir des bras robustes; voulez-vous m'aider à relever ma charrette? Mes pauvres bêtes s'épuisent en vain.»

Juancho s'approcha, et, sans mot dire, se mit en devoir de relever la charrette; mais les mains lui tremblaient, ses jambes flageolaient, ses muscles invaincus ne répondaient plus à l'appel. Il la soulevait un peu et la laissait retomber, épuisé, haletant.

«Au juger, je vous aurais cru la poigne plus solide que cela», dit le bouvier, étonné du peu de succès des efforts de Juancho.

Il n'avait plus de forces, il était malade.

Cependant, piqué d'honneur par la remarque du bouvier, et orgueilleux de ses muscles comme un gladiateur qu'il était, il réunit, par une projection de volonté effrayante, tout ce qui lui restait de vigueur et donna un élan furieux.

La charrette se retrouva sur ses roues comme par enchantement, sans que le bouvier y eût mis la main. La secousse avait été si violente que la voiture avait failli verser de l'autre côté.

«Comme vous y allez, mon maître! s'écria le bouvier émerveillé; depuis l'hercule d'Ocaña, qui emportait les grilles des fenêtres, et Bernard de Carpio[1], qui arrêtait les meules du moulin avec le doigt, on n'a pas vu un gaillard pareil.»

Mais Juancho ne répondit pas, et tomba évanoui tout de son long sur le chemin, comme tombe un corps mort, pour nous servir de la formule dantesque[2].

«Est-ce qu'il se serait brisé quelque vaisseau dans le corps? dit le bouvier tout effrayé. N'importe, puisque c'est en me rendant service que l'accident lui est arrivé, je vais

1. L'Hercule d'Ocaña est le héros éponyme* d'une pièce de J. B. Diamante (1625-1687). Quant à Bernard de Carpio, héros espagnol légendaire, ses exploits sont célébrés par de nombreuses romances.
2. La formule dantesque : citation du dernier vers du chant V de *L'Enfer* : «et [je] chus, comme corps mort à terre tombe».

le charger sur ma charrette et je le déposerai à San Agustin, ou bien à Alcobendas dans quelque auberge.»

L'évanouissement de Juancho dura peu, bien qu'on n'eût employé pour le faire cesser ni sels ni esprits, choses dont les bouviers sont généralement dépourvus; mais le torero n'était pas une petite-maîtresse.

Le bouvier le couvrit de sa mante. Juancho avait la fièvre, et il éprouvait une sensation inconnue jusqu'alors à son corps de fer, la maladie!

Arrivé à la posada de San Agustin, il demanda un lit et se coucha.

Il dormit d'un sommeil de plomb, de ce sommeil invincible qui s'empare des prisonniers indiens au milieu des tortures que leur inflige l'ingénieuse cruauté des vainqueurs, et dont s'endorment les condamnés à mort le matin du jour de leur exécution.

Les organes brisés refusent à l'âme de lui donner les moyens de souffrir.

Ce néant de douze heures sauva Juancho de la folie; il se leva sans fièvre, sans mal de tête, mais faible comme dans la convalescence d'une maladie de six mois. Le sol se dérobait à ses pieds, la lumière étonnait ses yeux, le moindre bruit l'étourdissait; il se sentait l'esprit creux et l'âme vide. Un grand écroulement s'était fait en lui. À la place où s'élevait autrefois son amour, il y avait un gouffre que rien désormais ne pouvait remplir.

Il resta un jour dans cette auberge, et se trouvant mieux, car son énergique nature reprenait le dessus, il se fit donner un cheval et se dirigea vers Madrid, rappelé par cet instinct étrange qui ramène aux spectacles douloureux : il éprouvait le besoin d'inonder ses blessures de poison, d'élargir ses plaies et de se retourner lui-même le couteau dans le cœur ; il était trop loin de son malheur : il voulait s'en rapprocher, pousser son martyre jusqu'au bout, s'enivrer de son absinthe, se faire oublier la cause du mal par l'excès de la souffrance.

Pendant que Juancho promenait sa douleur, des alguazils le cherchaient de tous côtés, car la voix publique le désignait comme étant celui qui avait donné le coup de couteau au seigneur Andrès de Salcedo. Celui-ci, comme vous le pensez bien, n'avait pas porté plainte ; c'était bien assez d'avoir pris au pauvre Juancho celle qu'il aimait, sans encore lui prendre la liberté ; Andrès ignorait même les poursuites dirigées contre le torero.

Argamasilla et Covachuelo, cet Oreste et ce Pylade[1] de l'arrestation, s'étaient mis en campagne pour découvrir et arrêter Juancho ; mais ils procédèrent avec beaucoup de délicatesse, vu les mœurs notoirement farouches du compagnon ; on pouvait même croire, et des envieux qui jalousaient la position des deux amis l'affirmaient hautement, que Covachuelo et Argamasilla prenaient des informations pour ne pas se rencontrer avec celui qu'ils étaient chargés de prendre ; mais un espion maladroit vint dire qu'on avait vu entrer le coupable dans la place des Taureaux, d'un air aussi calme que s'il n'avait rien sur la conscience.

Il fallut donc s'exécuter. Tout en marchant à l'endroit désigné, Argamasilla disait à son ami :

« Je t'en prie en grâce, Covachuelo, ne fais pas d'imprudence ; modère ton héroïsme ; tu sais que le gaillard a la main leste ; n'expose pas la peau du plus grand homme de police qui ait jamais existé à la furie d'un brutal.

1. Argamasilla et Covachuelo, cet Oreste et ce Pylade : héros mythologiques à l'amitié légendaire.

– Sois tranquille, répondit Covachuelo, je ferai tous mes efforts pour te conserver ton ami. Je ne serai brave qu'à la dernière extrémité, lorsque j'aurai épuisé tous les moyens parlementaires.»

Juancho, en effet, était entré dans le Cirque, afin de voir les taureaux qu'on venait d'enfermer pour la course du lendemain, plutôt par la force de l'habitude que par un dessein bien arrêté.

Il y était encore et traversait l'arène, lorsque Argamasilla et Covachuelo arrivèrent suivis de leur petite escouade.

Covachuelo, avec la plus grande politesse et les formules les plus cérémonieuses, notifia à Juancho qu'il eût à le suivre en prison.

Juancho haussa dédaigneusement les épaules et poursuivit son chemin.

Sur un signe de l'alguazil, deux agents se jetèrent sur le torero, qui les secoua comme un grain de poussière qu'on fait tomber de sa manche.

Toute la bande se rua alors sur Juancho, qui en envoya trois ou quatre rouler à quinze pas les quatre fers en l'air ; mais, comme le nombre finit toujours par l'emporter sur la force personnelle, et que cent pygmées ont raison d'un géant, Juancho, tout en rugissant, s'était peu à peu rapproché du toril, et là, se débarrassant par une brusque secousse des mains qui s'accrochaient à ses habits, il en ouvrit la porte, se précipita dans ce dangereux asile et s'y enferma, à peu près comme ce belluaire qui, poursuivi par des gardes de commerce, se réfugia dans la cage de ses tigres.

Les assaillants essayèrent de le forcer dans cette retraite ; mais la porte qu'ils tâchaient d'enfoncer se renversa tout à coup, et un taureau, chassé de son compartiment par Juancho, s'élança tête basse sur la troupe effrayée.

Les pauvres diables n'eurent que le temps bien juste de sauter par-dessus les barrières; l'un d'eux ne put éviter un large accroc à ses chausses.

«Diable! dirent Argamasilla et Covachuelo, cela va devenir un siège dans les règles.

– Tentons un nouvel assaut.»

Cette fois, deux taureaux sortirent ensemble et fondirent sur les assaillants; mais, comme ceux-ci se dispersèrent avec la légèreté que donne la peur, les bêtes farouches, ne voyant plus d'ennemis humains, se tournèrent l'une contre l'autre, croisèrent leurs cornes, et, le mufle dans le sable, firent de prodigieux efforts pour se renverser.

Covachuelo cria à Juancho, en tenant avec précaution le battant de la porte :

« Camarade, vous avez encore cinq taureaux à lâcher : nous connaissons vos munitions. Après cela, il faudra vous rendre, et vous rendre sans capitulation. Sortez de votre propre mouvement, et je vous accompagnerai à la prison avec tous les égards possibles, sans menottes ni poucettes, dans un calesin à vos frais, et je ne ferai aucune mention sur le rapport de la résistance que vous avez faite aux agents de l'autorité, ce qui aggraverait votre peine; suis-je gentil?»

Juancho, ne voulant pas disputer plus longtemps une liberté qui lui était indifférente, se remit aux mains d'Argamasilla et de Covachuelo, qui le conduisirent à la prison de la ville avec tous les honneurs de la guerre.

Lorsque les clefs eurent fini de grincer dans les serrures, il s'étendit sur son grabat et se dit : «Si je la tuais!» ne songeant plus qu'il était au cachot. «Oui, c'est ce que j'aurais dû faire le jour où j'ai trouvé Andrès chez elle. Ma vengeance eût été complète; oh! quelle atroce angoisse il eût souffert en voyant sa maîtresse poignardée sous ses yeux ; faible, cloué au lit, ne pouvant la défendre ; car je ne l'aurais pas tué, lui ! je n'aurais pas commis cette faute ! Je me serais sauvé dans la montagne ou livré à la justice. Je serais tranquille, maintenant, d'une façon ou d'une autre. Pour que je puisse vivre, il faut qu'elle soit morte ; pour qu'elle puisse vivre, il faut que je meure ; j'avais ma navaja à la main, un coup et tout était fini ; mais elle avait dans les yeux une lueur si flamboyante, elle était si désespérément belle que je n'ai plus eu ni force, ni volonté, ni courage, moi qui fais baisser la paupière aux lions quand je les regarde dans leurs cages, et ramper les taureaux sur le ventre comme des chiens battus.

« Eh quoi ! j'aurais déchiré son sein charmant ! fait sentir à son cœur le froid de l'acier, et ruisseler sur sa blancheur son beau sang vermeil ! Oh ! non, je ne commettrai pas cette barbarie. Il vaudrait mieux l'étouffer avec son oreiller, comme fait le nègre à la jeune dame de Venise dans la pièce[1] que j'ai vue au théâtre del Circo. Mais pourtant, elle ne m'a pas trompé, elle ne m'a pas fait de faux serment ; elle a toujours été vis-à-vis de moi d'une froideur désespérante. C'est égal, je l'aime assez pour avoir droit de mort sur elle ! »

Telles étaient, à quelques variantes près, les idées qui occupaient Juancho dans sa prison.

Andrès revenait à la santé à vue d'œil ; il s'était levé, et, appuyé sur le bras de Militona, avait pu faire le tour de la chambre et aller respirer l'air à la fenêtre ; bientôt ses forces lui avaient permis de descendre dans la rue et d'aller chez lui faire les dispositions nécessaires pour son prochain mariage.

1. La pièce : *Othello* de Shakespeare.

Sir Edwards, de son côté, s'était déclaré; il avait demandé dans les règles la main de Feliciana Vasquez de los Rios à don Geronimo, qui la lui avait accordée avec empressement. Il s'occupait de la corbeille et faisait venir de Londres des robes et des parures d'une richesse fabuleuse et d'un goût exorbitant. Les cachemires, choisis dans la gamme jonquille, écarlate et vert pomme, eussent défié les investigations de M. Biétry[1]. Ils avaient été rapportés de Lahore[2], cette métropole de châles, par sir Edwards lui-même, qui possédait une ou deux fermes dans les environs; ils étaient faits avec le duvet de ses propres chèvres: l'âme de Feliciana nageait dans la joie la plus pure.

Militona, quoique bien heureuse aussi, n'était pas sans quelques appréhensions; elle avait peur d'être déplacée dans le monde où son union avec Andrès allait la faire entrer. Chez elle une maîtresse de pension n'avait pas détruit l'ouvrage de Dieu, et l'éducation remplacé l'instinct; elle avait le sentiment du bien, du beau, de toutes les poésies de l'art et de la nature, mais rien que le sentiment. Ses belles mains n'avaient jamais pétri l'ivoire du clavier; elle ne lisait pas la musique, quoiqu'elle chantât d'une voix pure et juste; ses connaissances littéraires se bornaient à quelques romances, et, si elle ne faisait pas de fautes en écrivant, il fallait en remercier la simplicité de l'orthographe espagnole.

«Oh! se disait-elle, je ne veux pas qu'Andrès rougisse de moi. J'étudierai, j'apprendrai, je me rendrai digne de lui. Pour belle, il faut bien croire que je le suis, ses yeux me le disent; et quant aux robes, j'en ai assez fait pour les

---

1. M. Biétry: créateur d'une fabrique de «cachemires», défendant contre ses concurrents son droit exclusif à cette appellation.
2. Lahore: ville indienne.

savoir porter aussi bien que les grandes dames. Nous irons dans quelque retraite où nous resterons jusqu'à ce que la pauvre chrysalide ait eu le temps de déployer ses ailes et de se changer en papillon. Pourvu qu'il ne m'arrive pas quelque malheur! ce ciel trop bleu m'effraye. Et Juancho, qu'est-il devenu? Ne fera-t-il pas quelque tentative insensée?

— Oh! pour cela, non, répondit la tia Aldonza à cette réflexion de Militona achevée à haute voix. Juancho est en prison, comme accusé de meurtre sur la personne de M. de Salcedo, et, vu les antécédents du gaillard, son affaire pourrait prendre mauvaise tournure.

— Pauvre Juancho! je le plains maintenant. Si Andrès ne m'aimait pas, je serais si malheureuse!»

Le procès de Juancho prenait une mauvaise tournure. Le fiscal présentait le combat nocturne sous forme de guet-apens et d'homicide, n'ayant pas donné la mort par cause indépendante de la volonté de Juancho. La chose ainsi considérée devenait grave.

Heureusement Andrès, par les explications et le mouvement qu'il se donna, réduisit l'assassinat à un simple duel, à une arme autre, il est vrai, que celle employée par les gens du monde, mais qu'il pouvait accepter, puisqu'il en connaissait le maniement. La blessure, d'ailleurs, n'avait rien eu de grave, il en était parfaitement rétabli, et, dans cette querelle, il avait eu, en quelque sorte, les premiers torts. Les résultats en avaient été trop heureux pour croire les avoir payés trop cher d'une égratignure.

Une accusation d'assassinat dont la victime se porte bien et plaide pour le meurtrier ne peut pas être soutenue longtemps, même par le fiscal le plus altéré de vindicte publique.

Aussi Juancho fut-il relâché au bout de quelque temps, avec le regret de devoir sa liberté à l'homme qu'il haïssait le plus sur terre, et dont à aucun prix il n'eût voulu recevoir un service.

En sortant de prison, il dit d'un air sombre :

« Maintenant, me voilà misérablement lié par ce bienfait. Je suis un lâche et un infâme, ou désormais cet homme est sacré pour moi. Oh ! j'aurais préféré aller aux galères ; dans dix ans, je serais revenu et me serais vengé. »

À dater de ce jour, Juancho disparut. Quelques personnes prétendirent l'avoir vu galoper du côté de l'Andalousie sur son cheval noir. Le fait est qu'on ne le rencontra plus dans Madrid.

Militona respira plus à l'aise ; elle connaissait assez Juancho pour ne plus rien craindre de sa part.

Les deux mariages se firent en même temps et à la même église. Militona avait voulu faire elle-même sa robe de mariée : c'était son chef-d'œuvre ; on l'aurait dite taillée dans les feuilles d'un lis ; elle était si bien faite, que personne ne la remarqua.

Feliciana avait une toilette extravagante de richesse.

En sortant de l'église, tout le monde disait de Feliciana : « Quelle belle robe ! » et de Militona : « Quelle charmante personne ! »

11

Non loin de l'ancien couvent de Santo-Domingo, dans le quartier de l'Antequerula de Grenade, sur le penchant de la colline, s'élevait une maison d'une blancheur étincelante, qui brillait comme un bloc d'argent entre le vert foncé des arbres qui l'entouraient.

Par-dessus les murailles du jardin débordaient, comme d'une urne trop pleine, de folles guirlandes de vigne et de plantes grimpantes qui retombaient en larges nappes du côté de la rue.

À travers la grille de la porte, on apercevait d'abord une espèce de péristyle, orné d'une mosaïque de cailloux de différentes couleurs, ensuite, une cour intérieure, un *patio*, pour nous servir de l'expression propre, une architecture évidemment moresque.

Ce patio était entouré de sveltes colonnes de marbre blanc d'un seul morceau, de la plus gracieuse proportion, dont les chapiteaux, d'un corinthien capricieux, portaient, entremêlées à leurs volutes, des inscriptions en lettres arabes fleuries, où brillaient encore quelques restes de dorure.

Sur ces chapiteaux retombaient des arcs évidés en cœur, pareils à ceux de l'Alhambra[1], qui formaient sur les quatre faces de la cour une galerie couverte.

Au milieu, dans un bassin bordé de vases de fleurs et de caisses d'arbustes, grésillait un mince jet d'eau qui couvrait de perles les feuilles lustrées, et semblait chuchoter, de sa voix de cristal, quelque amoureux secret à l'oreille des myrtes et des lauriers-roses.

Un tendido de toile plafonnait la cour et en faisait comme un salon extérieur où régnaient une ombre transparente et une fraîcheur délicieuse.

Au mur était accrochée une guitare et, sur un canapé de

---

1. Alhambra : palais de Grenade. Gautier transpose dans cette maison une partie des richesses de l'Alhambra qu'il a décrites dans *Le Voyage en Espagne* (chapitre XI).

crin traînait un large chapeau de paille, orné de rubans verts.

Tout homme, en passant par cette rue et en jetant l'œil dans cet intérieur, quelque mauvais observateur qu'il fût, n'eût pu manquer de dire : «Là vivent des gens heureux.» Le bonheur illumine les maisons et leur donne une physionomie que n'ont pas les autres. Les murailles savent sourire et pleurer; elles s'amusent ou elles s'ennuient; elles sont revêches ou hospitalières, selon le caractère de l'habitant qui leur sert d'âme : celles-ci ne pouvaient être animées que par de jeunes amants ou de nouveaux époux.

Puisque la grille n'est pas fermée, poussons-la et pénétrons dans l'intérieur.

Au fond du *patio*, une autre porte, ouverte aussi, nous donnera entrée dans un jardin qui n'est ni français ni anglais, et dont le type n'existe qu'à Grenade; une vraie forêt vierge de myrtes, d'orangers, de grenadiers, de lauriers-roses, de jasmins d'Espagne, de pistachiers, de sycomores, de térébinthes, dominée par quelque cyprès séculaire s'élevant silencieusement dans le bleu du ciel, comme une pensée de mélancolie au milieu de la joie.

À travers ces fouillis de fleurs et de parfums s'élançaient en fusées d'argent les eaux du Darro, amenées du sommet de la montagne par les merveilleux travaux hydrauliques des Arabes[1].

Des plantes rares s'épanouissaient en gerbe dans de vieux vases moresques, aux ailes découpées à jour, au galbe plein de sveltesse, historiées de versets du Coran.

Mais ce qu'il y avait de plus remarquable était une allée

---

1. Référence au *Voyage en Espagne* : «Les Arabes ont poussé au plus haut degré l'art de l'irrigation; leurs travaux hydrauliques attestent une civilisation des plus avancées; ils subsistent encore aujourd'hui et c'est à eux que Grenade doit d'être le paradis de l'Espagne» (chapitre XI, p. 293).

de lauriers aux troncs polis, aux feuilles métalliques, le long de laquelle régnaient deux bancs à dossiers et à sièges de marbre, et couraient deux ruisseaux d'une eau diamantée dans une rigole d'albâtre.

Au bout de cette allée, sur le pavé de laquelle le prodigue soleil de l'Andalousie pouvait à peine jeter quelques ducats d'or à travers le réseau serré des feuilles, s'élevait un petit bâtiment de forme élégante, une espèce de pavillon, de ceux qu'on appelle à Grenade *tocador* ou *mirador*, et d'où l'on jouit d'une vue étendue et pittoresque.

L'intérieur du *mirador* était un bijou de ciselure moresque. La voûte, de celles que les Espagnols désignent sous le nom de *media-naranja* (demi-orange), offrait une si prodigieuse complication d'arabesques et d'ornements, qu'elle semblait plutôt un madrépore[1] ou un gâteau d'abeilles que l'œuvre de la patience humaine ; les grottes à cristallisations offrent seules cette abondance de stalactites sculptées.

Au fond, dans le cadre de marbre de la fenêtre, qui s'ouvrait sur un abîme, étincelait le plus splendide tableau qu'il soit donné à l'œil humain de contempler.

Sur les premiers plans, à travers un bois de lauriers énormes, parmi des rochers de marbre et de porphyre[2], le Genil accourait, par sauts et par bonds, de la Sierra, et se dépêchait d'aller retrouver Grenade et le Darro ; plus loin, s'étendait la riche Vega avec sa végétation opulente, et tout au fond, mais si près qu'il semblait qu'on pût les toucher, s'élevaient les montagnes de la Sierra-Nevada.

Dans ce moment, le soleil se couchait et teignait les cimes neigeuses d'un rose à quoi rien ne peut se comparer :

1. Madrépore : polype des mers chaudes, au squelette calcaire.
2. Porphyre : roche rouge foncé à cristaux blancs.

un rose tendre et frais, lumineux et vivant, un rose idéal, divin, d'une nuance introuvable ailleurs qu'au paradis ou à Grenade, un rose de vierge écoutant pour la première fois un aveu d'amour.

Un jeune homme et une jeune femme, appuyés l'un près de l'autre au balcon, admiraient ensemble ce sublime spectacle : le bras du jeune homme reposait sur la taille de la jeune femme, avec le chaste abandon de l'amour partagé.

Après quelques minutes de contemplation silencieuse, la jeune femme se releva et fit voir un visage charmant, qui n'était autre, comme nos lecteurs l'ont sans doute deviné, que celui de Mme Andrès de Salcedo, ou Militona, si ce nom, sous lequel ils l'ont connue plus longtemps, leur plaît davantage.

Il n'est pas besoin de dire que ce jeune homme était Andrès.

Aussitôt le mariage conclu, Andrès et sa femme étaient partis pour Grenade, où il possédait une maison venant d'héritage d'un de ses oncles. Feliciana avait suivi Sir Edwards à Londres. Chaque couple cédait ainsi à son instinct : le premier cherchait le soleil et la poésie, le second la civilisation et le brouillard.

Ainsi qu'elle l'avait dit, Militona n'avait pas voulu entrer tout de suite dans le monde, où son union avec Andrès lui donnait droit de tenir un rang ; elle aurait craint de faire rougir Andrès par quelque charmante ignorance ; et, dans cette heureuse retraite, elle était venue oublier les étonnements naïfs de la pauvreté.

Elle avait gagné singulièrement au physique et au moral. Sa beauté, qu'on aurait pu croire parfaite, avait augmenté. Quelquefois, dans l'atelier d'un grand sculpteur, on voit une statue admirable qui vous semble finie, mais l'artiste trouve encore moyen d'ajouter de nouvelles perfections à ce que l'on croyait achevé.

Il en était ainsi de la beauté de Militona; le bonheur lui avait donné le suprême poli; mille détails charmants étaient devenus d'une délicatesse exquise par les recherches et les soins que permet la fortune. Ses mains, d'une forme si pure, avaient blanchi; les quelques maigreurs causées par le travail et le souci du lendemain s'étaient comblées. Les lignes de son beau corps ondulaient plus moelleuses, avec la sécurité de la femme et de la femme riche. Son heureuse nature s'épanouissait en toute liberté et jetait ses fleurs, ses parfums et ses fruits; son esprit vierge recevait toutes les notions et se les assimilait avec une facilité extrême. Andrès jouissait du plaisir de voir naître, pour ainsi dire, dans la femme qu'il aimait, une femme supérieure à la première.

Au lieu du désenchantement de la possession, il trouvait chaque jour en Mme de Salcedo une qualité nouvelle, un charme inconnu, et s'applaudissait d'avoir eu le courage de faire ce que le monde appelle une sottise, c'est-à-dire d'épouser, étant riche, une jeune fille sage, admirablement belle et passionnément amoureuse de lui.

Ne devrait-ce pas être pour les gens qui ont de la fortune une espèce de devoir de retirer de l'ombre et de la misère les belles filles vertueuses, les reines de beauté sans royaume, et de les faire monter sur le trône d'or qui leur est dû?

Rien ne manquait à la félicité d'Andrès et de Militona. Seulement, elle pensait quelquefois au pauvre Juancho, dont personne n'avait plus entendu parler; elle aurait bien voulu que son bonheur ne fît le désespoir de personne, et l'idée des souffrances éprouvées par ce malheureux la troublait au milieu de sa joie : «Il m'aura sans doute oubliée, se disait-elle comme pour s'étourdir ; il sera allé dans quelque pays étranger, loin, bien loin. »

Juancho avait-il, en effet, oublié Militona ? La chose est douteuse. Il n'était pas si loin que le pensait la jeune femme ; car, au moment où elle s'abandonnait à cette pensée, si elle eût regardé à la crête du mur, du côté du précipice, elle eût vu, à travers le feuillage, scintiller une prunelle fixe, phosphorescente comme celle d'un tigre, qu'elle eût reconnue à son éclat.

« Veux-tu venir faire notre promenade au Généralife ? dit Andrès à Mme de Salcedo, respirer les parfums amers des lauriers-roses et entendre miauler les paons sur les cyprès de Zoraïde et de Chaîne-des-Cœurs ?

— Il fait encore bien chaud, mon ami, et je ne suis pas habillée, répondit la jeune femme.

— Comment ! tu es charmante avec ta robe blanche, ton bracelet de corail, et la fleur de grenade qui éclate à ton oreille. Jette une mantille là-dessus, et les rois maures seront capables de ressusciter, quand tu traverseras l'Alhambra. »

Militona sourit, ajusta les plis de sa mantille, prit son éventail, cet inséparable compagnon de la femme espagnole, et les deux époux se dirigèrent du côté du Généralife, situé, comme chacun sait, sur une éminence reliée à celle que couronnent les tours rouges de l'Alhambra par un ravin, le plus pittoresque qui soit au monde, et où serpente un sentier bordé d'une végétation luxuriante dans lequel nous devancerons de quelques pas M. et Mme de Salcedo, qui s'avancent lentement sous la voûte de feuillage en se tenant par le bout de la main et en balançant leurs bras comme des enfants joueurs.

Derrière le tronc de ce figuier, dont les feuilles vertes et sombres font comme une nuit sur le sentier qui s'étrangle, est-ce une erreur ? Il nous semble avoir vu luire comme le canon d'une arme à feu, comme l'éclair de cuivre d'un tromblon qui s'abaisse.

Un homme est couché à plat ventre dans les lentisques et les azeroliers[1], comme un jaguar à l'affût de sa proie et qui mesure en pensée le saut qu'il doit faire pour lui tomber sur les épaules : c'est Juancho, qui vit depuis deux mois à Grenade, caché dans les tanières de troglodytes des Gitanos, creusées le long des escarpements de Monte-Sagrado, où sont les caves des martyrs[2]. Ces deux mois l'ont vieilli de dix ans ; il a le teint noir, les joues creuses, les yeux ardents, comme un homme que dévore une pensée unique : cette pensée est celle de tuer Militona !

Vingt fois déjà, car il rôde sans cesse autour d'elle, invisible et méconnaissable, épiant l'occasion, il aurait pu mettre à exécution son projet ; mais toujours au moment le cœur lui avait manqué.

En venant à son embuscade, car il avait remarqué que tous les jours à peu près à la même heure, Andrès et Militona passaient par ce chemin, il s'était juré par les serments les plus formidables d'accomplir sa funeste résolution et d'en finir une fois pour toutes.

Il était donc là, son arme chargée à côté de lui, épiant, écoutant les bruits de pas dans le lointain, se disant pour raison suprême et dernier encouragement au meurtre :

« Elle a tué mon âme, je puis bien tuer son corps ! »

Un son de voix rieuses et claires se fit entendre au bout du sentier.

1. Azeroliers : arbustes méditerranéens.
2. Les caves des martyrs : après le paradis lumineux de la maison des jeunes mariés, dont la végétation rappelle le *Cantique des Cantiques*, Gautier décrit un univers sombre et mortifère. *Le Voyage en Espagne* évoque « le *Monte-Sagrado*, qui renferme les grottes des martyrs retrouvés miraculeusement » (chapitre XI, p. 296).

Juancho tressaillit et devint livide; puis il arma le chien du tromblon.

«N'est-ce pas, disait Militona à son mari, on dirait le sentier qui mène au paradis terrestre; ce ne sont que fleurs et parfums, chants d'oiseaux et rayons… Avec un chemin pareil, on serait fâché même d'arriver au plus bel endroit!»

Elle était, en disant ces mots, parvenue près du figuier fatal.

«Qu'il fait bon, qu'il fait frais ici! Je me sens toute légère, tout heureuse.»

La gueule du tromblon invisible était orientée parfaitement dans la direction de sa tête, qui n'avait jamais été plus rose et plus souriante.

«Allons, pas de faiblesse, murmura Juancho en mettant le doigt sur la gâchette de la détente. Elle est heureuse, elle vient de le dire, jamais moment ne fut plus favorable. Qu'elle meure sur cette phrase!»

C'en était fait de Militona: la bouche du tromblon, caché par le feuillage, touchait presque à son oreille; une seconde de plus, et cette tête charmante allait voler en éclats, et toute cette beauté ne former qu'un mélange de sang, de chair et d'os broyés.

Au moment de briser son idole, le cœur de Juancho se gonfla; un nuage passa sur ses yeux; cette hésitation ne dura que l'espace d'un éclair, mais elle sauva Mme de Salcedo, qui ne sut jamais quel péril elle avait couru et qui acheva sa promenade au Généralife avec la plus parfaite tranquillité d'esprit.

«Allons, décidément, je suis un lâche, dit Juancho en s'enfuyant à travers les broussailles, je n'ai de courage que contre les taureaux et les hommes.»

Quelque temps après, la renommée se répandit d'un

torero qui faisait des prodiges d'adresse et de valeur ; jamais on n'avait vu une témérité pareille : il disait venir d'Amérique, de Lima, et en ce moment donnait des représentations à Puerto de Santa Maria.

Andrès, qui se trouvait avec sa femme à Cadix, où il avait été dire adieu à un ami en partance pour Manille, eut le désir, bien naturel pour un aficionado comme lui, d'aller voir ce héros tauromachique ; Militona, quoique douce et sensible, n'était pas femme à refuser une semblable proposition, et tous deux descendirent sur la jetée, afin de prendre le bateau à vapeur qui fait la traversée de Cadix à Puerto, ou, à son défaut, une de ces petites barques qui ont un œil ouvert, peint de chaque côté de leur taille-mer[1], ce qui donne à leur proue une apparence de visage humain des plus singulières.

Il régnait sur le port une activité et un mouvement extraordinaires ; les patrons des barques s'arrachaient les pratiques[2] et passaient alternativement des flatteries aux menaces ; les cris, les jurons, les quolibets croisaient leurs feux roulants, et, de minute en minute, un esquif, livrant au vent sa voile latine, était emporté comme une plume de cygne sur le bleu cristal de la rade.

Andrès et Militona prirent place à la poupe de l'une d'elles, dont le patron fredonnait gaiement, en tendant le coude à la jeune femme pour la faire monter à son bord, le vers de la chanson des taureaux de Puerto :

Levez un peu ce petit pied !

1. Taille-mer : pièce à l'avant du bateau, protégeant la coque et fendant l'eau.
2. Pratiques : clients.

Cadix présente un aspect admirable du côté de la mer, et mérite tout à fait les éloges que Byron lui adresse dans ses strophes[1]. On dirait une ville d'argent posée entre deux coupoles de saphir : c'est la patrie des belles femmes, et ce n'est pas faire un médiocre éloge de Militona que de dire qu'elle y était regardée et suivie sur l'Alameda[2] de plusieurs attentifs.

Aussi, c'est qu'elle était adorable avec sa mantille de dentelles blanches, sa rose dans les cheveux, son mouchoir de col assujetti aux épaulettes par deux camées, son corsage garni de passementeries et de franges aux poignets et aux entournures, sa jupe aux larges volants, ses bas à jour plus minces que des toiles d'araignées, enfermant une jambe faite au tour, ses jolis souliers de satin chaussant le pied le plus mignon du monde et dont on eût pu dire, comme dans la chanson espagnole : « Si la jambe est une réalité, le pied est une illusion. »

En changeant de fortune, Militona avait conservé son amour pour les modes et les usages espagnols ; elle ne s'était faite ni française ni anglaise, et, quoiqu'elle pût avoir des chapeaux aussi jaune soufre que qui que ce soit dans la Péninsule, elle n'abusait pas de cette facilité. Le costume que nous venons de décrire montre qu'elle s'inquiétait assez peu des modes de Paris.

Cette population vêtue de couleurs brillantes, car le noir n'a pas encore envahi tout à fait l'Andalousie, qui fourmillait sur la place ou s'attablait à l'auberge de Vista-Alegre et dans les cabarets voisins en attendant la course, formait un spectacle des plus gais et des plus animés.

1. Dans ses strophes : Byron, au chant I du *Pèlerinage de Childe Harold*, évoque Cadix «aux blanches murailles» (LXVI), ville de plaisirs, de fêtes et de corridas, «belle Cadix, assise sur le bord de la mer aux flots bleus» (LXXI).
2. Alameda : promenade de Cadix.

Aux mantilles se mêlaient ces beaux châles écarlates et posés sur la tête, qui encadrent si bien les visages d'une pâleur mate des femmes de Puerto de Santa-Maria et de Xérès de la Frontera.

Les majos, laissant pendre un mouchoir de chacune des poches de devant de leur veste, se dandinaient et prenaient des poses en s'appuyant sur leur vara, espèce de canne bifurquée, ou s'adressaient des andaluçades[1] dans leur patois désossé et presque entièrement composé de voyelles.

L'heure de la course approchait, et chacun se dirigeait du côté de la place en racontant des merveilles du torero, qui, s'il continuait et n'était pas embroché subitement tout vif, ne tarderait pas à dépasser Montès lui-même, car il avait certainement tous les diables au corps.

Andrès et Militona s'assirent dans leur loge, et la course commença.

Ce fameux torero était vêtu de noir; sa veste, toute garnie de jais et d'ornements de soie, avait une richesse sombre en harmonie avec la physionomie farouche et presque sinistre de celui qui la portait; une ceinture jaune tournait autour de ses flancs maigres; dans cette charpente, il n'y avait que des muscles et des os.

Sa figure brune était coupée de deux ou trois rides tracées plutôt par l'ongle tranchant d'un souci que par le soc des années; car, bien que la jeunesse eût disparu de ce masque, l'âge mûr n'y avait pas mis son empreinte.

Ce visage, cette tournure ne semblaient pas inconnus à Andrès; mais cependant il ne pouvait démêler ses souvenirs.

Militona n'avait pas hésité un seul instant. Malgré son

---

1. Andaluçades : plaisanteries et provocations.

peu de ressemblance avec lui-même, elle avait tout de suite reconnu Juancho.

Ce profond changement opéré en si peu de temps l'effraya, en lui montrant quelle passion terrible était celle qui avait ravagé à ce point cet homme de bronze et d'acier.

Elle ouvrit précipitamment son éventail pour cacher sa figure et se jeter en arrière en disant à Andrès d'une voix brève : «C'est Juancho.»

Mais elle s'était reculée trop tard; le torero l'avait vue; il lui fit de la main comme une espèce de salut.

«Tiens! c'est Juancho, reprit Andrès; le pauvre diable est bien changé, il a vieilli de dix ans. Ah! c'est lui qui est la nouvelle épée dont on parle tant; il a repris le métier.

— Mon ami, allons-nous-en, dit Militona à son mari; je ne sais pourquoi, je me sens toute troublée; il me semble qu'il va se passer quelque chose de terrible.

— Que veux-tu qu'il arrive, répondit Andrès, si ce n'est les chutes de picadores et les éventrements de chevaux obligatoires?

— Je crains que Juancho ne fasse quelque extravagance, ne se laisse aller à quelque acte de fureur.

— Tu as toujours ce méchant coup de navaja sur le cœur. Si tu savais le latin, et heureusement tu l'ignores, je te dirais que cela ne peut arriver, d'après la loi, *non bis in idem*[1]. D'ailleurs, ce brave garçon a dû avoir le temps de se calmer.»

Juancho fit des prodiges; il agissait comme s'il eût été invulnérable à la façon d'Achille ou de Roland[2]; il prenait

1. *Non bis in idem* : ce terme de jurisprudence signifie qu'un accusé ne peut être condamné deux fois pour le même délit. Par extension, l'expression est employée pour dire qu'on ne peut tomber deux fois dans le même malheur.
2. À la façon d'Achille ou de Roland : la passion que Juancho éprouve pour

les taureaux par la queue et les faisait valser; il leur posait le pied entre les cornes et les franchissait d'un saut; il leur arrachait les devises, se plantait droit devant eux, et se livrait avec une audace sans exemple aux plus dangereux manèges de cape.

Le peuple enthousiasmé applaudissait avec frénésie et disait qu'on n'avait jamais vu course pareille depuis le Cid Campeador[1].

La quadrille[2] des toreros, électrisés par l'exemple, semblait ne plus connaître aucun péril. Les picadores s'avançaient jusqu'au milieu de la place; les banderillos posaient leurs flèches entourées de découpures de papier, sans en manquer une. Juancho secondait tout le monde à temps, savait distraire la bête farouche et l'attirer sur lui. Le pied avait glissé à un chulo, et le taureau allait lui ouvrir le ventre, si Juancho ne l'avait fait reculer au péril de sa vie.

Toutes les estocades qu'il donnait étaient portées de haut en bas, entre les épaules de la bête, entrées jusqu'à la garde, et les taureaux tombaient foudroyés à ses pieds, sans que le cachetero ait eu besoin de venir terminer leur agonie avec son poignard.

«Tudieu, disait Andrès, Montès, le Chiclanero, Arjona, Labi et les autres n'ont qu'à se bien tenir; Juancho les dépassera tous, si ce n'est déjà fait.»

Mais une semblable fête ne devait pas se renouveler; Juancho atteignit cette fois aux plus hautes sublimités de l'art; il fit des prodiges qu'on ne reverra plus. Militona

Militona est son «talon d'Achille». Comme Roland, personnage du cycle légendaire de Charlemagne, il mourra l'épée à la main et fidèle à sa foi.
1. Le Cid Campeador : Rodrigo Diaz de Vivar, dit le Cid Campeador (1043-1099), personnage historique attesté, est devenu un héros légendaire. Il aurait contribué à l'invention de la corrida.
2. Quadrille : la *cuadrilla*, équipe au service du matador.

elle-même ne put s'empêcher de l'applaudir; Andrès trépignait; le délire était au comble, des exclamations frénétiques saluaient chaque mouvement de Juancho.

On lâcha le sixième taureau.

Alors il se passa une chose extraordinaire, inouïe; Juancho, après avoir manégé supérieurement le taureau et fait des passes de muleta inimitables, prit son épée, et au lieu de l'enfoncer dans le col de l'animal, comme on s'y attendait, la jeta en l'air avec tant de force qu'elle fut se planter dans la terre en pirouettant à vingt pas de lui.

«Que va-t-il faire? s'écria-t-on de toutes parts. Ce n'est plus du courage, c'est de la folie! quelle nouvelle invention est-ce là? Va-t-il tuer le taureau en lui donnant une croquignole sur le nez?…»

Juancho lança sur la loge où se trouvait Militona un regard ineffable où se fondaient tout son amour et toutes ses souffrances, et resta immobile devant le taureau.

L'animal baissa la tête. La corne entra tout entière dans la poitrine de l'homme et en sortit rouge jusqu'à la racine.

Un colossal cri d'horreur, composé de dix mille voix, monta vers le ciel.

Militona se renversa sur sa chaise, pâle comme une morte. Pendant cette minute suprême, elle avait aimé Juancho!

Arrêt lecture 5

Esthétique du roman-feuilleton

Militona paraît en onze feuilletons dans *La Presse*, en janvier 1847. Le mode de publication du roman influe grandement sur sa composition : en effet, chaque épisode se doit de maintenir et de relancer l'intérêt du lectorat du journal. Le dernier chapitre du récit en offre un exemple, puisqu'il est construit sur une succession de scènes contrastées : description de l'*eden* qui abrite les amours de Militona et Andrès, relance de l'intrigue par une question (« Juancho, avait-il, en effet, oublié Militona ? La chose est douteuse ») et récit de la tentative manquée, par Juancho, d'assassiner la jeune femme qu'il n'a pu conquérir. Les deux épisodes sont fortement opposés puisque la description paradisiaque de la maison de Grenade et le rappel de la beauté parfaite de Militona laissent place à une phrase violente et sèche, jouant d'un contraste choquant (p. 291) :

> Une seconde de plus, et cette tête charmante allait voler en éclats, et toute cette beauté ne former qu'un mélange de sang, de chair et d'os broyés.

Par cette notation sanglante, Gautier semble détruire son récit lui-même, exprimer le refus d'un dénouement mièvre à force de bonheur tranquille et plat. En effet, le chapitre précédent n'a-t-il pas vu la célébration des noces conjointes d'Andrès et Militona d'une part, de Feliciana et Sir Edwards d'autre part (p. 283) ?

> **Les deux mariages se firent en même temps et à la même église.**

L'insistance stylistique de Gautier sur des figures de réciprocité (« leurs deux », « même » répété) soulignait l'assimilation des deux couples. Le lecteur jusqu'alors pouvait pourtant considérer Feliciana et Sir Edwards comme un double grotesque, « bourgeois », au sens romantique du terme, du couple idéal incarné par Militona et Andrès. De fait, l'écrivain refuse le *happy end* qu'il a d'abord proposé à ses lecteurs, de même que le roman n'a cessé, de chapitre en chapitre, de déconstruire un premier couple (Andrès/Feliciana) ou de refuser certains codes du roman sentimental, d'aventures ou du roman noir. En ce sens, le dernier chapitre du récit entre en opposition totale avec son ouverture, dont il est une sorte de contre-épreuve : le duo de Bellini devient opéra sanglant, la scène intime se mue en spectacle dans une arène… *Militona* s'ouvrait sur une série de négations que le récit se charge de décliner et d'amplifier. La mise en place de l'intrigue avait donc valeur à la fois de leurre – l'histoire annoncée avorte rapidement – et de réel programme narratif – *Militona* ne fonctionne que par refus.

Gautier répond bien ainsi à l'esthétique du roman-feuilleton, ménageant effets de surprise et coups de théâtre à ses lecteurs, les menant sans cesse vers un « ailleurs » romanesque.

Un réseau d'annonces

Le dénouement qui nous est offert ici a donc de quoi surprendre. Pourtant, Gautier n'a eu de cesse de l'annoncer. Un lecteur attentif a pu relever, dans le cours du récit, un réseau serré d'indices : Juancho a vu « en rêve un taureau infernal portant sur des cornes d'acier rougi un matador embroché » (chapitre 1) ; il déclare à Militona que « la corne d'un taureau [lui] entrant dans la poitrine ne [lui] ferait pas détourner la tête quand [elle] souri[t] à un autre homme » (chapitre 3). Il envie plusieurs fois le sort de Dominguez, mort dans l'arène (il « est bien heureux que le taureau l'ait tué, lui qui aimait aussi Militona ! », chapitre 10). Le taureau ne cesse d'apparaître dans le récit, sous forme de chansons – « la chanson populaire des taureaux de Puerto » ou la sérénade de Juancho qui « comme un taureau blessé [...] beugle » –, de comparaisons (Juancho jette les hommes venus l'arrêter « comme le taureau fait des chiens »), et l'expression « corne de taureau » jalonne le roman, fugitivement, finissant par s'imposer dans le dénouement.

La corrida, emblème du récit

La corrida est un thème qui revient régulièrement dans les écrits du siècle ; en témoignent ces vers de Musset (« Madrid », *Contes d'Espagne et d'Italie*, 1830), cités en épigraphe* de *El Gitano* d'Eugène Sue :

« Madrid, quand tes taureaux bondissent,
Bien des mains blanches applaudissent,
     Bien des écharpes sont en jeux. **»**

    Chez Gautier, la course de taureaux n'est en aucun cas un sacrifice à une mode romantique. Elle est d'abord une manière de faire scandale : les descriptions de chevaux éventrés, de blessures et de morts ont de quoi choquer un public habitué aux « vaudevilles* » de Scribe, à l'image de Feliciana, qui trouve « ce divertissement « barbare » » ou des « poltrons » et « âmes sans énergie » qui débitent de « stupides tirades philanthropiques ». Ces remarques du chapitre 1, et l'ennui d'Andrès pensant que le duo de Bellini répété avec sa fiancée va lui faire rater le début de la course, font écho aux commentaires du *Voyage en Espagne* :

« Les *aficionados* sont, pour la véhémence et la furie, autant au-dessus des dilettanti qu'une course de taureaux est supérieure comme intérêt à une représentation d'Opéra ; rien ne les arrête (...). Quel est l'auteur tragique ou comique qui peut se vanter d'exercer une attrac-

tion pareille ? Cela n'empêche pas des moralistes doucereux et senti-
mentaux de prétendre que le goût de ce *barbare divertissement*,
comme ils l'appellent, diminue tous les jours en Espagne. »

Militona est un moyen pour l'*aficionado*, le connaisseur, de faire partager à ses lecteurs sa passion pour un spectacle poétique et violent,
voire scandaleux. La corrida dérange le bon goût, heurte l'imagination
et la sensibilité et produit, en ce sens, une émotion proche du sublime,
le plaisir naissant dans le sentiment du danger et l'effroi. D'ailleurs
lorsque le sublime se voit défini par la philosophie esthétique du
XVIIIe siècle, le taureau incarne la force sauvage et dangereuse, que ce
soit chez Edmund Burke (*Recherche philosophique sur l'origine de nos
idées du sublime et du beau*) ou chez l'abbé du Bos (*Réflexions critiques
sur la poésie et la peinture*), et la corrida permet aux spectateurs, proté-
gés par l'enceinte de l'arène, de ressentir le danger sans s'y exposer
réellement. Le public perçoit ainsi cette délicieuse sensation de peur
que Gautier se charge de rendre, dans *Militona*, par une écriture du
choc, de l'hyperbole et du détail sanglant. La corrida apparaît donc
comme un modèle de construction du roman, lui-même fait de passes
et d'esquives, jusqu'à la mise à mort. L'écrivain reproduit l'énergie du
combat et s'efforce de communiquer une émotion aussi forte que celle
d'une course de taureaux, une même intensité dramatique. C'est pourquoi le roman, à l'image du combat réglé, codifié mais à l'issue incertaine qu'est la corrida, apparie annonces et effets de rupture.

Pour une lecture : de la littérature considérée comme une tauromachie

Depuis «l'heure de la course approchait… » (p. 294) à la fin du roman.

Introduction

Militona (1847) est souvent présenté comme le premier roman tauromachique français. Si l'affirmation a de quoi surprendre, alors qu'*El*

Gitano d'Eugène Sue (1830) ou *Carmen* de Mérimée (1845) font déjà de la «course de taureaux» un motif essentiel de leur intrigue comme de leur esthétique, il n'en demeure pas moins que Gautier, «*aficionado* et tauromaquiste consommé», comme il l'affirme lui-même dans son *Voyage en Espagne*, est l'un des premiers écrivains à donner à la corrida une telle importance dramatique. La course de taureaux qui clôt *Militona* est la seconde à être décrite : la première, au chapitre 2, était le cadre d'une rencontre amoureuse, celle d'Andrès et de la jeune *manola*, provoquant la jalousie de Juancho, le torero, distrait et furieux, échappant de peu à la «corne du taureau». L'ultime corrida semble reprendre cette structure : Juancho est dans l'arène, Militona et Andrès, désormais mariés, assistent au spectacle. Cependant, le dénouement est loin de dupliquer la scène inaugurale. Au contraire, il renverse totalement la perception que nous pouvions avoir des personnages et change le sens du roman.

Dans *Militona*, la corrida est un véritable spectacle : comme l'illustre Lucas y Padilla (1824-1870), les arènes sont pleines à craquer, les femmes se montrent avec leur plus belle toilette, le plaisir des spectateurs est palpable.

1 – Une scène-acmé*

a) Dans l'arène :

L'ensemble des annonces, comme des effets de rupture du roman, conduit à cette scène, à la manière des spectateurs de la corrida qui convergent vers l'arène (« chacun se dirigeait du côté de la place »). Tout mène à ce spectacle final. Comme Militona le raconte à Andrès au chapitre 7, « là, Juancho me vit et conçut pour moi un amour insensé, une passion frénétique ». L'amour de Juancho est né dans l'arène, il ne peut donc s'achever que dans l'arène.

b) Du pluriel au singulier :

De même, le passage multiplie les pluriels (« les prodiges », « les taureaux », « les cornes », « les devises », « les exclamations frénétiques »), les hyperboles et superlatifs (les « plus dangereux manèges de cape », « on n'avait jamais vu course pareille », « aux plus hautes sublimités de

Théâtre des affrontements les plus violents entre le picador et le taureau, la corrida est un moment puissant et cruel, qui s'achève dans la mort, comme le montre cette gravure d'Eugène Decisy (1866-1936), réalisée à partir du texte de Mérimée.

l'art ») avant de focaliser le regard du lecteur sur « une chose », accumulant cette fois les préfixes privatifs (« *in*ouïe », « *in*imitable », « *in*effable ») ou intensifs (« *extra*ordinaire », « *supér*ieurement »). Aux mouvements succède l'immobilité, aux hurlements « un colossal cri d'horreur, composé de dix mille voix ». Le singulier est « composé » de tous ces pluriels, tout vient se fondre en un personnage et un événement. La dynamique du texte, comme du roman, est soumise à l'effet final.

2 – Juancho au centre des regards et des discours

« Il est difficile de rendre avec des mots la curiosité pleine d'angoisses, l'attention frénétique qu'excite cette situation qui vaut tous les drames de Shakespeare ; dans quelques secondes, l'un des deux acteurs sera tué. Sera-ce l'homme ou le taureau ? Ils sont là tous les deux face à face, seuls ; l'homme n'a aucune arme défensive ; il est habillé comme pour un bal : escarpins et bas de soie ; une épingle de femme percerait sa veste de satin ; un lambeau d'étoffe, une frêle épée, voilà tout. Dans ce duel le taureau a tout l'avantage matériel : il a deux cornes terribles, aiguës comme des poignards, une force d'impulsion immense, la colère de la brute qui n'a pas conscience du danger ; mais l'homme a son épée et son cœur, douze mille regards fixés sur lui […]. **»**

Voyage en Espagne, chapitre 7.

a) Naissance d'une légende :
Le torero est ici l'objet de tous les regards et de tous les discours. Le peuple raconte ses « merveilles », ses « prodiges », il apparaît comme une véritable légende, il est comparé aux plus grands combattants de l'arène : Montès, le Chiclanero, Arjona, Labi. Les hyperboles et superlatifs peuvent à peine le définir (« invulnérable », « audace sans exemple »), il est à ce point extra-ordinaire qu'il faut, pour tenter d'approcher son prestige, transformer des expressions lexicalisées (« il avait certainement *tous les* diables au corps »), retrouver le sens étymologique des adjectifs (« fameux », « farouche », « sinistre »), le désigner par une synecdoque* (« c'est lui qui est la nouvelle épée dont on parle tant »).

b) Un héros invulnérable ?

Pourtant, Juancho n'est plus l'Hercule décrit au chapitre 2 du roman. S'il est toujours comparé à des héros mythologiques, il s'agit cette fois d'Achille et de Roland, indices qu'une faiblesse perdra le personnage. De même, des tournures hypothétiques viennent annoncer un retournement probable de situation : « il agissait comme s'il eût été invulnérable » (nous soulignons). Son talent est trop insolent, « semblable fête ne devait pas se renouveler », « il fit des prodiges qu'on ne reverra plus ». Nombre d'indices textuels soulignent l'empreinte de la mort sur cette scène exceptionnelle : le torero ne porte plus sa « veste incarnat et argent », il est « vêtu de noir », sa veste est « garnie de jais », sa maigreur, ses rides impriment la mort sur son corps, sont des signes de deuil et rappellent aussi les gravures de Goya. Le torero est désormais l'ombre de lui-même, il ne se ressemble plus.

3 – « *Non bis in idem* »

Le dénouement de *Militona* renverse toutes les certitudes du lecteur. Le sens du roman est transformé. Rien ne peut en effet se répéter, et le dénouement consacre le triomphe paradoxal du torero.

a) D'un couple à l'autre :

Militona se voit différenciée d'Andrès. Le récit avait fait des deux époux une sorte de couple gémellaire, à l'image du groupe qu'ils forment au balcon de leur demeure de Grenade, au début du chapitre : « Un jeune homme et une jeune femme, appuyés l'un près de l'autre au balcon, admiraient ensemble ce sublime spectacle : le bras du jeune homme reposait sur la taille de la jeune femme, avec le chaste abandon de l'amour partagé. » Le champ lexical du couple (voir les mots soulignés) et la répétition des termes (« un jeune homme », « une jeune femme ») dénoncent, au-delà du couple assorti, une forme de monotonie. Le dénouement divise les amants. Andrès ne reconnaît pas Juancho. Ses commentaires débonnaires ou ironiques (« le pauvre diable », « tudieu ») entrent en contraste total avec la tonalité pathétique de la scène. Il semble même se moquer de Militona, en soulignant son ignorance du latin. De fait, la jeune femme rompt en quelque sorte avec Andrès et rejoint le torero dans la mort : «pendant cette minute suprême, elle avait aimé Juancho». Sa pâleur de «morte» donne au dénouement la valeur de noces dans la mort, réelle pour le torero, métaphorique pour Militona.

b) Extase du sacrifice :

Gautier souhaite ici décrire «une chose extraordinaire, inouïe». L'indétermination du mot «chose», qualifiée par des adjectifs intensifs, hyperboliques, les oxymores* (la «richesse sombre» du costume de Juancho) soulignent la volonté de l'auteur de mettre en mots l'ineffable, à l'image du dernier regard que Juancho jette sur Militona. Après le déluge de mots, de fables et de cris que les prodiges du torero faisaient naître, tout repose sur cet instant «suprême», ce moment invisible de la mort, ce suspens du temps comme de la parole. Gautier fait partager à ses lecteurs une expérience du sublime, vécue par Militona qui ressent effroi, trouble et terreur avant l'extase – au sens le plus plein du terme, à la fois transport hors du monde et de soi, jouissance et mort – face au sacrifice de son amant. De même, la mort de Juancho et sa manière sublime de s'immoler sur la corne du taureau, d'abord signes de son désespoir, de son impuissance à se faire aimer, se voient ressaisies en triomphe. La passion fatale qu'il vouait à Militona, par son sacrifice, devient passion au sens christique du terme, comme ce cri d'horreur qui «monta vers le ciel».

Conclusion

Le roman, en ses derniers paragraphes, change radicalement de perspective : nulle place n'est plus laissée à l'humour ou à l'ironie, l'amour véritable – passion vécue dans et par la mise à mort – ne se définit qu'en cette dernière ligne du roman. Gautier a joué avec son lecteur, tout au long du récit, comme le torero avec son adversaire, multipliant les passes ironiques, insolentes et désinvoltes, avant de le condamner à la stupeur.

Éclairage : Eugène Sue, *El Gitano* (1830)

Ce roman, paru dans *La Mode*, en août et septembre 1830, met en scène El Gitano, personnage de brigand qui se définit lui-même comme « le Bohémien, le maudit, le damné » et une corrida à Cadix, bien avant *Carmen* et *Militona*. « Tout est bruit, parfum et lumière », écrit Eugène Sue, décrivant l'empressement de la foule qui se rend aux arènes, les « spectateurs haletant de désir et d'impatience ». L'originalité de la scène est double : il s'agit sans doute d'un des premiers romans français mettant en scène une telle course de taureaux, et, par ailleurs, l'ensemble du combat est décrit à travers les exclamations de la foule.

« – Bravo ! les clairons sonnent, le signal est donné, les barrières s'ouvrent : un taureau s'élance et bondit dans l'arène !

C'est un brave taureau sauvage, né dans les forêts de San-Lucar ; il est fauve ; seulement une étroite ligne blanche serpente sur son dos. Ses cornes sont courtes, mais fortes et acérées, et il n'y a pas d'acier plus luisant et plus poli. Son cou musculeux supporte sans peine une tête énorme, et ses jambes sèches et nerveuses ne faiblissent pas sous le poids de son poitrail et de sa croupe, qui sont d'une largeur extraordinaire.

Quant à ses flancs, ils sont osseux, arrondis et retentissent sous les coups réitérés de sa longue queue, qui, en les battant, bruit comme un fouet.

Quand il entra, ce fut une explosion d'admiration à ébranler les montagnes de la Sierra, et les cris de *bravo, toro !* retentirent de toutes parts. Lui, s'arrêta court, suspendit un moment les battements de sa queue, et regarda avec étonnement autour de lui… Puis il fit à pas lents le tour de l'enceinte qui séparait l'arène des spectateurs, y chercha une issue, et, n'en trouvant pas, revint au milieu du cirque, et là, commençant d'aiguiser ses cornes, y fit tourbillonner le sable au-dessus de sa tête.

À ce moment un *chuchillo* se présenta.

– Que la Vierge te protège, mon fils ! et fasse le ciel que ton bel habit de satin bleu brodé d'argent n'ait pas tout à l'heure une doublure rouge comme la banderole que tu fais voltiger sous les yeux de ton compère qui mugit et s'irrite !

– Bravo, *chuchillo*, ta patronne veille sur toi ! car c'est à peine si tu as eu le temps de te jeter derrière l'enceinte pour échapper au taureau, dont les yeux commencent à briller comme des charbons ardents.

Mais, patience, voici venir le picador avec sa longue lance, et monté sur un vaillant cheval pie ; son large chapeau gris est tout chargé de rubans, et il porte des espèces de bottes et de cuissards rembourrés pour se préserver des premières atteintes.

– Bravo, taureau ! tu prends ton élan la tête baissée, tu te précipites sur le picador... Mais il t'arrête court en t'enfonçant sa bonne lance au-dessus de l'épaule gauche. Ton sang ruisselle, tu mugis, et ta fureur redouble. Vrai Dieu ! la course sera belle !

– Par Saint Jacques ! quel bond ! quel mugissement ! bravo, taureau ! le picador roule renversé ; son vaillant cheval pie a le flanc entrouvert ; ses entrailles sortent au milieu de flots de sang. Il fait quelques pas... tombe... et meurt... Bien, mon compère aux cornes aiguës, bien ! aussi tu entends résonner les trépignements et les cris d'une joie frénétique. Je le dis encore : vrai Dieu !... la course sera belle !

– Mais silence ! voici les *banderillas de fuego*. Oh ! oh !... tu t'accules le long de l'enceinte en foulant la terre et en poussant des hurlements horribles. Que sera-ce donc, mon fils, quand ce brave *chulillo,* que Notre-Dame protège ! t'enfoncera dans le poitrail ces longues flèches garnies de fleurs et entourées de fusées et de pétards qui s'allument comme par enchantement ? Tiens, ne disais-je pas vrai !... Par l'âme de mon père, le *chulillo* est éventré ! Jésus ! le beau coup de corne ! C'est sa faute, il ne s'est pas jeté de côté assez à temps. Bravo, taureau ! que tu es noble et fier, bondissant au milieu de ces flammes qui éclatent et se croisent ! Ton sang se mêle au feu ; ta peau frémit et craque sous les fusées qui serpentent, s'arrondissent en gerbes, et retombent en pluie d'or ; ta rage est à son comble, et les spectateurs ont fui de la première enceinte, craignant que tu ne la franchisses, et pourtant elle a six barres de haut !

– Enfer ! le matador n'arrive pas ! Voici pourtant le moment. En trouvera-t-il un plus désirable ? Jamais ; car jamais la furie de ce compère n'atteindra un plus haut degré, et je parierais ma bonne escopette contre un fusil anglais que le matador y périra. Sainte Vierge ! comme il tarde ! fais donc qu'il arrive bientôt.

– Mais c'est lui. Le voici : c'est Pepe Ortis !

– Viva Pepe ! viva Pepe Ortis !

– Ah !... il salue [...] Il a ôté son chapeau, et l'on voit pendre sa résille rouge. Bon ! il fait ployer sa large épée à deux tranchants... Jésus ! que d'or sur sa veste orange ! j'en suis ébloui ! De l'or partout !... de l'or jusque sur les coins de ses bas et sur les bouffettes de ses souliers de daim gris.

Enfin le voilà dans l'arène !...

– Tue le taureau pour moi, mon amour, lui crie une Andalouse au teint bruni et aux dents d'émail.

– Par le Christ, ne souris donc pas ainsi à ta maîtresse !... Fuis, José, fuis ! le taureau fond sur toi.

Mais non, José l'attend de pied ferme, son épée entre les dents, saisit une des cornes, et saute légèrement par-dessus lui.

– Bravo, mon digne matador, bravo ! Aussi ramasse la fleur d'amandier que ton amoureuse t'a jetée en battant des mains.

Mais voici que le taureau se retourne ! Santa Carmen ! mauvais signe ! Il s'arrête, ne mugit plus ; ses jambes sont tendues, ses yeux en feu, et sa queue roulée en anneaux. Recommande ton âme à Dieu, José, car la barrière est loin et le taureau est proche. En avant ! *demonio !*... en avant ta bonne lame ! Jésus ! il est trop tard ! l'épée se brise en éclats, et José, traversé par une corne du taureau, est cloué sur la balustrade ! Je le disais bien, vrai Dieu ! que la course serait belle !

Ce furent alors des hurlements de joie, et des cris d'une admiration convulsive, des cris à éveiller des morts.

– Bravo, taureau ! bravo !... s'écrièrent toutes les voix de la foule.

Toutes ?... non, une seule manqua, ce fut celle de la jeune fille à la fleur d'amandier.

Depuis longtemps pareille fête ne s'était vue : le taureau, encore excité par sa victoire, parcourait le cirque en faisant des bonds effroyables, se ruait sur les restes sanglants du matador et du *chulillo*, et des lambeaux de ces deux maladroits pleuvaient sur les spectateurs ! 》》

Chapitre 2, « La Course de taureaux ».

Bilans

Résumés

Carmen

Chapitre 1 – Le narrateur, venu dans la région de Cordoue pour des recherches archéologiques, rencontre un homme mystérieux, qu'il pense être le fameux bandit José Maria, avec lequel il partage cependant des cigares et du jambon. Avide de connaître les secrets de l'inconnu, il le suit dans une auberge isolée. L'homme s'appelle en fait José Navarro et il est recherché par la police. Antonio, guide du narrateur, décide de dénoncer l'homme, afin de toucher la récompense promise par la police. Mais le narrateur protège la fuite de Don José et lui évite d'être arrêté.

Chapitre 2 – Quelques jours plus tard, à Cordoue, le narrateur fait la connaissance de Carmen. Cette fois, c'est don José qui le sauve du guet-apens que lui tendait la Gitane. Plusieurs mois après, le narrateur apprend que don José a été arrêté et va être exécuté. Il lui rend visite et don José lui conte son histoire.

Chapitre 3 – Don José raconte son histoire au narrateur premier. Il évoque rapidement sa jeunesse avant de décrire sa rencontre avec Carmen. Il franchit alors peu à peu toutes les étapes d'une vie de hors-la-loi, dans l'espoir vain de posséder Carmen et de mener à ses côtés une existence paisible et honnête. Mais la jeune Gitane ne cesse de fuir et d'humilier don José, elle a des « galants », un *rom*. « Je suis las de tuer tous tes amants, c'est toi que je tuerai », lui déclare alors don José. Il tue en effet Carmen de deux coups de couteau avant de se rendre et d'avouer son crime.

Chapitre 4 – Le narrateur premier reprend la parole et offre aux lecteurs un ample exposé sur les bohémiens. Après avoir expliqué où ils vivent et quels métiers ils exercent, il en brosse un portrait physique comme moral. Des anecdotes viennent alors étayer ces propos théoriques et l'exposé se termine sur quelques considérations linguistiques.

Militona

Chapitre 1 – Andrès del Sarto parvient avec peine à s'échapper d'une assommante répétition musicale avec sa fiancée, Feliciana, et se rend aux arènes de Madrid. Il espère y retrouver une jeune et belle *manola*, Militona, aperçue la semaine précédente.

Chapitre 2 – Juancho, torero, se prépare au combat. Tandis que la corrida commence, Andrès retrouve la sublime *manola*, que le hasard a placée à ses côtés sur les gradins. Il parvient à l'aborder, provoquant la fureur de Juancho, qui échappe de peu à la corne du taureau. Militona refuse dès lors de parler à Andrès qui décide de la faire suivre par un jeune garçon pour en apprendre davantage sur elle.

Chapitre 3 – Militona, rentrée chez elle, subit la passion jalouse de Juancho, qu'elle n'aime pas. De son côté, Andrès apprend enfin où demeure la jeune femme.

Chapitre 4 – Andrès décide de prendre les habits d'un homme du peuple pour mieux passer inaperçu aux abords de chez Militona. Il parvient à lui communiquer une courte lettre. Juancho se trouve lui aussi sous les fenêtres de la jeune femme, miné par sa jalousie. Il lui chante une sérénade avant d'apercevoir Andrès. Les deux hommes se battent à coups de *navaja*.

Chapitre 5 – Juancho est contraint de fuir, croyant avoir tué Andrès. Ce dernier, qui n'est que blessé, est recueilli par Militona. Elle le soigne et le veille.

Chapitre 6 – L'absence d'Andrès inquiète Féliciana. Deux policiers sont mis sur les traces du jeune homme disparu et mènent une enquête rocambolesque. Juancho, doutant finalement d'avoir tué Andrès, décide de se rendre chez Militona.

Chapitre 7 – Il découvre son rival chez Militona, menace de tuer Andrès et la jeune femme. Militona lui répète qu'elle ne l'aime pas et le chasse. Parallèlement, les deux policiers ont découvert où se trouve Andrès.

Chapitre 8 – Andrès et Militona s'avouent leur amour. La jeune femme lui raconte son histoire et celle de Juancho. Feliciana, accompagnée de son père et de son soupirant anglais, décide de rendre une visite à son fiancé.

Chapitre 9 – L'entrevue chez Militona tourne au duel verbal. Andrès déclare son amour pour Militona et sa volonté de l'épouser. Feliciana, de son côté, accepte la demande en mariage de l'Anglais.

Chapitre 10 – Juancho, fou de douleur et de jalousie, médite la mort de Militona. Deux mariages sont célébrés, celui d'Andrès et de Militona, celui de Feliciana et de Sir Edwards.

Chapitre 11 – Andrès et Militona ont quitté Madrid pour Grenade. Ils vivent heureux. Juancho, qui espionne la jeune femme, médite sa mort mais ne pouvant se résoudre à aller au bout de son geste, expose sa vie dans les arènes. Son renom est immense. Il doit combattre à Cadix où se trouvent justement Andrès et sa femme. Les deux époux se rendent aux arènes, assistent au dernier combat du « héros tauromachique » qui s'offre à la corne du taureau, sous les yeux de la femme qu'il a toujours aimée.

Les personnages

Dans *Carmen*

Les personnages secondaires de la nouvelle sont de simples silhouettes. Ils servent de miroirs ou de contre-épreuves à Carmen et don José. Ce sont des personnages fonction, des types, appartenant à un groupe (militaires, brigands), rivaux et opposants de don José (Garcia, Lucas), qui disparaissent très rapidement du récit, permettant une focalisation* sur les trois personnages principaux, eux-mêmes pris dans un système, ne fonctionnant que dans les tensions et les heurts. Les liens qui se tissent et se dénouent sont ceux du désir, de la séduction (ce jeu concerne aussi le narrateur). La nouvelle met en place une relation triangulaire (comme le montre la construction des chapitres : 1. narrateur/don José ; 2. narrateur/Carmen ; 3. don José/Carmen).

Le narrateur – Il est d'abord un double fictionnel de l'auteur de la nouvelle. Son voyage en Espagne suit les mêmes étapes que celui de Mérimée ; il partage son goût de l'archéologie, sa curiosité pour le monde des bohémiens, son amour des livres et sa tendance à l'autodérision. Il est cependant très peu caractérisé dans la nouvelle. Nous n'apprenons rien de son physique, seule sa nationalité est connue, et son caractère se dessine en creux : curiosité, esprit d'aventure, absence de jugements moraux tranchés. De fait, ce personnage a principalement une fonction narratologique : il est le lien des différents chapitres.

Don José – Le statut du personnage est extrêmement complexe, ce qui fonde sa richesse : il n'est pas le personnage éponyme* de la nouvelle, alors même qu'il est le seul à apparaître dans l'ensemble des trois premiers chapitres et que son approche se fait de la manière la plus complète qui soit, à travers un portrait (chapitre 1) et un autoportrait (chapitre 3). Finalement, n'est-il pas le personnage principal de *Carmen* ? Son héroïsme est également problématique : don José est à l'évidence un homme courageux et animé par certaines valeurs (respect de la parole donnée, fidélité en amitié). Cependant, dominé par sa passion, aveuglé par Carmen, il se lance dans la quête éperdue d'une femme qui toujours lui échappe, vivant dans le désir, les manques, la frustration. Son parcours est celui de la chute : aristocrate déchu, militaire puis hors-la-loi, don José se laisse porter par sa jalousie, ses instincts violents. Il suit les ordres de Carmen qui ne lui parle que sous forme impérative, se laisse prendre à son jeu fatal et le meurtre de la jeune Gitane lui apparaîtra bientôt comme la seule issue possible pour tenter de dominer cette chimère. Mais là encore, don José échoue : Carmen demeure libre, arrogante et insaisissable, elle lui accorde en quelque sorte seulement d'être l'instrument de sa mort. En somme, cet héroïsme problématique de don José, ses doutes, sa complexité font de lui un personnage profondément romantique.

Carmen – Personnage éponyme* de la nouvelle, la jeune Gitane est elle aussi un personnage ambivalent : incarnation de la liberté, comme elle l'affirme elle-même maintes fois jusque dans sa mort, elle n'a pourtant d'autre choix que d'accomplir une destinée fatale, dont elle a lu l'issue dans le marc de café, dans le plomb fondu et divers signes. Elle incarne la contradiction, sa volonté d'indépendance entrant en opposition avec sa vénalité, son besoin de conquêtes : sorte de don Juan féminin, elle ne se lie jamais, séduit et quitte ou tue ses amants. Véritable « caméléon » – le terme apparaît dans la nouvelle pour la caractériser –, elle est en constante métamorphose ; être de la fuite, elle change de rôle, d'amants, de costumes, de discours. Sa parole apparie caresse et blessure, prophétie et mensonge. Les champs lexicaux de la violence, de l'érotisme, de la sorcellerie tentent vainement de définir son mystère, qui résiste à toute description. Les différents portraits du personnage multiplient en effet chiasmes* et oxymores*, elle est cette « beauté étrange et sauvage », « figure qui étonnait d'abord, mais qu'on ne pouvait oublier »… Elle séduit tous les hommes qu'elle rencontre, du narrateur à Lucas ou don José, par sa féminité extravagante, ses provocations, sa violence… Sa séduction, réaffirmation du sens étymologique du terme, « mène » les hommes vers leur perte : « Je le mène par le bout du nez ; je le mène d'où il ne sortira jamais. »

Pour autant, on ne sait rien de Carmen : ni son nom complet (elle est « la Carmencita », « cette Carmen », « la gitana », « la gitanilla »…) ni son âge, son passé demeure inconnu et son avenir n'est que dans la mort. En ce sens, Carmen est présente dans son absence même, puisqu'elle irradie l'ensemble de la nouvelle, du premier au dernier chapitre, même lorsqu'elle n'est pas en scène : les autres personnages la rêvent, la désirent, ne réagissent qu'en fonction d'elle. Elle est le seul réel moteur du récit, incarnant ses effets comme ses contradictions.

Dans *Militona*

Les personnages du roman se répartissent en diptyque* : Gautier oppose, presque schématiquement, deux couples. Pour ce faire, l'intrigue rompt un premier couple composé des « fiancés » apparaissant dès l'*incipit** : Andrès de Salcedo et Feliciana Vasquez de los Rios. Les deux jeunes gens, promis l'un à l'autre dès l'enfance, sont assortis par leurs origines et leurs fortunes mais ne s'aiment pas et leur ennui réciproque est maintes fois souligné avec ironie par Gautier. L'apparition de Militona aux courses de taureaux et la blessure d'Andrès permettront de composer deux autres couples bien mieux assortis : Andrès/Militona et Feliciana/Sir Edwards. Gautier joue d'oppositions symétriques entre les deux femmes espagnoles.

Feliciana – Militona incarne les traits authentiques de son peuple, contrairement à Feliciana, qui cherche d'ailleurs à effacer toute trace de ses origines : « il va sans dire que sa toilette n'avait rien d'espagnol : elle possédait à un haut degré cette suprême horreur de tout ce qui est pittoresque et caractéristique ». Seul son pied, petit et cambré, signe l'Espagnole, « on l'eût prise d'ailleurs pour une Allemande ou une Française des provinces du Nord ». Pâle, blonde aux yeux bleus, « poupée d'un journal de modes sans abonnés », Feliciana sera comblée par son mariage, rêvant de porcelaines anglaises et de pelouses vertes… Elle est donc, comme le note un Gautier acerbe, « parfaitement convenable, mais parfaitement ennuyeuse ! ». Lorsque Militona et Feliciana sont face à face, Andrès est forcé de constater combien son ancienne fiancée est « laide », « fade », « produit artificiel d'une maîtresse de pension et d'une marchande de modes ». De fait, les personnages de la nouvelle, hormis le couple Andrès/Militona et le torero Juancho, sont extrêmement caricaturaux : la *tía* Aldonza est le type même de la duègne laide et acariâtre, le portrait du père de Feliciana n'est pas très fouillé, les deux policiers, Argamasilla et Covachuelo, brillent par leur bêtise, annonçant les Bouvard et Pécuchet de Flaubert (1881). Feliciana est croquée par la plume ironique de Gautier en jeune femme ridicule (particulièrement lors de sa « toilette exorbitante » pour se rendre au chevet d'Andrès blessé) et l'Anglais « waterproof et mackintosh » qui deviendra son mari est l'objet d'une caricature particulièrement amusante :

> Chaque pièce de ses vêtements relevait d'un brevet d'invention et était taillé dans une étoffe patentée imperméable à l'eau et au feu. Il avait des canifs qui étaient en même temps des rasoirs, des tire-bouchons, des cuillers, des fourchettes et des gobelets ; [...] des cannes dont on pouvait faire une chaise, un parasol, un pieu pour une tente et même une pirogue en cas de besoin.

De fait, tous les personnages servent à mettre en valeur le trio Andrès-Militona-Juancho.

Andrès – Andrès est le type du jeune noble auquel naissance et fortune offrent une vie luxueuse mais ennuyeuse. Avant sa rencontre avec Militona, sa vie est routinière, scandée par des activités répétitives : «visite quotidienne» chez sa fiancée, promenades au Prado, dîners... Gautier additionne imparfaits d'habitude et champ lexical de l'ennui (Andrès «s'était habitué à», «il lui fallait se conformer à une foule d'habitudes»). La vue d'une jeune *manola* sur les gradins d'une arène est pour lui synonyme d'aventure et de changement, comme le montre son travestissement en homme du peuple (p. 190 et 203) :

> Malgré lui, le vieux sang espagnol s'insurgeait dans ses veines contre l'envahissement de la civilisation du Nord [...].

> L'ancien esprit d'aventure espagnol se réveillait en lui.

Andrès refuse le conformisme de sa caste, ce qu'indique là encore son comportement aux courses de taureaux : au luxe et à l'élégance des loges, il préfère les places populaires, à l'ombre, où «l'on ne perd pas un seul détail du combat, et l'on peut apprécier les coups à leur juste valeur». Il ne recule pas devant une mésalliance, renonçant à un mariage arrangé pour épouser Militona, simple *manola* : il «s'applaudissait d'avoir eu le courage de faire ce que le monde appelle une sottise, c'est-à-dire d'épouser, étant riche, une jeune fille sage, admirablement belle et passionnément amoureuse de lui» (p. 288). Mais, une fois encore, il est difficile de ne pas voir en Andrès un personnage relativement peu étoffé. Le véritable duo de la nouvelle ne serait-il pas composé de Militona et Juancho ?

Militona – La pâleur «imperceptiblement olivâtre» de Militona, ses «mains délicates et fines, bien qu'un peu basanées», son «costume rigoureusement espagnol» font d'elle une des incarnations types de la beauté «étrange» chère aux romantiques, en rupture avec les canons esthétiques classiques : «jamais type plus parfait de la femme espagnole ne s'était assis sur les gradins de granit bleu du cirque de Madrid». Militona excède les codes traditionnels de la beauté, hyperboles et oxymores* ne peuvent qu'imparfaitement la définir : elle est la «perfection», mais «avec un accent plus sauvage, la même grâce, mais plus cruelle». Le roman multiplie les portraits de la jeune femme, ne parvenant à exprimer pleinement sa beauté, la fascination qu'elle exerce. Les mots se font tautologie (« d'un noir si âprement noir »), apparient grâce (« coquillage », « fleur », « fruit ») et violence (« sauvage », « cruelle », « pourpre », « alarmant »). Militona inspire des passions violentes, comme celle qui anime Juancho. Cependant, au contraire de Carmen, Militona n'use pas de sa séduction, elle regrette le sang que la jalousie du torero fait couler (p. 206) :

> Pourvu qu'il ne cherche pas à me revoir ! [...] Juancho [...] le tuerait peut-être ou le blesserait dangereusement comme tous ceux qui ont voulu me plaire.

Si Militona est la douceur même, elle fait cependant preuve de courage et de force face à Juancho hors de lui, menaçant de la tuer : elle le chasse de chez elle, non sans lui avoir avoué bravement son amour pour Andrès. Le personnage pourrait presque sembler fade, à force de perfection, jusqu'au dénouement. La dernière phrase du roman, cinglante (« pendant cette minute suprême, elle avait aimé Juancho »), lui rend une certaine complexité. La forme d'inachèvement de cette « clôture » romanesque provoque de nouveau rêve et fascination face à cette femme qui avait perdu de son mystère.

Juancho – C'est le personnage le plus abouti du roman. Il semble d'abord appartenir à un type, celui de l' « Hercule aux proportions déliées ». Tout, dans son portrait, dit la force, la perfection musculaire, la violence. Gautier joue, dans les différentes descriptions qu'il mène du personnage, d'un champ lexical des armes et du sang (« soie rouge » ; « les broderies d'argent qui ruisselaient » ; « veste incarnadine » ; « globules »). La jalousie provoque en Juancho des tortures qui sont comme des banderilles (p. 239 et 241) :

> Juancho souffrait comme si on lui eût plongé dans le cœur des aiguilles rougies au feu.

> La jalousie lui enfonça de nouveau son épine empoisonnée dans le cœur.

Le personnage est d'une pièce, mené par une idée fixe, torturé par un amour sans espoir : « lui qui faisait reculer les bêtes farouches, il se brisait contre la persistance glacée de cette jeune fille ». Violent, dominé par ses instincts, il pourrait sembler jouer le seul rôle d'opposant au couple Militona/Andrès. Cependant, ce personnage secondaire acquiert peu à peu une réelle importance dans le roman. Contrairement à ce que son nom pourrait laisser croire, Juancho n'est ni un anti-don Juan, ni une copie de don José. Certes, l'idée de tuer Militona « pour faire cesser le charme lui était venue plus d'une fois ». Mais Juancho est l'incarnation de la passion, au sens le plus étymologique (*patior*, souffrir) comme christique du terme. Il s'immole dans l'arène, par amour pour Militona, offre son corps à la corne du taureau. Certains commentaires de Gautier pouvaient passer jusqu'alors pour des clins d'œil ironiques à un certain nombre de *topoï** romantiques (p. 174, 201 et 243) :

> Avait-il vu en rêve un taureau infernal portant sur des cornes d'acier rougi un matador embroché ? »

> La corne d'un taureau m'entrant dans la poitrine ne me ferait pas détourner la tête quand tu souris à un autre homme. »

> Il était livide, et ses pommettes, abandonnées par le sang, faisaient deux taches blanches dans sa pâleur ; ses narines dilatées palpitaient comme celles des bêtes féroces flairant une proie.

Cette dernière description assimile Juancho à un taureau au combat. Ces commentaires, soumis à une relecture par le dénouement, prennent valeurs d'indices et d'annonces. Juancho est de fait le personnage central du roman, celui par lequel l'action progresse et se métamorphose. C'est par lui que la corrida devient, au-delà d'un motif du roman – propre à toute intrigue espagnole – un modèle pour sa poétique. L'histoire d'amour d'Andrès et de Militona, heureuse, n'intéresse de fait Gautier qu'en tant qu'obstacle à la passion monomaniaque du torero. Le mariage des deux amants n'est qu'un épisode, presque une péripétie d'un roman qui s'achève sur la sublime immolation du torero dans l'arène.

Questions de style

Le XIXᵉ siècle donne au roman ses lettres de noblesse. Jusqu'alors méprisé, n'appartenant pas aux grands genres reconnus par les classiques, il est un domaine de prédilection pour les romantiques. Le roman s'impose car il offre à l'écrivain une véritable liberté de composition, est un creuset des genres et des disciplines (histoire, archéologie, sciences…) et est populaire, permettant de toucher un public plus large. Lorsque Mérimée et Gautier publient *Carmen* et *Militona*, dans les années 1845-1847, le roman s'est déjà largement imposé sur la scène littéraire. Leurs deux textes jouent des codes romanesques pratiqués par les écrivains romantiques (récit d'aventures, roman sentimental, récit de voyage), chaque auteur choisissant une forme de récit particulière, la nouvelle pour l'un, le roman-feuilleton pour l'autre.

Nouvelle

La nouvelle est un récit condensé, davantage qu'un récit «court», la longueur d'un texte étant par essence d'appréciation relative. Mettant en scène un événement principal, un nombre restreint de personnages, elle est caractérisée par une structure extrêmement dramatique, menant, le plus souvent, à une fin abrupte, jouant d'un effet de surprise. Du fait de l'extrême concision de ce type de récit, la violence en est souvent un thème privilégié. Le chapitre 3 de *Carmen* correspond à cette poétique. Il mène en effet le lecteur vers la scène du meurtre, selon une progression savamment orchestrée par un réseau d'annonces et de signes, en suivant les étapes de la déchéance de don José face à Carmen qui pousse à leur paroxysme sa jalousie et ses instincts violents.

En revanche, la nouvelle dans son ensemble met à mal cette linéarité qui semblerait être le propre du genre : le chapitre 3 est de fait un récit enchâssé*, les deux premiers chapitres n'obéissent pas à la même focalisation* et le chapitre 4 prend la forme d'un essai, rompant avec la fiction. L'unité problématique de la nouvelle repose sur ces effets d'emboîtements, de discontinuité. Mérimée refuse tout dénouement pathétique, le chapitre 4, «encyclopédique», venant mettre à distance le final sanglant du chapitre précédent.

Roman-feuilleton

Militona a les dimensions d'une nouvelle, mais il s'agit pourtant d'un récit d'un type très particulier, le roman-feuilleton. Ce genre romanesque naît en 1836, avec *La Presse*, journal d'Émile de Girardin. Pour conquérir et fidéliser ses abonnés, il a l'idée de publier des romans par feuilletons, l'action étant systématiquement interrompue au moment le plus dramatique. Curiosité et frustration fonctionnent donc comme des pièges puisque le lecteur doit attendre « la suite au prochain numéro ». Ces stratégies influent également sur l'écriture, la composition et la structure des romans, puisque les chapitres se voient soumis à cette nécessité du « suspens ». Par ailleurs, l'auteur, désireux de séduire son public, multiplie les clins d'œil et les adresses ironiques à son lecteur.

Militona, publiée en onze feuilletons dans *La Presse*, justement, entre le 1er et le 16 janvier 1847, obéit aux codes de ce type de roman : chaque chapitre correspondant à un feuilleton, Gautier se doit de relancer la curiosité du lecteur. Ainsi, à la fin du chapitre 1, Andrès retrouve Militona et, « par une galanterie de bon goût » du hasard, est assis précisément à côté d'elle dans l'arène. Mais le lecteur doit attendre l'épisode suivant pour lire le récit de leur rencontre. La jeune manola échappe à Andrès, qui la fait suivre, et il ne la retrouve qu'au chapitre 3, etc. Gautier s'amuse de ces codes du roman-feuilleton, ne cessant de multiplier les focalisations*, interrompant son récit, intercalant de longues descriptions, afin de piquer au vif les attentes de son lecteur, soulignant ses intentions d'ironiques : « il ne sera pas hors de propos de jeter un coup d'œil sur l'endroit où la scène se passe » (chapitre 1), « profitant de la permission d'ubiquité accordée aux conteurs » (chapitre 3) ou « nous avons un peu perdu de vue notre ami Juancho. Il serait convenable d'aller à sa recherche, car il était sorti de la chambre de Militona dans un état d'exaspération qui touchait à la démence » (chapitre 10). Enfin, tous les thèmes de prédilection du public de l'époque sont présents dans le roman : passion, violence, exotisme. Tout est fait pour séduire et fidéliser le lectorat de *La Presse*.

Carmen et *Militona* n'appartiennent donc pas totalement aux mêmes genres romanesques. Si les thèmes des deux récits sont proches (passion, violence et corrida), leurs structures diffèrent : *Militona* est un récit linéaire, menant à un dénouement violent, en forme de coup de théâtre, tandis que *Carmen* multiplie les effets de brouillage et d'emboîtements. Pourtant, les deux textes jouent pareillement avec les codes romanesques en vogue à leur époque. *Carmen* comme *Militona* sont pour une part des récits de voyage, des romans initiatiques, des « espagnolades », les deux auteurs n'abordant ces genres que pour mieux les refuser, les mettre à distance et en jouer.

Postérité

Vous avez dit *Militona* ?

Militona est un texte oublié de Gautier. Après sa publication en feuilletons dans *La Presse*, il connut, la même année, une parution en volume chez Desessart, puis fut adjoint à *Arria Marcella* et *Jean et Jeannette* dans *Un trio de romans*, publié en 1852. Le récit fut ensuite publié par Hachette mais Gautier l'exclut du recueil *Romans et Contes* chez Charpentier, en 1863. Il reparaîtra, en 1888, chez Charpentier dans *Un trio de romans*, avec cette fois *Jean et Jeannette* et *Les Roués innocents*. Aujourd'hui encore, *Militona* est un texte peu connu et très peu lu de Théophile Gautier, difficilement disponible, sinon dans la très récente édition en deux volumes des *Romans, Contes et Nouvelles* de Gautier dans la Bibliothèque de la Pléiade (tome 1).

Le mythe « Carmen »

Le destin de *Carmen* est tout autre. La publication du texte, dans *La Revue des Deux Mondes*, le 1ᵉʳ octobre 1845, puis en volume, chez Michel Lévy, en 1847, passa relativement inaperçue. En revanche, sa réédition, en 1852, suscita des commentaires. Sainte-Beuve, dans *Le Moniteur universel*, le 7 février 1853, compara l'intrigue et les personnages à ceux de *Manon Lescaut* de l'abbé Prévost. Gustave Planche fut, quant à lui, séduit par Carmen, « jeune fille sans foi ni loi, qui ne recule devant aucun crime ; si elle ne trempe pas ses mains dans le sang, elle conduit la victime désignée au-devant de la balle ou du poignard ». Il relève les contradictions fécondes du personnage, pervers et qui « a vingt fois mérité la corde » mais qui « meurt avec tant de noblesse et de résignation que nous devinons dans la bohémienne cruelle et perfide

Le frontispice de la
partition de *Carmen*,
opéra de Bizet,
gravure réalisée
d'après un dessin
de P. Leray.

un cœur généreux, capable des plus grandes actions, des plus héroïques dévouements » (*La Revue des Deux Mondes*, 15 septembre 1854). Carmen fascine et inspire par ailleurs les écrivains, de Gautier (*Militona*, le poème *Carmen* dans *Émaux et Camées*) à Pierre Louÿs (1870-1925) qui part en Espagne sur les traces de Carmen et s'inspire de la nouvelle de Mérimée pour composer son célèbre roman *La Femme et le Pantin* (1898). Dans *Militona*, la référence est discrète mais présente, par exemple lorsque Andrès imagine que Militona est peut-être « cigarera » (chapitre 4) ou lorsqu'il est fait mention de « Luca », un des soupirants de la jeune femme (chapitre 10). Carmen devient mythe, en partie d'ailleurs grâce à l'opéra de Bizet, sur un livret d'Henri Meilhac et Ludovic Halévy, créé le 3 mars 1875. Lors de ses premières représentations, l'opéra-comique en quatre actes fut jugé indécent et vulgaire. Il est pourtant aujourd'hui l'opéra le plus connu et le plus joué dans le monde. Le philosophe Friedrich Nietzsche (1844-1900) compta parmi ses plus fervents admirateurs : « on croyait entendre une nouvelle de Mérimée, spirituel, vigoureux, bouleversant ici ou là » (lettre à Heinrich Köselitz, 28 novembre 1881). Il fit de Carmen une figure centrale du mythe de l'éternel retour.

L'opéra respecte souvent scrupuleusement le texte de la nouvelle. Il ne s'agit cependant pas d'une simple transcription scénique de *Carmen*. D'une part parce qu'il est principalement centré sur le chapitre 3 de la nouvelle, d'autre part parce que la distribution des personnages est profondément modifiée : Garcia, le *rom* de Carmen, disparaît ; Lucas n'est plus le dernier amant de Carmen, simple silhouette chez Mérimée, destinée à provoquer la fureur de don José et le meurtre. Il apparaît dès l'acte II de l'opéra, sous le nom d'Escamillo, et le torero devient une figure essentielle du drame, permettant de concevoir l'opéra comme une corrida dont la mise à mort serait un motif central. Le finale de l'opéra, dernier duel entre Carmen et don José, très puissant, éclaire l'importance de ce personnage ainsi que le travail de transposition de la nouvelle à l'opéra. Nous vous invitons à l'écouter pour partager la vision de Bizet, et vous faire votre propre interprétation de l'histoire…

Annexes

De vous à nous

Arrêt sur lecture 1 (p. 46)

1 – Recherche – Au début du chapitre, le narrateur semble explorer la région sans itinéraire précis. La rencontre d'un inconnu donne un but à sa quête. Il s'agira pour lui de découvrir le secret que cache la vie de cet homme, selon toute vraisemblance un crime, comme le laisse supposer sa ressemblance avec « le Satan de Milton ». Dès la rencontre, le réseau sémantique du « regard » est très important (« toisa », « examen », « considéra »), le narrateur s'attache à des détails de prononciation (le *s*), tire de l'observation des traits physiques du personnage un certain nombre de conclusions sur son caractère (« regard sombre et fier », « air farouche ») et sa physionomie lui rappelle même un « fameux bandit nommé José Maria ». Cette première interprétation est fausse mais le narrateur poursuit son enquête. Il relève les moindres indices (des « signes mystérieux » de son guide aux « quelques mots échappés » à l'inconnu). On pourra noter dans les pages suivantes l'importance des monologues intérieurs, des phrases interrogatives et hypothétiques (« si je ne me trompe »), des modalisateurs (« peut-être », « il me sembla », « je crus »), des verbes de questionnement (« je me demandais ») et des expressions du doute (« je flottais encore dans la plus grande incertitude »). Enfin, le récit étant mené par un narrateur intradiégétique*, adoptant l'ignorance qui était la sienne au moment des faits, il est à noter que le lecteur ne possède aucune clé et se voit lui aussi soumis au mystère et aux interrogations.

3 – Réflexion – La citation de Palladas placée en épigraphe est au présent de vérité générale, et sonne donc comme une maxime, presque une loi (voir l'emploi de verbes auxiliaires simples, « est », « a », de termes généraux, « toute femme », « elle »). Le grec confère à la sentence le poids d'une vérité psychologique pesant comme l'*ananke* (fatalité) sur l'existence humaine.

Son ton est ironique, voire grinçant. De fait, cette épigramme* grecque, sans traduction et demeurant donc opaque pour nombre de lecteurs, loin de nous éclairer, renforce le mystère porté par le titre de la nouvelle. *Carmen* est en effet un terme polysémique : signifiant chant, poésie, comme charme et enchantement, il est aussi le prénom d'une femme, qui comme « toute femme » est « amère » et devrait connaître « deux bonnes heures ». L'épigraphe place donc immédiatement le récit sous le signe de la complexité et du paradoxe : elle annonce une tension entre la volupté et la mort, *Éros* et *Thanatos*, et laisse supposer que la nouvelle connaîtra une fin tragique, révélant en quelque sorte le dénouement alors que le récit n'est pas même commencé.

4 – Synthèse – Les bandits romantiques ont d'abord en commun un certain nombre de <u>caractéristiques physiques</u> : si la beauté n'est pas systématiquement mentionnée, les écrivains s'accordent sur une véritable élégance et une force physique hors du commun. Les hors-la-loi sont originaires de pays que l'imaginaire romantique pare d'une aura de violence et de crime : l'Espagne, l'Illyrie, l'Italie. Souvent nobles, ils choisissent une vie de proscrit – ou s'y voient condamnés – et leur identité réelle demeure mystérieuse. Leur nom véritable est souvent méconnu, on leur attribue des surnoms. Ce mystère sur leur vie, leur âge et leur origine nourrit leur légende.

Leur <u>comportement</u> est par ailleurs comparable : leur bravoure et leur générosité se voient louées. Tous obéissent à un véritable code de l'honneur (courtoisie, fidélité, pas de dénonciation entre complices). Les vols et autres actes illégaux qu'ils commettent sont dotés d'une signification supérieure : un bon mot (comme celui de José-Maria) transforme un vol en galanterie ; il ne s'agit pas de détrousser mais de réparer les inégalités sociales en donnant aux pauvres ce que possèdent les riches. Le crime est un moyen, au service de la révolte et de l'opposition politique.

Enfin, il est à noter que le trait commun de ces différents portraits réside dans le <u>regard laudateur</u> que tout le monde (peuple comme écrivains) porte sur ces bandits : ils sont l'objet d'un véritable culte populaire, sujets de chansons comme de romans. Leurs exploits sont ainsi amplifiés, transmis « de génération en génération » et les bandits deviennent des figures légendaires. Ainsi s'expriment une fascination pour des vies hors du commun comme une volonté, pour nos auteurs, de faire de ces personnages les vecteurs d'une critique sociale ou politique.

Ce sont ces différents éléments que vous devrez faire apparaître dans votre portrait du bandit romantique.

Arrêt sur lecture 2 (p. 73)

1 – La montre du narrateur est présente dans chacun des épisodes du chapitre : elle apparaît dès la rencontre avec Carmen au bord du fleuve (« je fis sonner ma montre, et cette sonnerie parut l'étonner beaucoup »), puis dans la neveria (« elle voulut connaître encore la marche du temps, et me pria de nouveau de faire sonner ma montre »). Elle est ici à la fois un sujet de conversation et un motif de convoitise pour la Gitane. Lorsqu'elle mène le narrateur chez elle, la montre est volée ; elle réapparaît enfin chez le père dominicain. En somme, « la belle montre à répétition » – mécanisme horloger comme narratif – est un véritable motif, au sens musical, de la nouvelle.

Sa première fonction est certes d'éclairer le caractère cupide (« est-elle vraiment d'or ? dit-elle en la considérant avec attention »), rusé et voleur de Carmen. Mais au-delà, la montre (comme la médaille, gage d'amour filial) est dotée d'une valeur symbolique. Elle indique la marche du temps, de la fatalité. Les heures de don José, condamné, sont désormais comptées.

2 – Le dominicain est un personnage secondaire et pour autant nécessaire à l'action. Il provoque la rencontre finale du narrateur et de don José, avant l'exécution de ce dernier. C'est un être de l'excès, dans ses gestes (« à bras ouverts ») comme sa parole : il parle fort (« s'écriant »), multiplie les exclamations, les interjections, il s'exprime de manière superlative et hyperbolique : « vous n'êtes pas assassiné », « il a commis plusieurs meurtres, tous plus horribles les uns que les autres ». Il pourrait presque paraître comique, sinon ridicule, comme le sous-entend la référence à un personnage de Molière (« petit pendement bien choli »). Mais le registre employé par Mérimée dans ce portrait est bien plus caustique et acide : cet homme d'Église, qui ne cesse de faire référence à Dieu, le fait principalement dans des interjections ou expressions stéréotypées (« Loué soit le nom de Dieu ! », « j'ai récité bien des *pater* et des *ave*, que je ne regrette pas », « plût à Dieu »). Il ne semble pas réellement animé par un esprit de charité chrétienne : il n'emploie que des termes péjoratifs envers don José (« le coquin »), exprime un véritable mépris pour cet étranger (« il a encore un nom basque que ni vous ni moi ne prononcerons jamais »). Intolérant, il est enfin animé d'une curiosité morbide pour la « curiosité » que représente un homme prisonnier ou une exécution (« c'est un homme à voir », « vous ne devez pas négliger d'apprendre comment en Espagne les coquins sortent de ce monde »). En somme, c'est bien un portrait à charge que mène Mérimée, critiquant sévèrement à travers ce dominicain une certaine facette de l'Église.

Arrêt sur lecture 3 (p. 131)

1 – Analyse de l'*incipit** – Un « je » nouveau ouvre le chapitre, celui de don José, qui raconte sa vie au narrateur premier (celui des deux premiers chapitres), devenu son interlocuteur. Nous lisons une autobiographie condensée (comme le montre l'anaphore du « je »), mettant en lumière quelques motifs signifiants. Ainsi, la naissance (« je suis né ») introduit le portrait d'un don José naïf, inexpérimenté. Par ailleurs, elle marque une transition forte avec le chapitre précédent qui annonçait l'exécution prochaine de don José. Le personnage peut d'abord sembler hautain : il signale ses origines nobles, socialement (le « droit » au *don*, la « généalogie sur parchemin ») comme spirituellement (« vieux chrétien »). Il s'agit pour lui de ne pas apparaître comme un vulgaire bandit, de se démarquer de certains compagnons de contrebande dont il brossera le portrait dans le chapitre, mais aussi d'introduire, implicitement, à certaines valeurs qu'il conservera, malgré sa déchéance : l'honneur et le sens du sacré (il fera dire une messe pour Carmen avant de la tuer). Enfin, nous avons la mention d'une sorte de « faute originelle », la querelle du jeu de paume (« c'est ce qui m'a perdu »), première pulsion violente, première condamnation. Don José inaugure ainsi une recherche, et tente de savoir ce qui a pu le condamner à une telle existence. Le lecteur perçoit, à travers ces quelques lignes, que le personnage est faible, souvent passif (« on voulait que je fusse », « on me fit ») et déjà violent, avant même sa rencontre avec Carmen.

2 – Analyse de la dernière phrase du chapitre – Cette remarque finale est particulièrement ambiguë. Il est difficile de déterminer qui l'énonce. Est-ce l'ermite, lors de la messe dite pour Carmen ? est-ce le narrateur premier, qui reprendrait la parole (comme dans l'incise, « dit-il », de l'*incipit**) ? est-ce don José ? Si l'on considère que don José prononce cette ultime remarque, il est tout aussi délicat de lui donner un sens univoque. Don José semble vouloir racheter Carmen et mettre son comportement volage et cruel sur le compte de son éducation et de sa « race » (cette phrase ferait alors écho à toute une série de remarques dans le cours du chapitre : « pour les gens de sa race, la liberté est tout »). Mais c'est alors aussi une manière pour lui de se disculper de l'avoir tuée. Par ailleurs, cette phrase ouvre au chapitre suivant, consacré aux bohémiens, elle a une fonction de transition et de relance de l'intérêt dramatique.

3 – Commentaire composé – Les éléments suivants devront être mis en lumière :

– <u>une scène paroxystique</u>. Le chapitre 3 est construit sur une succession de meurtres, celui de Carmen en est en quelque sorte le « couronnement » (comme le montre l'allusion à « la reine des bohémiens » dans la phrase qui précède notre extrait, la messe dite ou le soudain vouvoiement de Carmen par don José). La tension narrative culmine dans ce passage. Les deux amants se menacent, s'insultent. Au trouble de don José qui tente l'impossible pour que Carmen revienne à lui (ordre, pardon, supplication, menace) répond l'insolence de Carmen. Elle est figée (alors que don José ne cesse de bouger), butée, reprenant sans cesse les mêmes mots (« je », « non », *calli* »).

Les dialogues sont de plus en plus courts, la parole devient cri (« non ! non ! non ! »), simple geste (Carmen tape du pied, don José répond par des coups de couteau). Les phrases sont courtes, de structure simple et la mort elle-même est décrite sobrement, sans emphase. Carmen est réduite à une synecdoque*, à son œil noir et fixe. L'épisode dans son ensemble fonctionne comme une scène de théâtre (dialogues et gestes faisant fonction de didascalies*) et même comme une corrida, avec l'affrontement, les poses (« immobile, un poing sur la hanche, me regardant fixement ») et la mise à mort.

– <u>un « dénouement » problématique</u>. Certes, l'histoire de don José et Carmen est terminée. La jeune Gitane est morte sous les coups de couteau de son amant, le criminel s'est rendu et va être exécuté. Par ailleurs, cette scène constitue une véritable acmé* du récit, par sa violence et sa tension dramatique. Tout, dans les trois premiers chapitres, conduit à ce dénouement fatal : les annonces, les signes interprétés par Carmen ou don José. Comme l'a dit Carmen, « c'est écrit ». Le dénouement est donc annoncé, prédit, attendu. Pourtant, cette scène n'est pas le dénouement de la nouvelle, qui est relancée au chapitre 4. Quel est donc le statut particulier de ce texte ? Comment surprendre le lecteur, alors même que tout a été annoncé ?

– <u>une ambiguïté fondamentale</u>. En apparence, don José parvient enfin à sortir de sa passivité, en mettant à mort le « démon » qui le dominait. Il tue celle qu'il ne peut posséder (ses « ma Carmen ! » demeurent sans écho). Mais que penser de ce meurtre, commis avec le couteau d'un autre (Garcia qui fut le *rom* de Carmen), poussé à bout par le désespoir ? Tuer Carmen, est-ce la posséder ? Don José en est réduit à un geste dérisoire et pathétique, poser dans sa fosse la bague que Carmen avait jetée. L'affront a-t-il pour autant été lavé ? Carmen n'a-t-elle pas ainsi refusé des noces dans la mort ? Qui est ici la victime ?

Carmen est en effet tout aussi ambiguë, malgré son caractère altier et absolu. Certes, elle ne cesse de dire qu'elle n'aime plus don José, elle jette quelques paroles particulièrement cinglantes, appariant mépris et affront. Elle avoue l'avoir aimé « un instant », « comme » Lucas, un peu plus « peut-être », et cette incertitude est sans doute le plus difficile à accepter pour don José. Pourtant, ne lui offre-t-elle pas sa mort ? Est-ce seulement parce que c'était « écrit » ? Carmen demeure libre et mystérieuse ; elle échappe même dans sa mort.

Arrêt sur lecture 4 (p. 151)

1 – Les italiques, dans ce chapitre, n'ont pas pour fonction de mettre des termes à distance, de souligner un emploi ironique ou contraire au sens courant d'un terme. Ces caractères conservent leur valeur typographique de mention des titres (*Les Mystères de Paris*), ou de citation (Rabelais). Surtout, ils servent à mettre en évidence les termes étrangers (dès l'*incipit** du chapitre, les diverses traductions du mot bohémien puis les mots en langue *rom*, en grec ou les citations latines, comme celle d'Ovide). Les italiques servent ainsi la mise en évidence d'une forme d'altérité au sein du texte, qu'il s'agisse d'une langue ou d'un texte *autre*.

3 – Le narrateur de Carmen se met ici en scène à la manière de M. de Peyrehorade, personnage de *La Vénus d'Ille* (1837), qui traduit de manière tout à fait fantaisiste les inscriptions latines de sa statue… Contrairement à ce qu'il affirme et au « génie » de la langue *rom*, le mot frimousse n'existe que depuis 1743. Selon le dictionnaire historique de la langue française d'Alain Rey, le terme est un dérivé probable du mot frime, lui-même d'origine obscure, croisement de « mine » et de « frume », qui en ancien français signifiait « gosier », « gueule ». On trouve des traces plus anciennes du terme dans des dialectes, sous la forme de « phrimouse » ou « phlimousse ».

Glossaire

Acmé : apogée, point culminant.

Analepse : retour en arrière de la narration.

Antiphrase : procédé ironique qui consiste à dire l'inverse de ce que l'on veut laisser entendre.

Chiasme : figure de rhétorique qui consiste à croiser les termes de deux groupes syntaxiquement identiques (ex : « Gourmand de tout, de tout insatiable », Ronsard).

Clausule : dernier membre d'un vers, d'une strophe, ou en prose, d'un paragraphe.

Didascalies : indications scéniques.

Diptyque : tableau pliant formé de deux volets pouvant se rabattre l'un sur l'autre. Par extension, s'emploie pour désigner une œuvre littéraire en deux parties.

Épigramme : court poème s'achevant sur une pointe satirique.

Épigraphe : brève citation en tête d'un livre ou d'un chapitre afin d'en indiquer l'esprit.

Éponyme (personnage) : il s'agit du personnage dont le nom constitue le titre de l'œuvre (Carmen ou Militona sont des personnages éponymes).

Focalisation : point de vue adopté pour la narration (celui, subjectif et restreint, d'un personnage, celui d'un narrateur omniscient…).

Incipit : premier vers d'un poème et par extension, première phrase ou paragraphe d'un texte.

In medias res : en plein sujet, au milieu de l'action (Horace, *Art Poétique*, v. 148).

Intradiégétique (narrateur) : le narrateur s'inclut dans le récit qu'il propose au lecteur et se désigne comme l'instance narrative.

Métapoétique : « *méta* », en grec, désigne « ce qui se rapporte à soi-même ». Discours sur le fait littéraire au sein même de ce discours.

Mise en abyme : procédé narratif emprunté au vocabulaire médiéval du blason, l'abyme désignant le centre du blason lorsqu'il représente un autre écu. Le procédé désigne donc un récit second inséré dans un récit-cadre*, une représentation théâtrale jouée au sein d'une autre scène de théâtre (comme dans *Hamlet*), et par extension, toute forme de métareprésentation.

Narrataire : récepteur du discours narratif.

Onomastique : étude des noms propres.

Oxymore (ou oxymoron) : alliance de deux mots de sens contradictoires (ex : se hâter lentement).

Palimpseste : au sens propre, ce terme désigne un parchemin gratté afin de pouvoir écrire un nouveau texte ; par extension, dans un emploi dû au critique littéraire Gérard Genette, il désigne un texte écrit en référence à d'autres textes, dont il porte la trace, par un réseau de références implicites ou plus soulignées.

Physiognomonie : science ayant pour objet l'étude du caractère d'une personne d'après ses traits physiques.

Picaresque : propre au *picaro*, aventurier espagnol.

Programmatique : qui annonce, décrit par avance.

Prolepse : récit ou indice qui anticipe l'action.

Quiproquo : situation théâtrale, jouant sur un malentendu (une personne ou une chose sont prises pour une autre).

Récit-cadre / récit encadré (ou enchâssé) : système d'emboîtement narratif. Un récit (encadré ou enchâssé), mené par un narrateur second, est inséré dans un récit principal, appelé récit-cadre et mené par le narrateur premier. Dans *Carmen*, les chapitres I, II et IV correspondent au récit-cadre, le III est le récit encadré.

Rhétorique (question) : question qui n'appelle pas de réponse.

Sublime : style ou ton appliqués aux sujets élevés.

Synecdoque : figure de style qui consiste à substituer la partie au tout (l'œil noir pour Carmen, par exemple).

Syntagme : groupe de mots qui se suivent en produisant un sens acceptable.

Topos (pluriel *topoï*) : cliché, image ou expression trop souvent utilisés.

Vaudeville : comédie légère et divertissante, fertile en rebondissements.

Bibliographie

Ouvrages généraux
Léon-François Hoffmann, *Romantique Espagne, L'Image de l'Espagne en France entre 1800 et 1850*, PUF, 1961. (NB : Nous lui avons emprunté le titre de cet essai dans les Ouvertures.)

Christine Marcandier-Colard, *Crimes de sang et scènes capitales, pour une esthétique romantique de la violence*, PUF, 1998.
Claude Peletier, *L'Heure de la corrida*, Gallimard, « Découvertes », n° 144, 1992.

Carmen
Christian Chelebourg, *Prosper Mérimée, Le sang et la chair, une poétique du sujet*, Archives des Lettres Modernes, n° 280, 2003.
Michel Crouzet, introduction aux *Nouvelles* de Mérimée, Imprimerie nationale, 1987 (*Carmen* se trouve dans le tome II).
Xavier Darcos, *Prosper Mérimée*, Flammarion, « Les grandes biographies », 1998.
Dominique Maingueneau, *Carmen, Les Racines d'un mythe*, Éditions du Sorbier, 1984.
Élisabeth Ravoux-Rallo, « Figures mythiques », *Carmen*, éd. Autrement, 1997.

Militona
Charles Baudelaire, *Théophile Gautier*, in *Œuvres complètes*, Gallimard, « Bibliothèque de la Pléiade », 1976, t. II.
Michel Crouzet, « Gautier et le problème de créer », *Revue d'histoire littéraire de la France* n° 4, Armand Colin, juillet-août 1972.
Natalie David-Weill, *Rêve de pierre : la quête de la femme chez Théophile Gautier*, Genève, Droz, 1989.
Anne Ubersfeld, *Théophile Gautier*, Stock, 1992.
Théophile Gautier, *Voyage en Espagne*, suivi de *España*, éd. de P. Berthier, 1981, Folio n° 1295.

Et pour les internautes...
Patrick Berthier, « Le roman d'un voyageur en Espagne : *Militona* de Théophile Gautier », conférence sonore du colloque *Roman et Récit de voyage* :
http://www.crlv.org/outils/encyclopedie/afficher.php?encyclopedie_id=38

TABLE DES MATIÈRES

Dans la même collection

NOTES

Cet ouvrage a été composé
et mis en pages par In Folio à Paris,
achevé d'imprimer
sur les presses de l'imprimerie Herissey
en mai 2005.
Imprimé en France.

Dépôt légal : mai 2005
n° d'imprimeur : 99147
n° d'éditeur : 133568
ISBN 2-07-030628-3

Pour plus d'informations :
http://www.gallimard.fr
ou
La bibliothèque Gallimard
5, rue Sébastien-Bottin — 75328 Paris Cedex 07